Hans Diefenbacher / Oliver Foltin / Benjamin Held /
Dorothee Rodenhäuser / Rike Schweizer / Volker Teichert

Zwischen den Arbeitswelten

Schriftenreihe Band 10068

Hans Diefenbacher / Oliver Foltin / Benjamin Held /
Dorothee Rodenhäuser / Rike Schweizer / Volker Teichert

Zwischen den Arbeitswelten

Der Übergang in die Postwachstumsgesellschaft

bpb:
Bundeszentrale für politische Bildung

Professor Hans Diefenbacher, geb. 1954, ist stellvertretender Leiter der Forschungsstätte der Evangelischen Studiengemeinschaft (FEST). Er leitet dort den Arbeitsbereich „Frieden und Nachhaltige Entwicklung“. Diefenbacher ist zudem apl. Professor für Volkswirtschaftslehre an der Universität Heidelberg.

Dr. Oliver Foltin, geb. 1981, studierte Ökonomie in Mannheim und Heidelberg. Er ist Leiter des Projektbüros Klimaschutz der EKD.

Dipl.Vw. Benjamin Held, geb. 1985, studierte Ökonomie in Heidelberg. Er befasst sich mit nachhaltigem Konsum und Alternativen zum BIP.

Dorothee Rodenhäuser M. A., geb. 1983, studierte Ökonomie und Politikwissenschaften in Heidelberg und Lausanne. Ihre Arbeitsschwerpunkte sind die Alternativen zum BIP und Indikatoren der sozialökonomischen Transformation.

Dipl.Soz.-Wiss. Rike Schweizer, geb. 1984, studierte Sozialwissenschaften in Mannheim und ist wissenschaftliche Mitarbeiterin der Klima-Kollekte gGmbH.

Dr. Volker Teichert, geb. 1954, studierte Volkswirtschaftslehre und Erziehungswissenschaften in Heidelberg. Er promovierte in Kassel und hat seine Arbeitsschwerpunkte im Nachhaltigkeitsmanagement und in der nachhaltigen Entwicklung.

Die Originalausgabe des Buches erscheint in der Reihe „Entwürfe für eine Welt mit Zukunft“, herausgegeben von Harald Welzer und Klaus Wiegandt.

Bonn 2017
Lizenzausgabe für die Bundeszentrale für politische Bildung
Adenauerallee 86, 53113 Bonn

Umschlaggestaltung: Naumilkat – Agentur für Kommunikation und Design, Düsseldorf
Umschlagfoto: © plainpicture/Stefan Freund

Grafiken: Peter Palm, Berlin
Satz: Dörlemann Satz, Lemförde
Druck und Bindung: CPI books GmbH, Leck

ISBN 978-3-7425-0068-7

www.bpb.de

Inhalt

Teil II:
Konkretionen –
Arbeit in einer Postwachstumsgesellschaft

Verzeichnis der Infokästen

Entwürfe für eine Welt mit Zukunft

Das 19. und 20. Jahrhundert waren die Epoche der expansiven Moderne. Immer weitere Teile der Welt folgten dem industriegesellschaftlichen und wachstumswirtschaftlichen Pfad, ihre Bewohnerinnen und Bewohner erlebten materiellen und vor allem auch immateriellen Fortschritt: Die Gesellschaften demokratisierten sich, wurden freiheitliche Rechtsstaaten. Arbeitsschutzrechte, Bildungs-, Gesundheits- und Sozialversorgung wurden erkämpft. Im 21. Jahrhundert, da die Globalisierung fast den ganzen Planeten in den wachstumswirtschaftlichen Sog gezogen, aber dabei keineswegs überall Freiheit, Demokratie und Recht etabliert hat, stehen wir vor der Herausforderung, den erreichten zivilisatorischen Standard zu sichern, denn dieser gerät immer mehr unter den Druck von Umweltzerstörung, Ressourcenkonkurrenz, Klimaerwärmung – um nur einige der gravierendsten Probleme zu nennen. Wie sieht eine moderne Gesellschaft aus, die nicht mehr dem Prinzip der immerwährenden Expansion folgt, sondern gutes Leben mit nur einem Fünftel des heutigen Verbrauchs an Material und Energie sichert? Das weiß im Augenblick niemand; einen Masterplan für eine solche Moderne gibt es nicht. Wir brauchen daher Zukunftsbilder, die die Lebensqualität in einer nachhaltigen Moderne vorstellbar machen und mit den Entwürfen einer anderen Mobilität, einer anderen Ernährungskultur, eines anderen Bauens und Wohnens die Veränderung der gegenwärtigen Praxis attraktiv und nicht abschreckend erscheinen lassen.

Deshalb haben wir für die Buchreihe »Entwürfe für eine Welt mit Zukunft« Wissenschaftlerinnen und Wissenschaftler gebeten, konkrete Utopien künftiger Wirtschafts- und Lebenspraktiken zu skizzieren. Konkrete Utopien, das heißt: Szenarien künftiger Wirklichkeiten, die auf der Basis heute vorliegender technischer und sozialer Möglichkeiten herstellbar sind. Erst vor dem Hintergrund solcher Zukunftsbilder lässt sich abwägen, welche Entwicklungsschritte heute sinnvoll sind, um sich in Richtung einer wünschenswerten Zukunft aufzumachen. Anders gesagt: Ohne Zukunftsbilder lässt sich weder eine gestaltende Politik denken noch die Rolle, die die Zivilgesellschaft für eine solche Politik spielt. Wenn Politik und Zivilgesellschaft wie Kaninchen vor der Schlange ausschließlich auf die Bewahrung eines fragiler werdenden Status quo fixiert sind, verlieren sie die Fähigkeit, sich auf ein anderes Ziel zuzubewegen. Sie verbleiben in der schieren Gegenwart, was in einer sich verändernden Welt eine tödliche Haltung ist.

Nach 18 Bänden der ebenfalls im Fischer-Taschenbuch erschienenen Vorgängerreihe, die unter großer öffentlicher Resonanz eine wissenschaftliche Bestandsaufnahme des naturalen Status quo der Erde in den einzelnen Dimensionen von den Ozeanen bis zur Bevölkerungsentwicklung vorgelegt hat, wenden wir nun also den Blick von der Gegenwart in die Zukunft – in der Hoffnung, konkrete Perspektiven für die Gestaltungsmöglichkeiten einer nachhaltigen modernen Gesellschaft aufzuzeigen, Perspektiven, die der Politik wie den Bürgerinnen und Bürgern Mut machen, ihre Handlungsspielräume zu nutzen und Wege zum guten Leben einzuschlagen.

Harald Welzer & Klaus Wiegandt

Vorbemerkung

Das vorliegende Buch haben die Mitarbeiterinnen und Mitarbeiter des Arbeitsbereichs »Frieden und Nachhaltige Entwicklung« der Forschungsstätte der Evangelischen Studiengemeinschaft (FEST), die an Nachhaltigkeitsthemen forschen, gemeinsam verfasst. Es ist zwischen Anfang 2015 und April 2016 entstanden.

Angeregt und finanziell gefördert wurde das Projekt jedoch von Klaus Wiegandt, dem Begründer der Stiftung Forum für Verantwortung in Seeheim-Jugenheim, der diesem Thema auch Raum gab bei den von ihm mit veranstalteten Kolloquien »Wege aus der Wachstumsgesellschaft« in der Europäischen Akademie Otzenhausen. Wir danken Klaus Wiegandt sehr für seine Inspiration und seine Unterstützung.

Ein wichtiger Schritt auf dem Weg zu diesem Buch war eine Tagung zum Thema »Ende des Wachstums – Arbeit ohne Ende«, die als vierte Tagung in der Reihe »Die Wirtschaft der Gesellschaft« im September 2015 in Heidelberg stattfand; die Tagungsreihe ist ein Gemeinschaftsprojekt des Nell-Breuning-Instituts der Hochschule St. Georgen, Frankfurt, und der FEST in Heidelberg. Die Vorträge und Diskussionen der Tagung haben uns wertvolle Anregungen für den vorliegenden Band geliefert; die Beiträge zu dieser Tagung werden gesondert veröffentlicht.

Bedanken möchten wir uns auch bei den Mitarbeiterinnen und Mitarbeitern, die zum Buch entweder durch kurze Texte oder durch Mithilfe bei diversen Korrekturgängen beigetragen haben: Rainald Basfeld, Fiona Hauke, Sven-David Pfau und Franziska Strohmaier.

Schließlich gilt unser Dank Ulrike Holler vom Lektorat Sachbuch und Wissenschaft des S. Fischer Verlags, besonders für ihre Geduld und ihre Bereitschaft, sich auf unsere Vorstellungen einzulassen.

Heidelberg, 1. Mai 2016 (Tag der Arbeit)
Hans Diefenbacher, Oliver Foltin,
Benjamin Held, Dorothee Rodenhäuser,
Rike Schweizer, Volker Teichert

1 Arbeit in der Postwachstumsgesellschaft

Wie werden wir in Zukunft arbeiten? Die Diskussion dieser Frage hat ihre eigene Geschichte, die sich im Laufe der letzten Jahrzehnte gewandelt hat, in der bestimmte Grundfragen aber immer wiederkehren. Sie ist gekennzeichnet von vielen Paradoxien und teilweise nur schwer auszuhaltenden Widersprüchlichkeiten. Menschen müssen arbeiten und empfinden ihre Arbeit oft als kaum zu tragende Bürde; doch fehlt die Arbeit einmal, ist auch dies für die Betroffenen eine besonders schwere Belastung – nicht nur, weil ihr Arbeitseinkommen ausfällt, sondern weil sie an der Arbeitswelt keinen Anteil mehr haben. Menschen strengen sich unablässig an, um Arbeitsprozesse zu erleichtern, sei es durch technische Neuerungen oder durch eine Verbesserung der Arbeitsorganisation. Erfolge werden dann aber nur selten in Erleichterungen umgesetzt. Meist produzieren die einen dann mehr als zuvor, und andere werden arbeitslos – und wenn die Arbeiterinnen und Arbeiter ihre Produktionsmittel nicht selbst besitzen, profitieren in der Regel Dritte davon. Seit Beginn der Industrialisierung hat dieser Umstand immer wieder zu Kämpfen gegen arbeitssparende Technik geführt (Chevasseur-au-Louis 2006, Spehr 2000). Die Befürchtung, dass der Arbeitsgesellschaft die Arbeit ausgehe, kehrt in Wellen immer wieder auch in die akademische Diskussion zurück. So formulierte Hannah Arendt schon 1958:

> »Was uns bevorsteht, ist die Aussicht auf eine Arbeitsgesellschaft, der die Arbeit ausgegangen ist, also die einzige Tätigkeit, auf die sie sich noch versteht. Was könnte verhängnisvoller sein? … Es ist ja eine Arbeitsgesellschaft, die von den Fesseln der Arbeit befreit werden soll, und diese Gesellschaft kennt kaum noch vom Hörensagen die höheren und sinnvollen Tätigkeiten, um derentwillen die Befreiung sich lohnen würde.« (Arendt 1958, 13)

Dabei reicht die Spanne von der Hoffnung auf paradiesische Zustände bis zu Warnungen vor einer apokalyptischen Zerstörung der Sinnhaftigkeit gesellschaftlicher Strukturen: Nach Albert Camus (1943) müssen wir uns Sisyphos als einen glücklichen Menschen vorstellen.

Zu den Fragen (1) der gesellschaftlichen Verhältnisse, in die die Arbeit eingebettet ist, (2) der Sinnstiftung durch Arbeit für die Arbeitenden selbst und (3) der Veränderung der Arbeitswelt durch Technik hat sich in den letzten Jahrzehnten eine weitere Dimension ungeklärter Fragen in den Vordergrund geschoben, die – das ist nicht schwer zu prognostizieren – im 21. Jahrhundert zunehmende Bedeutung erlangen werden. Zum einen wird es, je höher das Niveau von Produktion und Konsum in entwickelten Industriegesellschaften ist, umso schwieriger, in Zukunft weitere Wachstumspotentiale zu erschließen, für deren Realisierung dann Arbeitstätigkeiten erforderlich wären, die jene ausüben könnten, die durch technischen Fortschritt gerade freigesetzt wurden. In vielen Bereichen sind, was Produkte aber auch Dienstleistungen angeht, Sättigungsgrenzen erreicht oder zumindest in greifbarer Nähe. Zum anderen ist eine beliebige Ausdehnung der Produktion aus ökologischen Gründen nicht möglich, da an vielen Stellen »planetare Grenzen« der ökologischen Belastbarkeit und der Ausbeutung nicht erneuerbarer Ressourcen ebenfalls erreicht oder absehbar sind. Und selbst wenn es gelänge, Wachstumsprozesse vom Verbrauch nicht erneuerbarer Ressourcen und von unerwünschten ökologischen Begleiterscheinungen wie dem Ausstoß von Schadstoffen weitgehend zu entkoppeln, so ist es doch höchst wahrscheinlich, dass es zu einer tiefgreifenden Veränderung der Arbeitswelt kommen muss, um sowohl den Sättigungsgrenzen als auch den ökologischen Grenzen Rechnung zu tragen.

Dass in den letzten beiden Jahrzehnten die Wachstumsraten des BIP im Schnitt niedriger wurden, ist nicht von der Hand zu weisen – siehe hierzu Kapitel 4. Der Versuch, durch politische Maßnahmen weiter hohe Wachstumsraten zu erzielen, hat nicht selten der Strategie geähnelt, einen heiß gelaufenen Motor zu reparieren, indem man noch mehr Gas gibt. Sinkt der Absatz? Dann eben noch mehr und billigere Produkte, auch wenn deren Herstellung mit hohen ökologischen Kosten und fragwürdigen Arbeitsbedingungen verbunden sind. Gibt es zu wenige Investitionen? Dann vielleicht noch mehr billiges Geld in den Markt pumpen, auch wenn dadurch neue Finanzblasen entstehen. Wachstumsraten, wie sie die traditionelle Ökonomie und Politik sich erträumen, sind in den letzten Jahren immer häufiger einfach ausgefallen – was in deren Argumentationslogik als Scheitern, wenn nicht gar als Vorbote einer Katastrophe empfunden wird, mit allen dazugehörigen Ängsten: Renten und Sozialleistungen könnten nicht mehr finanziert, Kredite nicht mehr zurückgezahlt werden, und die internationale Wettbewerbsfähigkeit sei aufs äußerste bedroht. Das Schicksal der Industriegesellschaften wird so untrennbar mit der Fortsetzung des Wachstumspfades verknüpft, der in dieser Sicht, koste es was es wolle, weiter beschritten werden muss.

Wenn aber die oben ausgeführte These einer doppelten Begrenzung des Wachstums nicht völlig unwahrscheinlich ist, dann würde es bereits die ökonomische Rationalität verlangen, sich zumindest als Möglichkeit darauf einzustellen. Aufgabe wäre dann, einen Weg in eine Gesellschaft »nach« dem Wachstum zu entwerfen, der eben nicht als Debakel erscheint, sondern auf dem versucht wird, die Notwendigkeit der Einhaltung der planetaren ökologischen Grenzen mit einer möglichst hohen Lebensqualität für alle Menschen zu kombinieren – unter der Bedingung, dass die Wirtschaft, gemessen in Einheiten des Bruttoinlandsprodukts (BIP) pro Kopf, nicht mehr weiter wächst oder sogar wieder schrumpft. Allerdings scheint das BIP gerade mit Blick auf eine Transformation in Richtung Nachhaltigkeit als Kennziffer nicht besonders geeignet zu sein, Erfolg oder Misserfolg der Veränderung der Wirtschaft zu messen. Bei einem zukunftsfähigen Umbau der Wirtschaft werden bestimmte Bereiche der Ökonomie stark schrumpfen, andere wachsen; das Resultat in Einheiten BIP sagt wenig aus. Aber solange sich die Diskussion in der Politik, den Medien und der Öffentlichkeit immer wieder stark auf das BIP fokussiert, kann der Begriff »Postwachstum« nicht völlig vom BIP entkoppelt werden, auch wenn sich in der Zwischenzeit eine weite Diskussion um alternative Formen der Wohlfahrtsmessung entwickelt hat (vgl. Diefenbacher / Held / Rodenhäuser / Zieschank 2016).

Eine Beschäftigung mit den Gestaltungsmöglichkeiten einer Postwachstumsgesellschaft wäre also bereits durch ökonomische Überlegungen allein ausreichend legitimiert. Darüber hinaus – und den ökonomischen Überlegungen vielleicht sogar vorgeordnet – stellt sich die Frage nach dem menschlichen Maß, und zwar in mehrerlei Hinsicht. Es wird kaum mehr bestritten, dass der *homo oeconomicus*, dieses mit einfachen theoretischen Annahmen skizzierte gefräßige Wesen, das niemals satt oder gänzlich zufrieden wird, auch für die Ökonomie kein brauchbares Menschenbild darstellt. Die Frage, wie viel an materieller Ausstattung und Konsum für Menschen genug ist (Skidelsky / Skidelsky 2012, Durning 1992), führt moralphilosophische, ethische und sozialpsychologische Überlegungen erneut an die Ökonomie heran. Aber die Frage, wie viel genug ist, muss auch an die Quantität und – aus der entgegengesetzten Richtung – an die Qualität der Arbeit gestellt werden, die Menschen sich zumuten oder ertragen müssen. Der Kampf um den Achtstundentag war historisch bedeutsam und letztlich erfolgreich (o.Verf. 1890, Leuchten 1978), aber Multitasking, Refa-Prozeduren und andere Formen der Arbeitsverdichtung tun heute das Ihre, um den Erfolg wieder zu relativieren. Und schließlich kann die Frage auch an die Technikentwicklung gerichtet werden, vor allem dann, wenn sie Menschen überflüssig macht oder ihnen unzumutbare Arbeitsbedingungen aufbürdet (Mumford 1967). Durch »Arbeit 4.0« könnte diese Diskussion im 21. Jahrhundert erneut sehr intensiv geführt werden müssen (BMAS 2015, Franken 2015).

Was dies für die Gestaltung menschlichen Arbeitens bedeuten könnte, davon handelt dieses Buch. Auch in einer Postwachstumsgesellschaft, so unsere zentrale These, wird Arbeit für Menschen einen zentralen Stellenwert haben. Um uns der Frage nach den Bedingungen und Möglichkeiten einer zukünftigen Gestaltung der Arbeitswelt in einer Postwachstumsgesellschaft anzunähern, umkreisen wir das Thema und nähern uns ihm aus verschiedenen Perspektiven. In Teil I beschäftigen wir uns mit Konzepten und Erfahrungen in den Bereichen »Arbeit« und »Wachstum«. Kapitel 2 schildert einige wichtige Stationen in der Geschichte des ökonomischen

Denkens mit Blick auf Definitionen und auf das Verständnis der Bedeutung von Arbeit, insbesondere am Beispiel des Entstehens der Arbeitswertlehre, die für die Betonung des gesellschaftlichen Stellenwerts von Arbeit eine mindestens ebenso wichtige Bedeutung hat wie alle Formen einer religiös oder moralisch grundierten Arbeitsethik (Furniss 1924). Kapitel 3 zeigt die Entwicklung des Diskurses um Postwachstum und stellt dar, dass sich diese Diskussion bereits in vielfacher Weise ausdifferenziert hat (Koepp / Schunke / Köhler / Schröder 2015).

Kapitel 4 beschreibt die Entwicklung, die Arbeit in der auf Wachstum ausgerichteten Ökonomie genommen hat; hier wird der Boden bereitet, an dem sich die Veränderung in Richtung einer Postwachstumsgesellschaft abzuarbeiten hätte. Die beiden folgenden Kapitel widmen sich dann den Utopien (Kapitel 5) und den konkreten Realisierungsversuchen (Kapitel 6) von Entwürfen, die sich als Alternativen zur kapitalistischen Arbeitsgesellschaft verstanden und teilweise auch noch verstehen. Die Erkenntnisse über das Gelingen, aber auch das Scheitern dieser Versuche könnten Anregungen zur Gestaltung der Zukunft geben – ebenso wie die Kenntnis der Utopien dazu beitragen kann, Theorien besser auf den Kontext ihrer jeweiligen gesellschaftlichen Rahmenbedingungen zu beziehen.

In den ersten Kapiteln der vorliegenden Veröffentlichung werden somit viele Fragen grundsätzlich angesprochen, die sowohl Quantität als auch Qualität von Erwerbsarbeit, deren Verteilung, aber auch den Stellenwert anderer Formen der Arbeit betreffen. Die folgenden Fragen erscheinen dabei von besonderer Bedeutung:

– Es gibt Sektoren oder Unternehmens- und Arbeitsformen, in denen die Verringerung des Arbeitseinsatzes durch Produktivitätssteigerungen eine geringere Rolle spielt. Wie lässt sich deren Potential zur Schaffung von Arbeitsplätzen nutzbar machen?

- Lässt sich Arbeitslosigkeit gegebenenfalls auch bei stagnierendem oder schrumpfendem Volumen bezahlter Arbeit begrenzen, etwa durch strikte Regulierung entsprechender Arbeitszeitverkürzungen und Umverteilung der Erwerbsarbeit?
- Welche Möglichkeiten gibt es, eine veränderte Basis für materielle wie immaterielle Bedürfnisbefriedigung zu schaffen – durch Erwerbsarbeit und über diese hinaus? Kann eine Relativierung des zentralen Stellenwerts der Erwerbsarbeit in unserer Gesellschaft dazu beitragen, mit einer drohenden »Unterbeschäftigung« auf andere Weise als bisher umzugehen?
- Lassen sich auf die vorangehenden Fragen Antworten finden, die gleichzeitig zu einer sozial-ökologischen Transformation beitragen, also zu einem Wandel von Wirtschaft und Gesellschaft, der sowohl den Naturverbrauch auf ein dauerhaft tragfähiges Niveau begrenzt als auch sozial gerecht ist?

Wie bereits angesprochen, wäre es aus Sicht der Autoren und Autorinnen ein zu anspruchsvolles Programm, diese Fragen im vorliegenden Band abschließend beantworten zu wollen. Vielmehr sollen im Folgenden aus verschiedenen Perspektiven einzelne Ansatzpunkte und Handlungsmöglichkeiten, aber auch Widersprüche aufgezeigt werden, denen man aller Voraussicht nach begegnet, wenn man sich auf den Weg in eine Gesellschaft »nach dem Wachstum« begeben will, die mehr ist als eine Wachstumsgesellschaft in der Rezession.

Um Bedingungen und Möglichkeiten der Gestaltung der

Arbeitswelt in einer solchen Postwachstumsgesellschaft geht es im Teil II des Buches. Dabei besteht nicht der Anspruch, eine »wünschbare« Zukunft in Form einer konkreten Utopie so präzise wie nur möglich auszumalen. Stattdessen haben wir den Weg gewählt, eine Reihe von Themen aufzugreifen, von denen wir glauben, dass sie unter den Bedingungen einer Postwachstumsgesellschaft in jedem Fall diskutiert werden müssen, um den Menschen eine »Wiederaneignung« ihrer Arbeit (Schmidt 1984) zu ermöglichen, das heißt, an einer Arbeitswelt zu partizipieren, in der die planetaren ökologischen Grenzen eingehalten werden, in der Menschen weder über- noch unterfordert werden, in der sie sich selbst und den von ihnen wirtschaftlich abhängigen Personen durch ihre Arbeit einen angemessenen Lebensstandard finanzieren können, an der sie Freude haben und das Gefühl, etwas zu einem sinnvollen Ganzen beitragen zu können. Wir sind der Ansicht, dass in diesem Zusammenhang folgende Themen notwendig angesprochen werden müssen:

- Die Frage der Eigentumsverhältnisse: Sind bestimmte Formen der Organisation der Verfügungsgewalt über Produktionsmittel besser oder schlechter geeignet, um eine Postwachstumsgesellschaft zu realisieren? (Kapitel 7)
- Die Frage des Einkommens: Ist ein bedingungsloses Grundeinkommen die Voraussetzung für eine andere Organisation der Arbeit und ihrer Verteilung? Wie sollten Einkommen verteilt sein, und wie könnte das Verhältnis zwischen Arbeit und Entlohnung überhaupt sinnvoll aussehen? (Kapitel 8)
- Die Frage der Arbeitsteilung: Seit der griechischen Antike ist die Funktion der Arbeitsteilung in der Diskussion (Xenophon, 34; Aristoteles, 55b) – wie weit soll sie gehen?

In welchem Verhältnis steht Arbeitsteilung zu Konkurrenz und Kooperation als tragendes Gestaltungsprinzip der globalisierten Wirtschaft? (Kapitel 9)

- Die Frage der Qualifikation: Ist Bildung in einer Postwachstumsgesellschaft ebenso stark auf die Verwertung in Arbeitszusammenhängen ausgerichtet wie zurzeit? Wie finden niedrig Qualifizierte ihren Platz in der Arbeitswelt, und wie werden die Probleme der Inklusion bewältigt? (Kapitel 10)
- Die Frage der Trennung zwischen formeller und informeller Arbeit: Kann die Bedeutung der Erwerbsarbeit im Verhältnis zur Hausarbeit, Nachbarschaftshilfe und ehrenamtlicher Tätigkeit in einer Postwachstumsgesellschaft neu bestimmt werden? Kommt es zu einer Neubewertung reproduktiver Tätigkeiten, vielleicht gar zu einer anderen Einschätzung des Wertes von Muße? (Kapitel 11)
- Schließlich die Frage der Arbeitszeit: Kommt es zu einer weiteren Erosion des Normalarbeitstages? Können die Menschen aus weit mehr Angeboten zur Flexibilisierung der Arbeitszeiten wählen als bisher – und zwar sowohl in Bezug auf ihre Lebensarbeitszeit als auch auf Wochen-, Monats- und Jahresarbeitszeit? (Kapitel 12)
- In Kapitel 13 finden sich Ausführungen zur Entwicklung von Arbeitsproduktivität und des Strukturwandels der Wirtschaft. Wenn sich die Struktur der Wirtschaft unter den jeweiligen praktischen Bedingungen einer Postwachstumsgesellschaft verändert, welche Auswirkungen könnte dies dann für die Arbeitsproduktivität, die Inhalte und die Organisation der Arbeit haben, die in diesen Bereichen geleistet wird?
- In Kapitel 14, dem Schlusskapitel, werden einige Thesen aufgestellt, wie die nächsten Schritte auf dem Weg in

eine Arbeitswelt der Postwachstumsgesellschaft aussehen könnten. Sie alle haben einen außerordentlichen Vorzug: Diese Schritte könnten sicher gegangen werden, bevor die Postwachstumsgesellschaft schon vollendete Realität ist. Würden sie aus der Nische in die breite Praxis der Arbeitswelt Einzug halten, so wäre eine lebenswerte Postwachstumsgesellschaft schon ein gutes Stück näher. Aber auch, wenn diese Schritte kritisch gesehen würden – in keinem Fall wird es möglich sein, die damit angesprochenen Fragen bei der Analyse und der Diskussion einer zukunftsfähigen Entwicklung der Gesellschaft außer Acht zu lassen.

Teil I
Die Vergangenheit – Konzepte und Erfahrungen

2 Zum Begriff der Arbeit

2.1 Historische Grundlagen

Laut Brockhaus wird mit Arbeit der »bewusste und zweckgerichtete Einsatz der körperlichen, geistigen und seelischen Kräfte des Menschen zur Befriedigung seiner materiellen und ideellen Bedürfnisse« beschrieben (Brockhaus 1987, 36). Schon aus dieser Definition wird deutlich, dass der Begriff nicht allein auf die Erwerbsarbeit reduziert werden kann, sondern sich auf die vielfältigen Formen der Arbeit zu beziehen hat, die im Haushalt, in der Familie, für Nachbarn und Verwandte, ehrenamtlich und freiwillig, erbracht werden. Im Weiteren wird daher zwischen formeller und informeller Arbeit unterschieden, also auf der einen Seite formelle Arbeit gegen Zahlung eines Lohns oder Gehalts und zum anderen nicht entlohnte, informelle Arbeit in und außerhalb des Haushalts. Wir gehen damit in diesem Buch von einem erweiterten Arbeitsbegriff aus.

Historisch gesehen ist (Erwerbs-)Arbeit ein zentraler Begriff der Menschheit, der sich im Laufe der Zeit grundlegend gewandelt hat. Noch im antiken Griechenland war er negativ konnotiert. Homer besang den Müßiggang des altgriechischen Adels als erstrebenswertes Ziel und betrachtete körperliche Arbeit als eine nur den Frauen, Sklaven und Knechten gemäße Tätigkeit. Auch Aristoteles unterschied zwischen geistiger und körperlicher Arbeit, die sich gegenseitig ausschließen würden:

»Es geht nicht an, sich zugleich körperlich und geistig anzustrengen. Es liegt nämlich in der Natur dieser beiden Anstrengungen, dass sie entgegengesetzt wirken: Die körperliche Arbeit beeinträchtigt die geistige Arbeit und diese die körperliche Leistungsfähigkeit.« (Aristoteles, 1337b)

Körperliche Arbeit steht letztlich für Notwendigkeit, Monotonie, Entfremdung und Zwang. Für Aristoteles liegt der eigentliche Sinn des Lebens in der Muße.

Charakteristisch für die christliche Haltung zur Arbeit ist der wohl bekannteste Satz des Paulus: »Wer nicht arbeiten will, soll auch nicht essen« (2. Thessaloniker Brief, 3,10). Mit der christlichen Betonung körperlicher Arbeit wird – wie sich am Zitat von Aristoteles zeigen lässt – ein fundamentales Kriterium sozialer Differenzierung und Diffamierung in der griechisch-römischen Welt aufgehoben. Im Zeitalter der Reformation und später im 17. und 18. Jahrhundert wurde entlohnte, formelle Arbeit schließlich als Legitimation von Eigentum und Quelle von Reichtum aufgewertet. In einer Predigt vom 27. Juni 1529 berief sich Martin Luther (1529, 442) ausdrücklich auf den oben zitierten Satz des Paulus. Müßiggang erklärte Luther hier zum Laster: »Müßiggang ist Sünde wider Gottes Gebot, der hier Arbeit befohlen hat. Zum anderen sündigst du gegen deinen Nächsten.«

Karl Marx unterzog den Begriff der Lohn- beziehungsweise Erwerbsarbeit schon in seinen Frühschriften einer deutlichen Kritik, indem er sie als Zwangsarbeit ausweist, der der Einzelne nur entfliehen könne.

»Worin besteht nun die Entäußerung der Arbeit? Erstens, daß die Arbeit dem Arbeiter äußerlich ist, d.h. nicht zu seinem Wesen gehört, daß er sich daher in seiner Arbeit nicht bejaht,

> sondern verneint, nicht wohl, sondern unglücklich fühlt, keine freie physische und geistige Energie entwickelt, sondern seine Physis abkasteit und seinen Geist ruiniert. Der Arbeiter fühlt sich daher erst außer der Arbeit bei sich und in der Arbeit außer sich. Zu Hause ist er, wenn er nicht arbeitet, und wenn er arbeitet, ist er nicht zu Haus. Seine Arbeit ist daher nicht freiwillig, sondern gezwungen, *Zwangsarbeit*. Sie ist daher nicht die Befriedigung eines Bedürfnisses, sondern ist nur ein Mittel, um Bedürfnisse außer ihr zu befriedigen. Ihre Fremdheit tritt darin rein hervor, daß, sobald kein physischer oder sonstiger Zwang existiert, die Arbeit als eine Pest geflohen wird.« (Marx 1844, 514)

Trotz aller Kritik ist »nützliche Arbeit« für Marx das Wesen des Menschen schlechthin, denn sie ist »eine von allen Gesellschaftsformen unabhängige Existenzbedingung des Menschen« (Marx 1890, 57). Die informellen Arbeiten außerhalb der Erwerbsarbeit bleiben bei seinen Betrachtungen außen vor.

Diese Sicht auf die Arbeit inspirierte den Schwiegersohn von Karl Marx, den französischen Sozialisten Paul Lafargue, 1883, zur bekannt gewordenen Streitschrift *Das Recht auf Faulheit* mit den berühmten Eingangssätzen, die sich an der Diktion des Kommunistischen Manifestes orientierten:

> »Eine seltsame Sucht beherrscht die Arbeiterklasse aller Länder, in denen die kapitalistische Zivilisation herrscht, eine Sucht, die das in der modernen Gesellschaft herrschende Einzel- und Massenelend zur Folge hat. Es ist die Liebe zur Arbeit, die rasende, bis zur Erschöpfung der Individuen gehende Arbeitssucht.« (Lafargue 1883, 5)

Lafargue plädierte für ein Gesetz, »das jedermann verbietet, mehr als drei Stunden pro Tag zu arbeiten« und verknüpfte den Appell nach radikaler Arbeitszeitverkürzung mit der Devise »Arbeit und Enthaltsamkeit«.

> »Arbeitet, arbeitet, Proletarier, vermehrt den gesellschaftlichen Reichtum und damit euer persönliches Elend. Arbeitet, arbeitet, um, immer ärmer geworden, noch mehr Ursache zu haben, zu arbeiten und elend zu sein. Das ist das unerbittliche Gesetz der kapitalistischen Produktion. Dadurch, daß die Arbeiter den trügerischen Reden der Ökonomen Glauben schenken und Leib und Seele dem Laster Arbeit ausliefern, stürzen sie die ganze Gesellschaft in jene industriellen Krisen der Überproduktion, die den gesellschaftlichen Organismus in Zuckungen versetzen. Dann werden wegen Überfluß an Waren und Mangel an Abnehmern die Werke geschlossen, und mit seiner tausendsträhnigen Geißel peitscht der Hunger die arbeitende Bevölkerung. Betört von dem Dogma der Arbeit sehen die Proletarier nicht ein, daß die Mehrarbeit, der sie sich in der Zeit des angeblichen Wohlstands unterzogen haben, die Ursache ihres jetzigen Elends ist.« (Lafargue 1883, 40 f.)

In späteren Schriften unterteilte Marx die Arbeit in die konkrete, auf die Herstellung eines bestimmten Produktes gerichtete Arbeit, die es in allen Gesellschaften gibt, und die abstrakte Verausgabung von Arbeitskraft im Kapitalismus, ungeachtet ihres Gebrauchswertes. Die Arbeit im Kapitalismus trägt nach Marx immer einen entfremdeten Charakter, und das nicht nur deswegen, weil die Arbeitenden keinen Einfluss auf Inhalte, Organisationsformen und die Ziele ihrer Arbeit hatten und die Produkte und Mittel der Arbeit ihnen nicht gehörten, sondern eben auch aufgrund der Arbeitsteilung, die dem Einzelnen den Blick auf das Ganze entzieht. Ziel der Arbeiterklasse sollte es daher sein, diesen Doppelcharakter der Arbeit und damit deren Entfremdung zu beseitigen (vgl. Oschmiansky 2010; Liessmann 2000).

> »Alle Arbeit ist einerseits Verausgabung menschlicher Arbeitskraft im physiologischen Sinn und in dieser Eigenschaft gleicher menschlicher oder abstrakt menschlicher Arbeit bildet sie den Warenwert. Alle Arbeit ist andrerseits Verausgabung menschlicher Arbeitskraft in besondrer zweckbestimmter Form, und in dieser Eigenschaft konkreter nützlicher Arbeit produziert sie Gebrauchswerte.« (Marx 1867, 61)

Deshalb heißt es im dritten Band des *Kapital* von Marx auch:

> »Das Reich der Freiheit beginnt in der Tat erst da, wo das Arbeiten, das durch Not und äußere Zweckmäßigkeit bestimmt ist, aufhört; es liegt also der Natur der Sache nach jenseits der Sphäre der eigentlichen materiellen Produktion. Wie der Wilde mit der Natur ringen muß, um seine Bedürfnisse zu befriedigen, um sein Leben zu erhalten und zu reproduzieren, so muß es der Zivilisierte, und er muß es in allen Gesellschaftsformen und unter allen möglichen Produktionsweisen. Mit seiner Entwicklung erweitert sich dies Reich der Naturnotwendigkeit, weil die Bedürfnisse [sich erweitern]; aber zugleich erweitern sich die Produktivkräfte, die diese befriedigen. Die Freiheit in diesem Gebiet kann nur darin bestehn, daß der vergesellschaftete Mensch, die assoziierten Produzenten, diesen ihren Stoffwechsel mit der Natur rationell regeln, unter ihre gemeinschaftliche Kontrolle bringen, statt von ihm als von einer blinden Macht beherrscht zu werden; ihn mit dem geringsten Kraftaufwand und unter den ihrer menschlichen Natur würdigsten und adäquatesten Bedingungen vollziehn. Aber es bleibt dies immer ein Reich der Notwendigkeit. Jenseits desselben beginnt die menschliche Kraftentwicklung, die sich als

> Selbstzweck gilt, das wahre Reich der Freiheit, das aber nur auf jenem Reich der Notwendigkeit als seiner Basis aufblühn kann. Die *Verkürzung des Arbeitstags* ist die Grundbedingung.« (Marx 1894, 828; Hervorh. d. Verf.).

Nach Marx lässt sich entfremdete Arbeit nicht vollständig aufheben, selbst im »Reich der Freiheit« nicht, denn ein gewisses Maß an entfremdeter Erwerbsarbeit wird es immer geben, deshalb die Forderung nach der Veränderung der Arbeitsbedingungen und der Verkürzung des Arbeitstages.

Das Arbeitsleid zeigt sich auch im Bundeslied, das Georg Herwegh 1863 anlässlich der Gründung des Allgemeinen Deutschen Arbeitervereins, der als Vorläufer der Sozialdemokratischen Partei Deutschlands gilt, auf die Arbeiterklasse verfasst hat, und das 1886 erstmals in der Gedichtsammlung *Vorwärts* für das arbeitende Volk veröffentlicht wurde (Lavant 1886, 442 f.):

> Bet' und arbeit'! ruft die Welt,
> Bete kurz! denn Zeit ist Geld.
> An die Thüre pocht die Noth –
> Bete kurz! denn Zeit ist Brot.
> Und du ackerst und du säst,
> Und du nietest und du nähst,
> Und du hämmerst und du spinnst –
> Sag, o Volk, was du gewinnst!
>
> Wirkst am Webstuhl Tag und Nacht,
> Schürfst im Erz- und Kohlenschacht,
> Füllst des Ueberflusses Horn,
> Füllst es hoch mit Wein und Korn.

Doch wo ist *dein* Mahl bereit?
Doch wo ist *dein* Feierkleid?
Doch wo ist *dein* warmer Herd?
Doch wo ist *dein* scharfes Schwert!

Alles ist dein Werk! o sprich,
Alles, aber Nichts für dich!
Und von Allem nur allein,
Die du schmiedst, die Kette, dein?

…
Mann der Arbeit, aufgewacht!
Und erkenne deine Macht!
Alle Räder stehen still,
Wenn dein starker Arm es will.

Deiner Dränger Schaar erblaßt,
Wenn du, müde deiner Last,
In die Ecke lehnst den Pflug,
Wenn du rufst: Es ist genug!
Brecht das Doppeljoch entzwei!
Brecht die Noth der Sklaverei!
Brecht die Sklaverei der Noth!
Brot ist Freiheit, Freiheit Brot!

Friedrich Engels hat in seiner Schrift *Die Lage der arbeitenden Klasse in England* (1845) die elenden Wohnquartiere der Arbeiter in den englischen Industriestädten und die Arbeitssituation des Proletariats beschrieben. Hier geht er auch auf Kinderarbeit, Berufskrankheiten und Sterblichkeitsraten ein. Schließlich zeigt er, wie die Arbeiterfamilien zusätzlich dazu gezwungen wurden, bei den Unternehmern Lebensmittel einzukaufen und in den von ihnen bereitgestellten Wohnungen zu wohnen, dem sogenannten Truck- und Cottagesystem:

> »Truck heißt bei den Arbeitern das Bezahlen des Lohns in Waren, und dieser Zahlmodus war früher ganz allgemein in England. Der Fabrikant errichtete, ›zur Bequemlichkeit der Arbeiter und um sie vor den hohen Preisen der Krämer zu schützen‹, einen Laden, in dem für seine Rechnung Waren aller Art verkauft wurden; und damit der Arbeiter nicht etwa in andere Läden gehe, wo er die Waren billiger haben konnte – die Truckwaren des ›Tommy-Shop‹ pflegten 25 bis 30 Prozent teurer zu sein als anderswo –, gab man ihm auch wohl eine Anweisung auf den Laden für den Betrag seines Lohns anstatt des Geldes. … Das Cottagesystem sieht viel unschuldiger aus und ist auch auf eine viel unschuldigere Weise entstanden, obwohl es dieselben knechtenden Wirkungen für den Arbeiter hat. In der Nähe der Fabriken auf dem Lande fehlt es oft an Wohnungen für die Arbeiter; der Fabrikant ist oft genötigt, solche Wohnungen zu bauen, und tut es gern, da sie ihm reichlichen Nutzen auf sein ausgelegtes Kapital einbringen. Wenn die Eigentümer von Arbeitercottages etwa 6 Prozent jährlich von ihrem Kapital bekommen, so kann man rechnen, daß die Cottages dem Fabrikanten das Doppelte eintragen, da er, solange seine Fabrik nicht gänzlich stillsteht, immer Mieter hat, und zwar solche Mieter, die stets bezahlen. Er ist also von den beiden Hauptnachteilen frei, die die übrigen Hausbesitzer treffen: Er hat nie Cottages leer stehen und läuft kein Risiko. Die Miete einer Cottage ist aber darnach berechnet, daß sie diese Nachteile deckt, und wenn der Fabrikant also dieselbe Miete nimmt wie die übrigen, so macht er mit 12 bis 14 Prozent ein brillantes Geschäft auf Unkosten der Arbeiter.« (Engels 1845, 401 ff.)

Wie wir später in Kapitel 5 sehen werden, ist die Überwindung des Arbeitsleids immer wieder das zentrale Motiv für Utopien zur Zukunft der Arbeit. Um diese Utopien zu verwirklichen, stehen zwei zentrale Wege im Vordergrund: Die Arbeiterinnen und Arbeiter können den Verkauf ihrer Arbeitskraft verweigern, oder die Arbeiterklasse kann sich ihrer Stärke bewusst werden. Ein weiterer Gesichtspunkt betrifft die vielfältigen Überlegungen zur Reduzierung der Arbeitszeit. »Vergrößerung des Zeitwohlstandes wird auch weiterhin zu den wichtigsten Gründen gehören, aus denen sich Menschen für Arbeitszeitverkürzungen einsetzen.« (Negt 2001, 166)

Der Arbeitsbegriff hat also höchst unterschiedliche Schattierungen. Auf der einen Seite stehen Ausbeutung, Elend und Not, auf der anderen Selbstverwirklichung und Wesensbestimmung des Menschen. An der Definition von Arbeit als außerhäusliches, bezahltes, rechtlich kodifiziertes, institutionalisiertes und sozial abgesichertes Beschäftigungsverhältnis wurde letztlich – wie sich später zeigen wird – das gesamte wirtschafts- und sozialpolitische Regelwerk der Industriegesellschaft festgemacht. Die gesamte soziale Sicherung basiert bis dato auf der Erwerbsarbeit; sie garantiert durch ihre enge Anbindung an die Sozialpolitik soziale Sicherheit.

Doch ihren allein bestimmenden Faktor für das Leben der Menschen hat die Erwerbsarbeit bereits heute verloren. Durch lebenslanges Lernen, das sich immer wieder in Bildungszeiten realisieren kann, durch den Wechsel von Teilzeit- zu Vollzeitarbeit und umgekehrt zu verschiedenen Phasen des Arbeitslebens und durch Unterbrechungen aufgrund von Arbeitslosigkeit, Teilzeitarbeit, prekärer Beschäftigung und Phasen der Nichterwerbsarbeit ist die tatsächliche Bedeutung der Erwerbsarbeit rückläufig. Trotzdem hat sich diese Entwicklung in der individuellen, gesellschaftlichen und wissenschaftlichen Wahrnehmung noch nicht angemessen niedergeschlagen.

2.2 Entwicklung des Arbeitsbegriffs in der Volks- und Betriebswirtschaftslehre

Sowohl in der Volks- als auch der Betriebswirtschaftslehre ist Arbeit in der Form von Erwerbsarbeit nur *ein* Produktionsfaktor neben den anderen Faktoren Boden und Kapital. Unter dem Begriff Boden wurde ursprünglich fruchtbares Land im engeren Sinne subsumiert, dann aber wurde die Gewinnung von Rohstoffen in einem erweiterten Verständnis des Begriffs als natürliches Kapital mit einbezogen. Träger des Produktionsfaktors Arbeit sind Menschen. Die Produktion von Gütern nimmt ihren Ausgang bei den Rohstoffen, die die Menschen erst erschließen und ausbeuten. Für die Gewinnung der Rohstoffe müssen sie ihre Arbeitskraft einsetzen. Dieser Produktionsfaktor hat eine quantitative Seite – die Zahl der Arbeitskräfte – und eine qualitative Seite – die Qualifikation der Arbeitskräfte. Unterschieden wird beim Produktionsfaktor Kapital zwischen Sach- und Geldkapital. Das *Sachkapital* sind produzierte Produktionsmittel, also beispielsweise Gebäude, Maschinen und Werkzeuge, und nichtproduziertes Sachkapital, also natürliche Rohstoffe. Unter *Geldkapital* wird eine Geldsumme verstanden. Als allgemeines Tauschmittel kann Geld in Form von Investitionen in Sachkapital umgewandelt oder alternativ für Konsumzwecke verwendet werden.

In der herkömmlichen ökonomischen Theorie werden diese Faktoren als gleichwertig dargestellt; in der Realität ist dies allerdings nicht wirklich der Fall, da »Arbeit nur in der Kombination mit Boden und Kapitalgütern produzieren kann und somit die Besitzverhältnisse an diesen Faktoren auch über die soziale und ökonomische Stärke des jeweiligen Faktors im Verteilungskampf um das Sozialprodukt entscheidet« (Zinn 1972, 9).

Adam Smith (1776, 3) skizziert in seinem Standardwerk *Der Wohlstand der Nationen* den Produktionsfaktor Arbeit wie folgt:

> »Die jährliche Arbeit eines Volkes ist die Quelle, aus der es ursprünglich mit allen notwendigen und angenehmen Dingen des Lebens versorgt wird, die es im Jahr über verbraucht. Sie bestehen stets entweder aus dem Ertrag dieser Arbeit oder aus dem, was damit von anderen Ländern gekauft wird. ... Die Ursachen dieser Verbesserung in den produktiven Kräften der Arbeit untersuche ich im ersten Buch, ebenso die Ordnung, nach der sich der Ertrag der Arbeit natürlicherweise auf die einzelnen Schichten und nach der sozialen Stellung der Menschen verteilt.«

In der heutigen Volks- und Betriebswirtschaftslehre wird der Produktionsfaktor Arbeit in erster Linie als Kostenfaktor gesehen, der maßgeblich die Wettbewerbsfähigkeit einer Organisation respektive einer Volkswirtschaft beeinflusst. Die Diskussion über die Konkurrenzfähigkeit des Produktionsfaktors Arbeit ist dabei eng verknüpft mit der jeweiligen Entwicklung der Arbeits- und Lohnstückkosten eines Landes.

Bei den Arbeitskosten je geleistete Arbeitsstunde in der Privatwirtschaft – Produzierendes Gewerbe und Dienstleistungen – lag Deutschland 2014 mit 31,90 Euro je Stunde oberhalb des EU-28-Durchschnitts von 24,60 Euro und des Euroraums von 28,90 Euro. An der Spitze stehen Dänemark mit 42,10 Euro, Belgien mit 41,10 Euro und Schweden mit 40,10 Euro; das Ende bilden Tschechien mit 9,60 Euro, Polen mit 8,10 Euro und Ungarn mit 7,90 Euro. Deutschland liegt damit am unteren Ende der sogenannten EU-Hochlohnländer (IMK 2015, 2 f.). Die Kosten je Arbeitnehmer sind in Deutschland im Vergleich zu anderen Ländern zwar teilweise deutlich höher, allerdings ergibt sich ein etwas anderes Bild, wenn man die Arbeitskosten in Relation zur Arbeitsproduktivität setzt. Mit diesen sogenannten Lohnstückkosten wird der Anteil der Arbeitskosten an der Produktion aufgezeigt. Dargestellt werden die Lohnstückkosten dabei als Arbeitnehmerentgelte je Arbeitnehmer im Verhältnis zum Bruttoinlandsprodukt je Erwerbstätigen. So ist es möglich, Angaben darüber zu machen, ob etwa steigende Arbeitskosten die Konkurrenzfähigkeit von Organisationen wirklich negativ beeinträchtigen, oder ob durch eine Zunahme der Produktivität die Steigerung der Arbeitskosten ausgeglichen werden können. Die Lohnstückkosten sind in Deutschland in den vergangenen zwanzig Jahren auf einem recht konstanten Niveau geblieben und waren vor der Finanz- und Wirtschaftskrise 2007 zeitweise sogar rückläufig, wodurch sich die Wettbewerbsposition Deutschlands insgesamt verbessert hat. In der Zeit von 2008 bis 2011 erfolgte – auch als Nachwirkung der Krise – eine recht wechselhafte Entwicklung mit Zunahmen und Rückgängen. Seit 2011 haben die Lohnstückkosten in Deutschland über vier Jahre hinweg kontinuierlich zugenommen – so hatten sie 2014 einen Anstieg um 1,6 Prozent zu verzeichnen (IW 2015, 51). Ein Anstieg der Lohnstückkosten und deren Folgen auf die Wettbewerbsfähigkeit werden allerdings recht unterschiedlich interpretiert: Während die arbeitgebernahe Seite konzediert, dass »kein Kostenvorteil gegenüber dem Ausland festzustellen ist« (Schröder 2013), wird von gewerkschaftsnaher Seite festgestellt, dass »weiterhin gegenüber dem Euroraum-Durchschnitt ein deutlicher Vorteil bei der preislichen Wettbewerbsfähigkeit« (IMK 2015, 12) bestehe.

Der Arbeitsbegriff ist zudem meist eng mit dem Menschenbild des *homo oeconomicus* verbunden. Die dort getroffenen Annahmen lassen den Menschen als jemanden erscheinen, der »nur durch wirtschaftliche Determinanten zur Arbeit motiviert werden kann« (Schweitzer / Baumeister 2015, 16), also einen maximalen Lohn, verbunden mit einem minimalen Arbeitsaufwand, präferiert. Die Motivation zu arbeiten erfolgt insbesondere durch die Zahlung eines Lohns; eigene Ziele kommen dabei nicht zum Tragen, sondern sind lediglich Teil des Privaten. Das Modell des *homo oeconomicus* stößt in der Wirklichkeit allerdings schnell an seine Grenzen. Der Aspekt, dass Menschen soziale Wesen sind, bleibt vollkommen unberücksichtigt; damit kann die Theorie des *homo oeconomicus* einen wichtigen Grund dafür, dass sich die Motivation zu arbeiten nicht nur aus der Entlohnung ableitet, nicht berücksichtigen. Im Gegensatz dazu spielt Arbeit und die Motivation zu arbeiten, insbesondere auch als eine wichtige Form der Selbstverwirklichung und Selbstentfaltung, für die Menschen auch jenseits der monetären Entlohnung eine große Rolle (Schweitzer / Baumeister 2015, 16 f.).

Auch aus diesen Überlegungen ist das Bild des sogenannten Wirtschaftspartners entstanden, der sich auf Grundlage von gesetzlich vereinbarten und freiwilligen Mitbestimmungsrechten und Sozialpartnerschaften in die Unternehmen einbringt und in Bezug auf den Arbeitsplatz beziehungsweise dessen Inhalte und Formen sowie das Arbeitsumfeld Einfluss auf deren Gestaltung nimmt. Auch dieses Umfeld ist wiederum mit einer kontinuierlichen Weiterentwicklung und einem Wandel im Laufe der Zeit verbunden und wird durch die immer wieder in neuen Konstellationen zu betrachtenden Themen wie technischer Fortschritt, Globalisierung, Grenzen des Wachstums, Recht auf Faulheit beziehungsweise auf Arbeit dauernd im Umbruch und in einer Weiterentwicklung bleiben (Schweitzer / Baumeister 2015, 16 ff.).

Dabei ist auch die Arbeit per se immer einem Wandel unterzogen. Im Laufe eines Erwerbslebens können nicht nur Arbeitsplätze und Unternehmen gewechselt werden, sondern es können sich durchaus auch grundlegend die Tätigkeiten und Aufgaben – etwa als Folgen des technischen Fortschritts – wandeln. Die Frage nach der Zukunft der Arbeit ist heute noch genauso aktuell wie in den 1980er Jahren, als es in den gesellschaftlichen Diskussionen etwa um Auswirkungen der Entwicklung hin zu einer immer kleineren Anzahl von sogenannten Arbeitsplatzbesitzenden gegenüber einer steigenden Zahl von Arbeitslosen sowie um die Wende einer Arbeits- hin zu einer Tätigkeitsgesellschaft ging. Damals wurde zum ersten Mal als bedeutender Aspekt der Debatte die Unsicherheit erörtert, dass, »je weniger Lohnarbeit in Zukunft möglich sein wird, desto wichtiger ... andere Tätigkeiten [werden]« (Atteslander 1985, 10f). Zum ersten Mal gewann die Überlegung an Bedeutung, dass künftig Wohlstand möglicherweise darin bestehen könnte, überhaupt einer Arbeit nachgehen zu können. Verbunden war diese Diskussion auch mit der Forderung, das Recht auf Arbeit verfassungsrechtlich festzulegen (Ramm 1985, 34f.). Nimmt man von dieser Forderung Abstand, wie das in den heutigen Debatten überwiegend der Fall ist, dann werden eher verschiedene Modelle geldlicher Unterstützungssysteme wie etwa eine bedarfsorientierte Grundsicherung oder ein bedingungsloses Grundeinkommen oder die Grundrente diskutiert (siehe hierzu Kapitel 8).

2.3 Zum Umgang mit dem Begriff der Arbeit

Arbeit ist also ein schillernder Begriff, obwohl durchaus lexikalische Definitionen zu finden sind. Arbeit kann größte Mühe und Elend bedeuten und auf der anderen Seite höchste

Erfüllung und Selbstverwirklichung. Sie kann für Menschen der Lebensinhalt schlechthin sein oder das vernichten, was in ihren Lebensplänen wichtig war. Eine ganze Wissenschaft wurde etabliert, um zu erforschen, wie Arbeit möglichst effizient und gewinnbringend eingesetzt werden kann – nur bleibt im konkreten Fall dann immer die Frage, wem der Gewinn zufließt. Zu arbeiten, seine Fähigkeiten einzusetzen, ist eine tiefverwurzelte, durch Ethik begründete Forderung; aber auch hier bleibt zunächst offen, ob die Arbeit den Mitmenschen direkt zugutekommen soll oder ob die Vermittlung über ein Marktgeschehen dies genauso gut – oder sogar besser – erfüllen kann. Jedenfalls ist Arbeit ein zentrales Element, um Wohlstand und Wohlfahrt in einer Gesellschaft zu schaffen und zu erhalten, wobei die Art und Weise, wie sie organisiert und eingesetzt wird, von entscheidender Bedeutung ist.

Die genannten Paradoxien sind mit verantwortlich dafür, dass es nicht einfach ist, den Begriff der Arbeit angemessen zu verwenden, denn wie sie betrachtet wird, hängt eng mit individuellen und gesellschaftlichen Maßstäben, Normen und Zielsetzungen zusammen. Aber sie ist eben nicht nur Mittel zum Zweck, sondern begründet auch solche Normen und Zielsetzungen mit. Damit ist ihre Entwicklung eingebettet in Vorstellungen der Gestaltung individueller und gesellschaftlicher Zukunftsentwürfe, etwa der einer Postwachstumsgesellschaft. Deren Begründungslogik und die Bedingungen der Möglichkeit ihrer Gestaltung werden im folgenden Kapitel dargestellt.

3 Postwachstum

3.1 Einleitung: Wachstum seit Beginn der Industrialisierung

Seit dem Einsetzen der Industrialisierung im 18. Jahrhundert erlebt die Welt einen rasanten Wandel, der von enormen Zuwächsen gekennzeichnet ist. Waren um 1700 etwa 95 Prozent der weltweiten eisfreien Landflächen Wildnis oder nur geringfügig von Menschen genutzt, galt dies im Jahr 2000 nur noch für 45 Prozent der Fläche. Mehr als die Hälfte war in Weide- und Ackerflächen und menschliche Siedlungen einschließlich eines wachsenden Anteils dichtbesiedelter urbaner Gebiete umgewandelt worden (Ellis et al. 2010). Die Weltbevölkerung wuchs – dank der Fortschritte bei Hygiene, Medizin und Lebensmittelversorgung – von einer Milliarde Menschen um 1800 auf heute über sieben Milliarden, und die am Bruttoinlandsprodukt (BIP) gemessene Wirtschaftsleistung nahm nach Schätzungen des Maddison Project[1] in dem ähnlichen Zeitraum von 1820 bis 2010 gar um rund das 70-fache zu (siehe auch Infokasten 1). Buchstäblich befeuert wurde dies durch Steigerungen des Energieverbrauchs, der 2008 etwa das 20-fache des Verbrauchs von 1820 betrug (Smil 2010).[2] Dabei setzte in der zweiten Hälfte des 20. Jahrhunderts eine »große

1 Online Datenbank: The Maddison-Project, URL: http://www.ggdc.net/maddison/maddison-project/home.htm, 2013 version

2 Daten auch online abrufbar; URL: http://ourworldindata.org/data/resources-energy/energy-production-and-changing-energy-sources/#note-1

Beschleunigung« (Hibbard et al. 2006) ein (Abb. 1, folgende Doppelseite): Ob BIP, Materialverbrauch, internationale Investitionen, Telekommunikationsverbindungen, motorisierter Verkehr oder Zahl der in Städten lebenden Menschen: Die Kurven weisen ab 1950 steil nach oben.

Auch wenn diese Entwicklungen zwischen Ländern, aber auch innerhalb von Gesellschaften von großen Diskrepanzen geprägt waren, erweiterten sich damit die Konsummöglichkeiten für eine wachsende Zahl von Menschen exponentiell. Mehr noch: Das damit verbundene Wirtschafts- und Gesellschaftsmodell »brachte den Angehörigen frühindustrialisierter Gesellschaften Demokratie, Rechtsstaatlichkeit und den Schutz vor körperlicher Gewalt sowie Wohlstand, Gesundheit, Bildung und soziale Fürsorge auf einem bislang unerreichten Niveau« (Sommer/Welzer 2014, 46). In den westlichen Industriestaaten schlug sich dies nicht zuletzt in populären Bezeichnungen der Nachkriegsjahrzehnte als die »Wirtschaftswunderjahre« oder »Trente glorieuses«[3] nieder und verankerte einen breiten gesellschaftlichen »Wachstumskonsens« (Steurer 2002, 52). Es nimmt daher nicht wunder, dass weltweit viele Menschen die massive Expansion der Wirtschaftstätigkeit, die immer mehr Weltregionen erfasst, mit der Hoffnung auf steigenden materiellen Wohlstand und ein gutes Leben verbinden.

3 Die »Trente glorieuses« (zu dt. »dreißig glorreiche [Jahre]«) stehen für den Aufschwung der Nachkriegszeit in Frankreich.

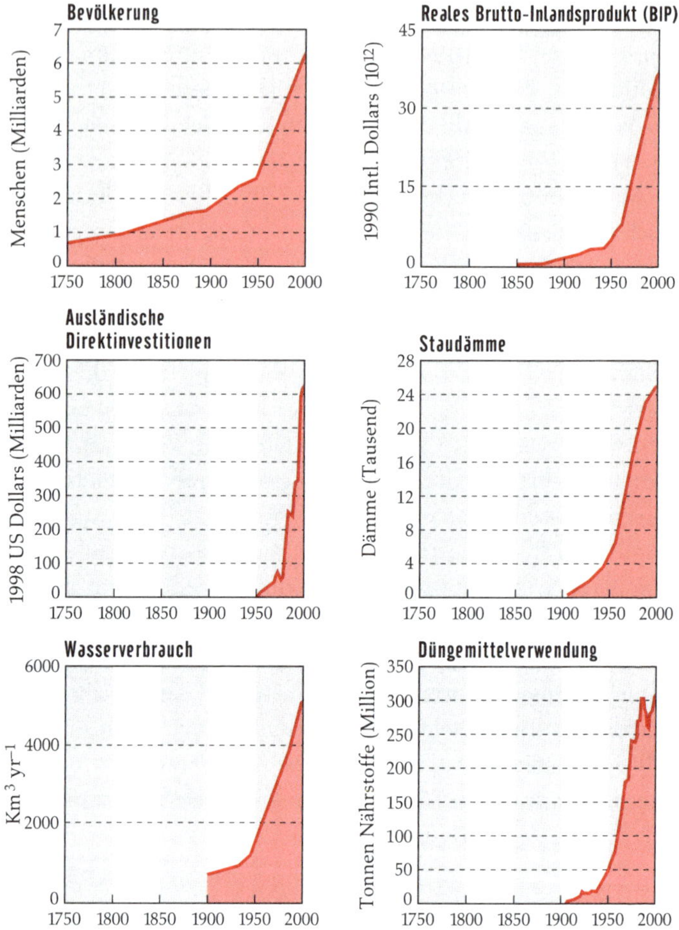
Bevölkerung
Menschen (Milliarden)
0 1 2 3 4 5 6 7
Reales Brutto-Inlandsprodukt (BIP)
1990 Intl. Dollars (10^{12})
0 15 30 45
Ausländische Direktinvestitionen
1998 US Dollars (Milliarden)
0 100 200 300 400 500 600 700
Staudämme
Dämme (Tausend)
0 4 8 12 16 20 24 28
Wasserverbrauch
$Km^3\ yr^{-1}$
0 2000 4000 6000
Düngemittelverwendung
Tonnen Nährstoffe (Million)
0 50 100 150 200 250 300 350
1750 1800 1850 1900 1950 2000

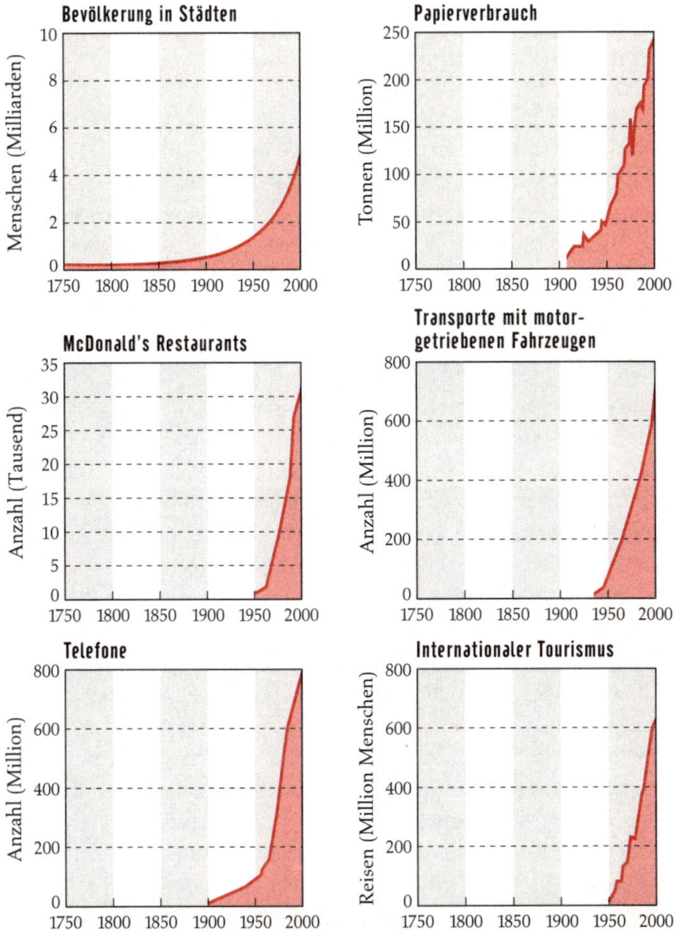

Abb. 1: Veränderungen menschlicher Unternehmungen zwischen 1750 und 2000. Die große Beschleunigung zeigt sich deutlich in jeder Komponente der menschlichen Unternehmungen, die hier in der Abbildung dargestellt werden. Entweder gab es diese Unternehmung vor 1950 noch nicht – zum Beispiel ausländische Direktinvestitionen – oder die Veränderungsrate stieg kurz nach 1950 stark an – zum Beispiel die Bevölkerungszahlen. *Quelle: Steffen et al. 2007*

Infokasten 1: Wirtschaftswachstum seit der Industrialisierung

Das heute gängige Maß für das Wachstum der Wirtschaft ist die Steigerung des Bruttoinlandsprodukts (BIP). Für Deutschland zeigt sich von 1850 bis 2010 preisbereinigt eine Vervielfachung auf das 35-fache, wobei Daten über einen solch langen Zeitraum immer mit Vorsicht interpretiert werden sollten.[4] Dabei war die industrielle Revolution gleichzeitig von einem enormen Bevölkerungswachstum gekennzeichnet, das durch die Erhöhung der Zahl der Arbeitskräfte zum einen Voraussetzung für das wirtschaftliche Wachstum war, zum anderen durch die mit dem Wirtschaftswachstum einhergehende erhöhte Produktivität erst ermöglicht wurde. Bezieht man dieses Bevölkerungswachstum ein und berechnet das Wirtschaftswachstum pro Kopf, fällt die Steigerung geringer aus. Das durchschnittliche BIP pro Kopf liegt in Deutschland heute aber immerhin etwa vierzehnmal höher als im Jahr 1850.

Ein genauerer Blick auf kleinere Zeiteinheiten zeigt allerdings ein differenzierteres Bild. Gerade zu Beginn der Industriellen Revolution kam es zu einer Verelendung großer Teile der Bevölkerung, die sich aus dem Übergang von der Agrar- zur sich urbanisierenden Industriegesellschaft ergab und mit den Begriffen des »Pauperismus« und im weiteren Sinne der »sozialen Frage« beschrieben wurde. Erst in zahlreichen, teilweise auch blutigen Arbeitskämpfen erstritten sich die Arbeiter einen größeren Anteil an den Wachstumsgewinnen. Zudem war die »gerechtere« Entlohnung notwendig, um weiterhin hohe Wachstumsraten erzielen zu können, da nur so die notwendigen Absatzmärkte geschaffen wurden. Die Weichen waren damit in Richtung der heutigen Konsumgesellschaft gestellt.

4 The Maddison-Project, URL: http://www.ggdc.net/maddison/maddison-project/home.htm, 2013 version, siehe auch Hinweise zu Methodik und Datenquellen in Bolt/van Zanden 2014.

Bezieht man sich auf die realen Wachstumsraten pro Kopf – also die relativen Zuwächse – seit dem Zweiten Weltkrieg, ist außerdem ein stetiger Rückgang zu beobachten: In den 1950er Jahren lagen die Wachstumsraten durchschnittlich bei etwa 8 Prozent, in den 1960ern bei gut 4 Prozent, in den 1970ern bei knapp 3 Prozent, den 1980ern und 1990ern bei etwa 2 Prozent und im Durchschnitt 2000 bis 2014 nur noch bei etwa 1 Prozent (Statistisches Bundesamt 2016).

Vor dem Hintergrund dieser Dynamik und des legitimen Anspruchs von mehreren Milliarden Menschen auf eine Verbesserung ihrer Lebensbedingungen scheint ein Ende des Wachstums auf den ersten Blick keine Option. Warum also über eine »Postwachstumsgesellschaft« nachdenken? Tatsächlich gilt es zu differenzieren: zwischen der Situation der globalen Mittel- und Oberschichten und derjenigen in relativer und absoluter Armut, zwischen weltweiten Trends und regional unterschiedlichen Entwicklungen und nicht zuletzt den vielfältigen und oft ambivalenten Formen von Wachstum und Beschleunigung. Denn bekanntermaßen zeigt nicht nur die »Wohlstandskurve« nach oben, auch Ressourcenverbrauch und Umweltbelastungen wachsen und führen immer häufiger zu globalen Schäden und irreversiblen Verlusten. Gleichzeitig profitieren nicht alle von den Erträgen – schon gar nicht gleichermaßen. Und während die Lebenserwartung in den frühindustrialisierten Staaten weiter steigt, nimmt die Zahl gesunder oder gar glücklicher Lebensjahre durchaus nicht in gleichem Maße zu. Der in den letzten Jahren zu verzeichnende Rückgang der Wachstumsraten in den Industrieländern lässt überdies vermuten, dass zumindest exponentielles Wirtschaftswachstum in Zukunft eher unwahrscheinlich ist. Nach wie vor dominierende Zielgrößen von 2 Prozent oder 3 Prozent BIP-Zuwachs pro Jahr könnten kaum noch zu erreichen sein. Wie noch auszuführen sein wird, sind es Beobachtungen wie diese, die auch der jüngsten Welle der Wachstumskritik und Überlegungen zu Wirtschaft und Gesellschaft »nach dem Wachstum« zugrunde liegen. Sie kontrastieren mit der ungebrochenen Überzeugung besonders in weiten Teilen der Wirtschaftswissenschaften, es gebe keine *prinzipiellen* Hindernisse für ein noch sehr lange fortgesetztes Wirtschaftswachstum, sondern allenfalls praktische, die es aufgrund der herausragenden Bedeutung von Wachstum für das gesellschaftliche Wohlergehen zu überwinden gilt.

3.2 Wachstum und Wachstumsgrenzen in der Ideengeschichte der Ökonomik

19. Jahrhundert: Wachstum als vorübergehendes Phänomen

Ein kurzer Blick in die ökonomische Ideengeschichte zeigt, dass diese wirkmächtige Idee grenzenloser Wachstumspotentiale tatsächlich noch keine 100 Jahre alt ist. Bis in die erste Hälfte des 20. Jahrhunderts galt Wirtschaftswachstum vielmehr als vorübergehende Erscheinung. Klassische Ökonomen wie Adam Smith, David Ricardo und John Stuart Mill sahen darin einen Anpassungsprozess an ein neues stationäres Gleichgewicht (Arnold 1997, 4). Sie gingen davon aus, dass es langfristig zum Fall der Profitrate und damit zum Stillstand der Kapitalakkumulation als der entscheidenden Triebfeder des Expansionsprozesses kommen müsse. Für Ricardo war der unumgehbar limitierende Faktor dabei die Ressource Boden: Spätestens wenn auch die schlechtesten Böden zur Erzeugung von Lebensmitteln bestellt würden, müsse ein »stationärer Zustand«

eintreten (Schefold/Carstensen 2001). Thomas Malthus erwartete schon zuvor zyklisch wiederkehrende Katastrophen, da in einer wachsenden Wirtschaft die Bevölkerung exponentiell zunehme, die Lebensmittelproduktion aber nur linear.

Karl Marx prognostizierte einen tendenziellen Fall der Profitrate aus anderen Gründen: Die einzelnen Kapitalisten seien im Konkurrenzkampf gezwungen, in technisch fortschrittliche Produktionsmittel zu investieren und so den Einsatz von Arbeitskraft zu verringern, um kurzfristig ihren Profit zu erhöhen. Durch das Zusammenwirken dieser Investitionen aller Kapitalisten sinke jedoch die gesamtwirtschaftliche Profitrate, weil immer weniger Arbeit für die Produktion eingesetzt wird und damit der aus der Arbeit resultierende Mehrwert schrumpft (Arnold 1997, 5 f.). Da die Kapitalisten einem Verfall ihres Profits entgegenzuwirken versuchen, indem sie in weitere arbeitssparende Technologien investieren, verstärkt sich dieser Prozess selbst. Dem Wachstum scheint so eine innere Schranke gesetzt – und damit dem Kapitalismus selbst, der nicht nur in Marx' Augen ohne fortgesetzte Akkumulation nicht funktionsfähig ist.

Folgte für Marx auf den Kapitalismus perspektivisch der Sozialismus, behagte den meisten klassischen Ökonomen die Aussicht auf ein Ende des Wachstums gar nicht. Sie suchten daher nach Mitteln zur Aufrechterhaltung des Wachstumspfades und identifizierten – wie im Übrigen auch Karl Marx – zahlreiche Effekte, die den Fall der Profitrate temporär aufhalten können, darunter technischen Fortschritt, Verlängerung der Arbeitszeit oder die Reduktion von Subsistenzlöhnen durch Nahrungsmittelimporte (Arnold 1997, 5). Zur langfristigen Überwindung absoluter Wachstumsgrenzen erschienen ihnen diese allerdings nicht ausreichend. Lediglich John Stuart Mill entwarf, verbunden mit einer Kritik der zeitgenössischen Verhältnisse, eine ausgesprochen optimistische Perspektive des »stationären Zustands« (vgl. Infokasten 2). Elemente seiner Kritik, aber auch seines Hoffnungsbilds einer Welt nach der Wachstumsphase als Situation der Fülle und des menschlichen Wohlergehens finden sich im 20. Jahrhundert interessanterweise durchaus ähnlich auch bei zentralen Protagonisten wachstumsorientierter Politik wie John Maynard Keynes (Keynes 1930, siehe auch Infokasten 3) und Ludwig Erhard (Erhard 1957).

Infokasten 2: Der stationäre Zustand bei John Stuart Mill

Im Kapitel »Of the Stationary State« seines Hauptwerks *Principles of Political Economy* von 1848 beschreibt Mill, warum er die Befürchtungen seiner Zeitgenossen im Hinblick auf den unausweichlichen stationären Zustand der Wirtschaft keineswegs teilt. Mag das von Konkurrenzkämpfen geprägte Streben nach wirtschaftlichem Fortschritt, das mit der Phase der Expansion einhergeht, auch eine Zeit lang notwendig sein, wünschenswert erscheint es Mill keineswegs. Der stationäre Zustand ist dagegen nicht nur gekennzeichnet durch das Fehlen immer weiterer Kapitalakkumulation und durch eine gleichbleibende Bevölkerungsgröße, er birgt auch die besten Bedingungen für die Entfaltung des Menschen, denn: »[T]he best state for human nature is that in which, while no one is poor, no one desires to be richer, nor has any reason to fear being thrust back by the efforts of others to push themselves forward.« (Mill 1848, IV.6.5).
Auch bei Stagnation von Kapital und Bevölkerung bleibe daher ebenso viel, wenn nicht gar mehr Raum für menschliche Entwicklung, die Mill mit moralischem und sozialem Fortschritt, Fortschritten der Lebenskunst und der Verbesserung

handwerklicher Fähigkeiten und technischer Möglichkeiten beschreibt (ibid., IV.6.9). Technischer Fortschritt könne dabei endlich seinem legitimen Zweck dienen, Arbeit zu verringern statt Reichtum zu steigern.
Die materiellen Voraussetzungen für den Übergang in die Postwachstumswelt sah Mill in den am weitesten entwickelten Nationen bereits 1848 gegeben; eine bessere Verteilung sei dort entscheidender als die weitere Steigerung der Produktion (ibid., IV.6.6). Und angesichts der Naturzerstörung durch die expansive Wirtschaftsentwicklung hoffte er für die Nachwelt, »that they will be content to be stationary, long before necessity compels them to it.« (ibid., IV.6.8).

Die »Entdeckung« grenzenlosen Wachstums im 20. Jahrhundert

Wie heute bekannt ist, kam das Ende des Wachstums – wie auch des Kapitalismus – nicht so schnell wie erwartet. Insbesondere Malthus' düstere Prognosen sind nicht eingetroffen – er hatte die Möglichkeit für Produktivitätssteigerungen bei weitem unterschätzt. Und so wurden zur Mitte des 20. Jahrhunderts hin schließlich die wirtschaftstheoretischen Weichen für die Idee *unbegrenzten* Wachstums gestellt: In seiner »Theorie der schöpferischen Zerstörung« machte Joseph Schumpeter technologische Entwicklungsschübe als zentrales Moment des Kapitalismus aus, die zyklisch zu tiefgreifenden Veränderungen der gesamten wirtschaftlichen Struktur führen und immer wieder neue Wachstumsphasen ermöglichen (Steurer 2002, 48). Allerdings ging Schumpeter aus anderen Gründen davon aus, dass kapitalistische Gesellschaften ihre eigenen Voraussetzungen untergraben und letztlich zu Krisen und Stagnation neigen würden (Arnold 1997, 7).

In den 1950er Jahren zeigte Robert Solow dann empirisch, dass die durchschnittliche Profitrate in entwickelten Volkswirtschaften bislang nicht gesunken war und führte dies, aufbauend auf Schumpeter, auf technologische Innovation zurück (Steurer 2002, 49f.). Ab diesem Zeitpunkt setzte sich in der neoklassischen Ökonomik die Vorstellung von Wachstum als einem von Fortschritt getriebenen andauernden Prozess durch (Arnold 1997, 8). Die Effizienz des Arbeits- und Materialeinsatzes kann demnach immer weiter gesteigert werden; sollten bestimmte Inputs knapp werden, so lassen sie sich – eine perfekt funktionierende Marktwirtschaft vorausgesetzt – stets substituieren. Gleichzeitig findet sich im dominierenden Akteursbild der Neoklassik eine simple Begründung, warum immer »mehr« zugleich auch »besser« ist: Der *homo oeconomicus* ist bestrebt, seinen individuellen Nutzen zu maximieren, und ein Einkommenszuwachs erweitert in der Regel seine Möglichkeiten, dies zu tun. Allerdings haben Ökonomen stets betont, dass der *homo oeconomicus* kein in der Realität zutreffendes oder gar normatives Menschenbild sei, sondern ein abstrahierendes Verhaltensmodell, das eine rigorose Modellbildung ermöglicht, mit der die Welt vergleichsweise gut beschrieben werden könne (McKenzie/Tullock 1984).

Andere wirtschaftstheoretische Denkschulen konzentrierten sich auf wirtschaftliche Stabilität und Produktionswachstum, nicht zuletzt vor dem Hintergrund der wirtschaftlichen Krisenerfahrungen vor dem Zweiten Weltkrieg, des beschleunigten Wachstums vor allem in Europa und Nordamerika einerseits und der anhaltenden »Unterentwicklung« weiter Teile der Welt andererseits in den Jahrzehnten danach. Auch die Konkurrenz zwischen kapitalistischem Westen und sozialistischem Osten spielte in diesem Zusammenhang eine wesentliche Rolle. Die (post-)keynesianische Wirtschaftstheorie etwa untersuchte die Bedingungen für gleichgewichtiges Wachstum, verstanden als Entwicklung zentraler makroökonomischer Größen wie Volkseinkommen, Investitionen, Kapitalbestand etc., mit der gleichen konstanten Wachstumsrate (Schäfer o.J.). Dies wurde als Voraussetzung für anhaltende Vollbeschäftigung und längerfristige Stabilität einer Volkswirtschaft angesehen und entwickelte sich daher zu einem zentralen wirtschaftspolitischen Ziel. Die optimistische Prognose des »Vaters« der Theorieschule, John Maynard Keynes, über das längerfristig absehbare Erreichen eines ausreichenden Wohlstandsniveaus und damit das Ende der Wachstumsnotwendigkeit wurden dabei paradoxerweise nicht weiter rezipiert (vgl. Infokasten 3).

Infokasten 3: Keynes' optimistische Prognose

»I draw the conclusion that, assuming no important wars and no important increase in population, the economic problem may be solved, or be at least within sight of solution, within a hundred years.« (Keynes 1930, 326)

Im Aufsatz »Economic Possibilities for our Grandchildren« aus dem Jahr 1930 kommt der schon damals berühmte Ökonom John Maynard Keynes zu der Schlussfolgerung, dass das »ökonomische Problem«, verstanden als das Ringen um die Sicherung des Lebensunterhalts, in einhundert Jahren gelöst oder zumindest dessen Lösung in Sicht sein werde. Keynes' Prognose beruht auf den in den Jahrzehnten zuvor beobachtbaren Produktivitätsfortschritten: Sollten sich diese fortsetzen, so erhöhe sich der durchschnittliche Lebensstandard in den kommenden einhundert Jahren um das Vier- bis Achtfache. Für das Szenario einer Verachtfachung erwartet Keynes, dass

die Bedürfnisse erster Art – die als »absolute needs« bezeichneten Grundbedürfnisse – gesättigt wären.
Die relativen Bedürfnisse zweiter Art – jene, die man etwa mit Statuskonsum in Verbindung bringen würde (»which satisfy the desire for superiority«) – seien zwar tendenziell unersättlich (ibid., 326). Dennoch ist Keynes optimistisch, dass es die Menschen bevorzugen werden, ihre Energie auf nichtökonomische Zwecke zu konzentrieren und sieht die Chance zum Wertewandel: »We shall once more value ends above means and prefer the good to the useful.« (ibid., 331)
Nach einer Menschheitsgeschichte des Überlebenskampfs bedarf es Keynes' Ansicht nach allerdings einer gewissen Übung, um ein solches von Freizeit und Überfluss erfülltes Leben zu führen: »For many ages to come the old Adam will be so strong in us that everybody will need to do *some* work if he is to be contented.« (ibid., 328, Herv. i.O.) Drei Stunden Arbeit am Tag seien dafür aber völlig ausreichend. Außerdem sei es wichtig, auch vorher die Kunst des Lebens nicht zu vergessen und dem ökonomischen Problem nicht alles unterzuordnen (ibid., 332).

Umwelt- und Ressourcenfragen schienen in dieser Zeit von untergeordneter Bedeutung. Unterschiedliche Wirtschaftstheorien tilgten den Faktor Boden weitgehend aus ihren Betrachtungen. Im gängigen Modell der Ökonomie erschien die Wirtschaft als Kreislauf von Geldströmen zwischen Haushalten, Unternehmen und Staat, mit anderen Volkswirtschaften verbunden durch Handels- und Kapitalströme. Die natürliche Umwelt und ihre Wechselbeziehungen mit dem Wirtschaftssystem waren darin gänzlich unsichtbar, wie auch beispielsweise produktive Tätigkeiten innerhalb der Haushalte.

Zweifel an der quantitativen Wachstumseuphorie

Auf die Phase der »quantitativen Wachstumseuphorie« (Steurer 2002, 330) in Wirtschaftswissenschaften und Gesellschaft folgten allerdings ab den ausgehenden 1960er Jahren vermehrt Zweifel. Einzelne Gegenstimmen hatte es immer gegeben, besonders kritisch etwa Leopold Kohr (1962) oder Kenneth Galbraith (1958). Dabei ging es sowohl um negative psychische und soziale Effekte einer einseitig fortschritts- beziehungsweise wachstums- und technikorientierten Gesellschaft als auch und vor allem um ökologische Grenzen des Wachstums. Die angenommene Zielharmonie von Wirtschaftswachstum und Wohlstand beziehungsweise Lebensqualität wurde somit auf zwei Weisen in Frage gestellt: zum einen in Bezug auf Sinn und Erwünschtheit von Wachstum für die Menschen insbesondere in wohlhabenden Industrienationen, zum andern in Bezug auf die Möglichkeit, den eingeschlagenen Wachstumspfad in einer Welt begrenzter Ressourcen und begrenzter ökologischer Tragfähigkeit fortzusetzen (ibid., 144).

Exemplarisch für die vor allem in den 1970er Jahren intensiv geführte gesellschaftliche Debatte stehen Werke wie *Small is beautiful: A study of economics as if people mattered* von E.F. Schumacher (Schumacher 1974) und Fred Hirschs *Social limits to growth* (Hirsch 1976) sowie 1972 in besonderer Weise der Bericht an den Club of Rome *The limits to growth* (Meadows et al. 1972), dessen Botschaft eines aufgrund von Ressourcenknappheit und Umweltverschmutzung im 21. Jahrhundert drohenden Kollapses ein ausgesprochen geteiltes, aber breites Echo fand. Weniger prominent, aber in der wirtschaftswissenschaftlichen Diskussion abseits des Mainstreams von Bedeutung, waren unter anderem Beiträge von Kenneth Boulding (1966), Herman Daly (1977) und Nicolas Georgescu-Roegen (1971).

Es würde hier zu weit führen, auf diese vielfältige Kritik der Wachstumsgesellschaft einzugehen. Entscheidend ist, dass sie gesellschaftliche Besorgnisse und Probleme auf zum Teil radikale Weise artikulierte und so dazu beitrug, diese ins Bewusstsein zu rücken. Es war nicht zuletzt die Auseinandersetzung mit dieser radikalen Kritik, die – jenseits heftiger Abwehrreaktionen und betont optimistischer Gegenszenarien wie etwa jenes von Kahn, Brown und Martel (1977) – zu einer reflektierteren Sicht auf Wachstum und einer stärkeren Integration von Umweltfragen in die Wirtschaftstheorie geführt hat.

Qualitatives Wachstum als Lösung ökonomischer und ökologischer Probleme?

Sowohl in der politischen als auch in der wissenschaftlichen Diskussion kam der Begriff des »qualitativen Wachstums« auf, der darauf abstellt, *wie* die Wirtschaft wächst (Steurer 2002, 235). Seine Vertreter sahen die Notwendigkeit, aber auch die Chance, Wirtschaftswachstum mit der Begrenzung von Umweltauswirkungen zu vereinbaren. Sie setzten dafür vor allem auf die geringere Umweltintensität moderner Wirtschaftszweige etwa im Dienstleistungssektor sowie auf beobachtbare und potentielle Effizienzsteigerungen und ökologisch angepasste Produktionsweisen, mit denen sich Wirtschaftsleistung und Umweltverbrauch entkoppeln lassen würden; diesen Weg schlug schon recht früh zum Beispiel Barry Commoner (1971) ein. Die Erwartungen gingen auch darauf zurück, dass sich in der zweiten Hälfte des 20. Jahrhunderts der Schwerpunkt des Wirtschaftens in den frühindustrialisierten Staaten immer mehr von der industriellen

Güterproduktion zu Dienstleistungen und informations- und wissensbasierten Tätigkeiten verschob (vgl. Bell 1973).

Gestützt wurden solche Überlegungen durch empirische Analysen, die ab einem bestimmten Wohlstandsniveau auf eine Abnahme der Rohstoffintensität bei steigender Wirtschaftsleistung hindeuteten (Jänicke 1998). Ein ähnlicher Verlauf in Form einer umgekehrten U-Kurve, für den sich in den 1990er Jahren der Begriff der »ökologischen Kuznets-Kurve« etablierte, wurde für die Belastung durch manche Schadstoffe wie zum Beispiel Schwefeldioxid konstatiert (Stern 2004). Besonders optimistischen Interpretationen zufolge war der Rückgang des Umweltverbrauchs in der Marktwirtschaft durch die Substitution von Materialien, höhere Effizienz und die Verdrängung materialintensiver durch dienstleistungsintensive Güter daher nur eine Frage der Zeit. Vorsichtigere Stimmen zweifelten allerdings an einem Automatismus und wiesen darauf hin, dass eine dauerhafte *absolute* Entkopplung, also ein insgesamt abnehmender Naturverbrauch bei gleichzeitigem Produktionswachstum, mindestens erhebliche politische Unterstützung brauche (Jänicke 1998, 12).

In den 1980er Jahren ging der Ansatz qualitativen Wachstums weitgehend in dem Konzept nachhaltiger Entwicklung auf, das – jedenfalls in seiner populärsten Form auf Basis des Brundtland-Berichts (1987) – »zur Beseitigung von Unterentwicklung und Umweltproblemen (…) eine neue, umweltverträgliche Qualität« von Wachstum forderte (Steurer 2002, 243). Wachstumskritische Stimmen meldeten sich auch in der Nachhaltigkeitsdiskussion weiterhin zu Wort, fanden aber weniger Gehör. Auf die berühmte Definition des Brundtland-Berichts, wonach Entwicklung nachhaltig sei, wenn sie die Bedürfnisse heute lebender Menschen befriedige, ohne die Befriedigung der Bedürfnisse kommender Generationen zu gefährden, konnten sich im Übrigen sowohl Wachstumsbefürworter als auch Wachstumskritiker in der Regel einigen. Zunehmend wurde auch das Argument in Frage gestellt, Umweltschutz gehe zwangsläufig auf Kosten von Wachstum und Beschäftigung. Vor allem Vertreter der Idee einer zielgerichtet ökologischen Modernisierung gingen davon aus, dass die Durchsetzung effizienter und umweltverträglicher Produktionsweisen sogar wachstumsfördernd sein könne. Die richtige Ausgestaltung eines nachhaltigen Entwicklungspfades blieb allerdings auch unter denjenigen umstritten, die soziale und ökologische Probleme als (nur) in der Wachstumsgesellschaft lösbar sahen: Nicht wenige setzten weiterhin auf das traditionelle Paradigma der Selbstregulierung des Marktes in allenfalls etwas erneuertem Gewand.[5]

Mehr noch als die politische Praxis blieben die Wirtschaftswissenschaften in weiten Teilen merkwürdig unberührt von der Diskussion um nachhaltige Entwicklung. In der Ökonomik gewannen neoklassische Ansätze und neoliberale Ansichten immer mehr an Einfluss. Eine neue Welle der Wachstumstheorie in den 1980er Jahren wandte sich den Ursachen des technischen Fortschritts zu und rückte die Rolle von Wissen – und dessen Vermehrung – als immaterielle Ressource und Triebfeder für die Erschließung einer Vielzahl von technologischen, aber auch organisatorischen Innovationspotentialen in den Vordergrund (Steurer 2002, 50f.). Ökologische Fragen blieben dabei unberücksichtigt. Allerdings gewann langsam die neoklassisch fundierte Umwelt- und Ressourcenökonomie an Bedeutung, die zwar nicht von Wachstumsgrenzen ausging, nicht zuletzt in der Auseinandersetzung mit wachstumskritischen Argumenten aber zunehmend erkannte, dass

5 Vgl. für eine Übersicht unterschiedlicher Positionen z.B. Hopwood et al. 2005.

ökologische Externalitäten des Wirtschaftens allgegenwärtig und von erheblichem Ausmaß waren – nicht nur kleinere, in der Regel handhabbare Abweichungen von einem optimalen Gleichgewichtszustand (Pearce 2002, 61). Überdies entwickelte sich – bewusst in Abgrenzung zur neoklassisch inspirierten Umweltökonomik – die deutlich wachstumskritischere Ökologische Ökonomie.

Aktuelle Wachstumskritik und neue grüne Wachstumshoffnungen

Die Kritik an der gesellschaftlichen Fixierung auf Wirtschaftswachstum und den damit verbundenen Auswirkungen ist nie verstummt. Nach der kontroversen gesellschaftlichen Diskussion der 1970er Jahre trat sie – auch im Zeichen der Hoffnung auf eine ökonomische, ökologische und soziale Ziele harmonisch verbindende nachhaltige Entwicklung – jedoch zeitweise in den Hintergrund. Ausgelöst durch sich zuspitzende globale Umweltprobleme, aber auch die Enttäuschung über die mit Wirtschaftswachstum verbundenen Hoffnungen sowie rückläufige Wachstumsraten und wirtschaftliche Instabilität, gerade in den Industriestaaten, werden die kritischen Anfragen seit einigen Jahren aber wieder lauter und finden gesellschaftlich zunehmend Gehör. Denn es zeichnet sich immer deutlicher ab, dass *business as usual*, die Fortsetzung des Gewohnten, nicht mehr möglich ist (Jackson 2011, 34).

Gleichzeitig haben in den letzten Jahren unter anderem internationale Organisationen wie OECD und UNEP die Idee »grünen Wachstums« zu einem zentralen Baustein ihrer Programmatik erhoben und arbeiten an Umsetzungsstrategien, mit denen der Schutz der Umwelt und steigende Wirtschaftsleistung in Industrie- und Entwicklungsländern zu vereinbaren sein sollen (vgl. OECD 2011, UNEP 2011). Dabei sollen unter anderem die Innovationsdynamiken der Wirtschaft selbst für einen Wandel nutzbar gemacht werden; technologische Lösungen spielen eine wichtige Rolle. Starke Versionen des Konzepts sehen die Chance eines Wachstumsschubes, gar einer neuen industriellen Revolution oder wenigstens eines neuen Kondratjew-Zyklus, gerade aufgrund eines auch von Umweltschutz und Ressourceneffizienz motivierten Strukturwandels (Jacobs 2011, 8). Die Idee unbegrenzten Wachstums, das durch die Endlichkeit natürlicher Ressourcen nicht aufzuhalten ist, findet darin vielleicht ihren aktuellsten Ausdruck. Allerdings ist die Bandbreite der Positionen von Vertretern wachstumsorientierter Strategien »grünen Wirtschaftens« erheblich; viele betonen etwa die Notwendigkeit auch eines tiefgreifenden kulturellen Wandels oder setzen auf starke politische Steuerung und selektives Wachstum, das insgesamt nur mit moderaten Zuwachsraten einhergehen könne.[6]

Wachstumsorientierte und -kritische Strategien zur ökologischen Transformation unseres Wirtschaftens können insofern große Gemeinsamkeiten aufweisen, beispielsweise in Bezug auf politische Maßnahmen wie den Abbau umweltschädlicher Subventionen und die Gegnerschaft gegenüber der Umweltvergessenheit, die noch heute oft die traditionelle Wirtschaftspolitik dominiert. Dennoch reiben sich wachstumskritische Positionen an der aktuellen »Green Growth«-Programmatik und ihren Handlungsempfehlungen. Ein Blick auf einige der von ihnen identifizierten Probleme hilft, um der Frage weiter auf die Spur zu kommen, warum wir über eine Postwachstumsgesellschaft nachdenken sollten.

6 Vgl. etwa Jänicke 2011, WBGU 2011 sowie die von Koepp et al. 2015 dargestellten Positionen.

3.3 Ökologische Krise: Gründe für ein Ende des ›business as usual‹ der Wachstumsgesellschaft

Klimawandel

Eine Schlüsselrolle in der Diskussion nimmt die durch menschliche Aktivitäten verursachte ökologische Krise ein, zu deren Chiffre der Klimawandel geworden ist: Die Nutzung fossiler Energieträger seit Beginn der Industrialisierung hat das Klima auf den Pfad einer massiven Erwärmung gebracht, welche die Stabilität des gesamten Erdsystems gefährdet – mit gravierenden Folgen für die ganze Menschheit, ganz besonders aber für die ärmsten Teile der Weltbevölkerung. Längst ist das kein Schreckensbild in ferner Zukunft mehr. Wie der sogenannte Weltklimarat in seinem aktuellsten Bericht schreibt, waren die letzten drei Dekaden wärmer als jede frühere Dekade seit 1850 (IPCC 2014, 2). Die Eisschilde von Grönland und der Antarktis haben seit 1992 an Masse verloren; weltweit schrumpfen die Gletscher. Der Meeresspiegel steigt, gleichzeitig versauern die Ozeane aufgrund der erhöhten Aufnahme von Kohlendioxid. Die Wirkungen der Erwärmung zeigen sich bereits heute in der Zunahme von Wetterextremen und dem veränderten Auftreten und Verhalten vieler Tier- und Pflanzenarten (ibid., 6–8). Dass die Klimaänderungen im Laufe des 21. Jahrhunderts und darüber hinaus zunehmen werden, ist nicht mehr zu verhindern. Wie sehr sie dies tun, hängt maßgeblich vom künftigen Treibhausgasausstoß ab: Bei Fortsetzung aktueller Emissionstrends steuert die Welt mit hoher Wahrscheinlichkeit auf eine Erwärmung um 4° bis zum Jahr 2100 zu (ibid., 9), in der unter anderem Hitzewellen, Extremniederschläge und Überflutungen, Wasserknappheit und beschleunigtes Artensterben mit massiven Folgen für die weltweite Ernährungssicherheit zu erwarten sind (Weltbank 2014). Nicht nur tief gelegene Inselstaaten, sondern unzählige, oft dichtbesiedelte Küstengebiete sind durch den Meeresspiegelanstieg bedroht. Darüber hinaus besteht die Gefahr der Eskalation durch abrupte, nichtlineare Effekte, sollten sogenannte Kipppunkte im Klimasystem erreicht werden, etwa das Abschmelzen des grönländischen Eisschildes.

Planetare Grenzen

Aber nicht »nur« das Klima ist betroffen, der menschliche Einfluss berührt auch andere Umweltbedingungen, die in den letzten knapp 12000 Jahren – der »Holozän« genannten Erdepoche – relativ konstant waren und nun erstmals in der Geschichte zeitgenössischer menschlicher Gesellschaften fundamental verändert werden könnten (Steffen et al. 2015, 736). Wissenschaftler versuchen, dieses zunehmende Risiko einer gefährlichen Destabilisierung des Erdsystems im Rahmen des Konzepts »planetarer Grenzen« näher zu bestimmen. Seit seiner Veröffentlichung 2009 in der Fachzeitschrift *Nature* wird dieses Konzept wissenschaftlich intensiv diskutiert und entwickelt sich auch in der politischen Diskussion zunehmend zu einer Referenz (Schellnhuber 2015, 28). Um einen sicheren ökologischen Handlungsraum (*safe operating space*) für die Menschheit zu umreißen, definiert das Konzept auf Basis des Vorsichtsprinzips globale Grenzwerte, innerhalb derer kritische Veränderungen mit hoher Wahrscheinlichkeit vermieden werden könnten (Rockström et al. 2009). Betrachtet werden neben dem Klimawandel bislang acht Prozesse: der Abbau der stratosphärischen Ozonschicht, die Ozeanversauerung, der Verlust von Biodiversität und Ökosystemen,

Veränderungen biogeochemischer Kreisläufe – insbesondere Phosphor- und Stickstoffeinträge –, die Süßwassernutzung, Landnutzungsänderungen, die Belastung der Atmosphäre mit Aerosolen und die Einbringung »neuer Entitäten« in die Natur, das heißt neuer chemischer Substanzen und modifizierter Lebensformen (Steffen et al. 2015). Obwohl noch erhebliche Unsicherheiten bestehen und nicht für alle Prozesse kritische Schwellenwerte beziffert werden können, sind die Ergebnisse schon heute alarmierend (vgl. Abb. 2): In vier von neun Dimensionen gilt der sichere Handlungsraum als überschritten, bei zwei davon – Artenvielfalt sowie Phosphor- und Stickstoffkreisläufe – sogar so weit, dass die Forscher die Gefahrenzone hoher Risiken für gefährliche und irreversible Veränderungen erreicht sehen (ibid.). Dabei bergen sowohl Biodiversitätsverlust als auch Klimawandel jeder für sich genommen die Gefahr, in ein neues instabileres Erdzeitalter zu führen. Die Prozesse beeinflussen sich überdies gegenseitig und schreiten mit Ausnahme des Abbaus der Ozonschicht alle ungebrochen voran.

Am Ende der Ressourcen?

Auch ein multidimensionales Konzept planetarer Grenzen kann Umweltprobleme und daraus resultierende Folgen für Mensch und Natur nicht erschöpfend erfassen: Dem Konzept wohnt zum einen eine Konzentration auf die »Senkenseite« der ökologischen Krise inne, die unberücksichtigt lässt, dass auch auf der Inputseite – also beim Verbrauch natürlicher Ressourcen – Grenzen liegen können. Denn auch die Menge der Inputs und damit der Entnahmen aus der Natur ist seit Beginn der Industrialisierung stark gewachsen. Wissenschaftler haben für den Zeitraum von 1900 bis 2005 unter Einbezug

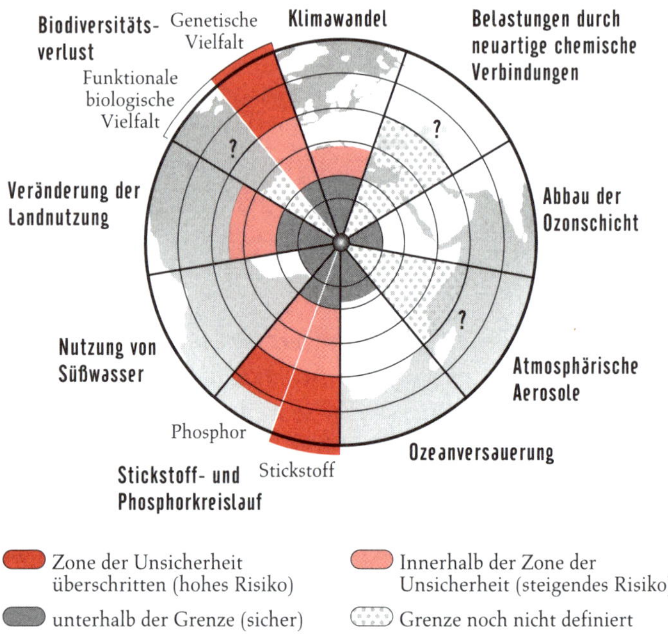

Abb. 2: Die planetaren Grenzen. *Quelle: Steffen et al. 2015*

von Biomasse, fossilen Energieträgern, Erzen, Industriemineralien und mineralischen Baustoffen eine Verachtfachung des globalen Ressourcenverbrauchs konstatiert (Krausmann et al. 2009). Nicht alle dieser Ressourcen sind – bisher – knapp. Neben dem seit Jahrzehnten kontrovers diskutierten Ende des Erdöls beziehungsweise des »Peak Oil«, der Überschreitung des Fördermaximums, ist aber in den letzten Jahren etwa die Endlichkeit von fossilem Phosphor ins Bewusstsein gerückt (WBGU 2011, 46 f.), dessen Verwendung als Düngemittel im Zuge der »Großen Beschleunigung« ebenfalls eine enorme Steigerung erfahren hat. Als Pflanzennährstoff ist Phosphor, das bislang nur begrenzt recycelt werden kann, unverzichtbar. Dieser Aspekt wird im Konzept planetarer Grenzen nicht betrachtet, das auf die Schadwirkungen einer »Überdüngung« der Ozeane durch Phosphoreinträge aus der Landwirtschaft fokussiert (Lewis 2012). Der Fokus auf das globale Ganze darf zum andern den Blick auf regionale und lokale Umweltbelastungen nicht verstellen, die für die Betroffenen längst gravierend, ja lebensbedrohlich sein können, bevor weltweite ökologische Schwellenwerte überschritten sind. Eine Aktualisierung der »planetaren Grenzen« versucht, regionale Differenzen verstärkt zu berücksichtigen, stellt dabei aber weiterhin in erster Linie auf die Bedeutung subglobaler Dynamiken für die weltweiten Prozesse ab (Steffen et al. 2015). Altbekannte Probleme der Wechselbeziehung zwischen Umwelt und menschlichen Aktivitäten wie die Zerstörung lokaler Ökosysteme, punktuelle Belastungen und knappe Ressourcen sind insofern alles andere als überwunden und müssen bei der Lösungssuche mitberücksichtigt werden.

Globale Verantwortung: Industrieländer in der Pflicht

Das Bewusstsein für die ökologische Krise macht sich dennoch vor allem an globalen Phänomenen fest, denn an ihnen werden das historisch präzedenzlose Ausmaß des menschlichen Einwirkens auf den begrenzten Planeten Erde und die damit verbundenen Risiken besonders deutlich. Gerade der Klimawandel könnte »sich als die Grenze aller Grenzen erweisen« (Jackson 2011, 34). Dieses Problem ist nunmehr seit über zwei Jahrzehnten zentraler Gegenstand der internationalen Umweltpolitik. Zuletzt bekräftigte die Staatengemeinschaft bei der Pariser Klimakonferenz 2015 die Verpflichtung, gefährliche Störungen des Klimasystems zu vermeiden und dafür den globalen mittleren Temperaturanstieg auf weniger als 2 °C gegenüber dem vorindustriellen Niveau zu begrenzen.[7] Als darüber hinausreichendes Ziel wurde – allerdings unverbindlich – die Begrenzung auf 1,5 °C aufgenommen, die insbesondere von den in ihrer Existenz gefährdeten kleinen Inselstaaten gefordert wird. Wenn die anlässlich der Pariser Klimakonferenz 2015 von den Staaten abgegebenen Reduktionsversprechen bis 2030 eingehalten und anschließend ähnlich strenge Politikmaßnahmen umgesetzt werden, könnte der Temperaturanstieg nach Einschätzung des Climate Action Tracker im Dezember 2015 (Jeffrey et al. 2015) bislang auf rund 2,7°C begrenzt werden. Längst fordern nicht nur Umweltschützer, sondern auch Staaten und internationale Organisationen die Dekarbonisierung der Weltwirtschaft. Dass in jedem Fall weitreichende Veränderungen notwendig sein werden, wird kaum noch bestritten.

Obwohl der Klimaschutz politisch und wirtschaftlich eine immer größere Rolle spielt, sind bis heute allerdings wenig Anzeichen für eine weltweite Trendwende beim Treibhausgasausstoß zu erkennen: Mehr als die Hälfte der anthropogenen CO_2-Emissionen seit 1750 wurde in den letzten rund 40 Jahren ausgestoßen, mit besonders hohen absoluten Zuwächsen in der Dekade von 2000 bis 2010 (IPCC 2014, 5). Als zentrale Treiber benennt der IPCC die Expansion von Wirtschaft und Bevölkerung, wobei der Beitrag des Wirtschaftswachstums seit 2000 erheblich gestiegen ist. Dabei nimmt die CO_2-Intensität der Weltwirtschaft, also der CO_2-Ausstoß pro Einheit BIP, in den letzten Jahren sogar wieder zu. In jüngster

7 Informationen zu dem als »historisch« gefeierten Abkommen bietet die Konferenzwebsite unter http://www.cop21.gouv.fr/en/, für eine kurze Zusammenfassung und Einschätzung des Vertrags vgl. beispielsweise Bodle et al. 2016 und Sommer / Müller 2016.

Zeit ist dies maßgeblich auf den steigenden Energieverbrauch in schnell wachsenden Schwellenländern wie China und Indien zurückzuführen. Ein erheblicher Teil ihrer Emissionen entsteht noch immer durch die Produktion von Gütern, die in den Industrieländern konsumiert werden. Das rasche Voranschreiten auf dem vom globalen Norden vorgezeichneten Pfad industrieller Entwicklung führt aber auch in den Schwellenländern selbst zu wachsenden Ober- und Mittelschichten mit starker Konsumorientierung, die zunehmend zur »transnationalen Verbraucherklasse« gezählt werden können (BUND 2008, 79).

Historisch verantworten die Industrieländer allerdings noch immer den größten Teil der Emissionen, und ihre jährlichen Pro-Kopf-Emissionen übersteigen weiterhin die der meisten Schwellen- und Entwicklungsländer. Aller Klimaschutzziele zum Trotz kam es zwischen 1995 und 2009 nur in rund einem Drittel der OECD-Staaten zu einem Rückgang der produktionsbezogenen CO_2-Emissionen und damit zu absoluter Entkopplung (OECD 2014, 60). Gerade in einer wachstumsorientierten Ökonomie ist absolute Entkopplung jedoch die entscheidende Zielsetzung, denn nur so sinken die absoluten Emissionen, im Unterschied zu relativer Entkopplung, bei der eher die Emissionsintensität der Wirtschaft sinkt, die Emissionen aber weiter zunehmen. In einer konsumbezogenen Betrachtung, die auch den Treibhausgasausstoß durch andernorts produzierte, aber von Bewohnern der OECD-Staaten verbrauchte Güter mit berücksichtigt, ist im gleichen Zeitraum sogar nur in sieben Ländern eine absolute Entkopplung festzustellen. Daten für die Jahre bis 2012 zeigen gegenüber 1995 rückläufige produktionsbezogene CO_2-Emissionen in immerhin 14 Ländern (OECD 2016). In Deutschland ist in den letzten Jahren übrigens kein eindeutiger Trend festzustellen: Nach einem starken Rückgang der Emissionen *und* des BIP während der Wirtschaftskrise 2009 haben die CO_2-Emissionen in den Folgejahren wieder etwas zugenommen, liegen aber deutlich unter dem Niveau von vor 2009.

Der Beitrag der Schwellenländer zu den globalen Treibhausgasemissionen ist zudem kein Grund, die besondere Verantwortung frühindustrialisierter Länder für den Schutz des Klimas in Abrede zu stellen. Immerhin baut ihr Reichtum auf einer Jahrhunderte währenden Geschichte ressourcenintensiven Wachstums und nicht selten kolonialer Bereicherung auf. Der durchschnittliche materielle Lebensstandard ihrer Bürgerinnen und Bürger übertrifft den von großen Teilen der Weltbevölkerung noch immer bei weitem, ebenso die Inanspruchnahme natürlicher Ressourcen pro Kopf (vgl. Infokasten 4).

Die Grundbedürfnisse vieler Menschen in den armen und ärmsten Staaten der Welt, aber auch in den aufstrebenden Schwellenländern sind dagegen weiterhin nicht gedeckt. Dieselben Menschen sind oft von Veränderungen der Umwelt in besonderer Weise betroffen, etwa, weil sie für ihren Lebensunterhalt unmittelbar auf funktionierende lokale Ökosysteme angewiesen sind und wenig Zugang zu sozialen Sicherungssystemen und zu Hilfe im Katastrophenfall haben (vgl. Weltbank 2014). Folgen solcher Erschütterungen werden in einer globalisierten Welt auch in den Industrieländern spürbar, etwa durch wirtschaftliche Destabilisierung. Die Zunahme bewaffneter Konflikte kann sich in Ressourcenengpässen oder Migrationsbewegungen niederschlagen. Es ist daher eine Frage globaler Gerechtigkeit wie auch des Eigeninteresses der reichen Länder, sowohl innerhalb der ökologischen Tragfähigkeit des Erdsystems zu bleiben als auch weltweit

Infokasten 4: Der ökologische Fußabdruck: unterschiedliche »Schuhgrößen«

Gemessen am sogenannten ökologischen Fußabdruck wären etwa 1,5 Erden notwendig, um das heutige Produktionsniveau dauerhaft fortführen zu können. Dabei tragen Menschen in sehr unterschiedlichem Maße zum Naturverbrauch bei. Während der ökologische Fußabdruck in Deutschland bei 5,1 Hektar pro Einwohner liegt, sind es in Bangladesch nur 0,6 Hektar pro Einwohner, in den Vereinigten Arabischen Emiraten hingegen 10,7 Hektar pro Einwohner. Der durchschnittliche Fußabdruck eines Einwohners eines Landes mit hohem Einkommen liegt bei gut 6 Hektar, mit mittlerem Einkommen bei 2 Hektar und mit niedrigem Einkommen bei gut einem Hektar (GFN 2010). Auch innerhalb eines Landes gibt es große Unterschiede bezüglich des Ressourcenverbrauchs, der mit dem Einkommen deutlich ansteigt: So lag beispielsweise der durchschnittliche direkte Energieverbrauch für Heizen, Strom und Kraftstoffe der einkommensstärksten zehn Prozent in Deutschland pro Person 2,5-mal höher als jener der einkommensschwächsten zehn Prozent (Held 2016).

wenigstens soziale Mindeststandards zu erreichen. Auf sehr eingängige Weise illustriert diese doppelte Anforderung das Bild eines *sicheren und gerechten Raums* für die Menschheit (Raworth 2012, vgl. Abb. 3). Dafür wird mit Recht der besondere Einsatz der reicheren und damit leistungsfähigeren Teile der Welt verlangt.

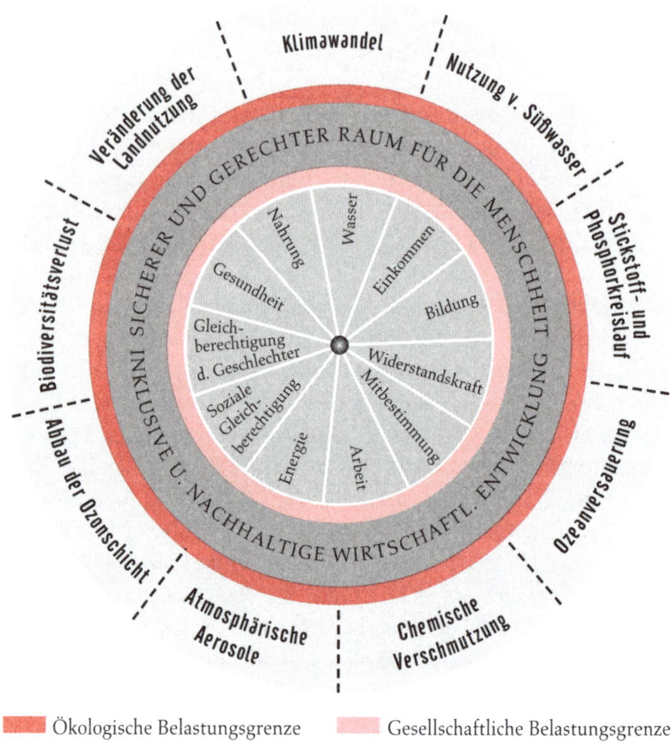

Abb. 3: Planetare Grenzen und essentielle Bedürfnisse der Menschen.

Naturverbrauch und Wachstum entkoppeln – sind wir auf dem richtigen Weg?

Wie schon der Blick auf das gewandelte Wachstumsverständnis der letzten Jahrzehnte gezeigt hat, lautet die gängige Antwort auf dieses Problem heute *Entkopplung* von Naturverbrauch und Wirtschaftsleistung. Tatsächlich haben prominente Ökonomen wie Nicholas Stern vorgerechnet, dass ein klimafreundlicher Umbau der Weltwirtschaft nicht nur sehr viel weniger kosten würde als seine Unterlassung, sondern auch mit Wachstum vereinbar sei (Stern 2007, vgl. auch IPCC 2014, 24). Zweifellos ist das bislang ungehobene Potential für Effizienzsteigerungen und ökologisch konsistente Produktionskreisläufe erheblich; auch in einer wachsenden Wirtschaft gibt es Spielräume für umweltverträglichere Produktions- und Konsummuster. Darauf deuten schon die Unterschiede der Emissionsintensität innerhalb der Gruppe industrialisierter Staaten hin. In ganz ähnlicher Weise wie beim Treibhausgasausstoß ist dies auch für den Materialverbrauch festzustellen (vgl. OECD 2014, 66 ff.). Wieso aber gelingt es bisher so wenig, diese Spielräume zu nutzen? Und sind sie tatsächlich groß genug für Veränderungen im notwendigen Ausmaß und in der nötigen Geschwindigkeit?

Diese Fragen sind komplex und die Antworten darauf mit großen Unsicherheiten behaftet; sie hängen von technischen Möglichkeiten, politischen und wirtschaftlichen Interessen und Machtverhältnissen, Pfadabhängigkeiten und gesellschaftlichen Gewohnheiten ab, deren Betrachtung hier bei weitem den Rahmen sprengen würde. Es gibt aber einige Punkte, die zumindest Zweifel daran wecken, dass ein hinreichendes Umsteuern in den Industriegesellschaften bei fortgesetzter Wachstumsorientierung gelingen kann.

Einen ersten Hinweis gibt die Diskrepanz zwischen den Anforderungen des Klimaschutzes und der tatsächlichen Entwicklung der Emissionen selbst. Wie bereits ausgeführt, wurden bislang alle Reduktionen überkompensiert, wenigen Fällen von absoluter Entkopplung steht eine Mehrzahl allenfalls relativer Entkopplung oder sogar deren Gegenteil gegenüber. Diese Befunde stehen in starkem Kontrast zu der globalen Reduktion und vor allem zu deren Geschwindigkeit, die notwendig wäre, um unter der 2°-Grenze zu bleiben (vgl. Infokasten 5).

Infokasten 5: Bedingungen für die Begrenzung der Erderwärmung auf 2°C

Als »planetare Grenze«, unterhalb derer die Wahrscheinlichkeit hoch ist, dass der globale Temperaturanstieg unter 2°C bleibt, wird gemäß aktueller Forschungsergebnisse eine atmosphärische CO_2-Konzentration von 350 ppm angegeben, der Grenzwert für den Übergang in eine Hochrisikozone wird auf 450 ppm festgelegt (Steffen et al. 2015). 2015 lag die Konzentration bereits bei 400 ppm – gegenüber rund 280 ppm um das Jahr 1750 – und war damit weit höher als jemals zuvor in den letzten 800 000 Jahren. Der IPCC (2014, 20) weist einen auf alle Treibhausgase bezogenen Grenzwert von 450 ppm CO_2-Äquivalenten für das Jahr 2100 aus, bei dem die Wahrscheinlichkeit einer Begrenzung auf unter 2 °C bei mehr als 66 Prozent liege. Für 2011 wurde geschätzt, dass ein Wert von 430 ppm CO_2-Äquivalenten bereits erreicht sei. Um die angestrebte »2°-Welt« noch zu erreichen, sind nach Einschätzung des IPCC, je nach Szenario, bis 2050 für alle Treibhausgase zusammen Emissionsreduktionen um 40–70 Prozent gegenüber 2010 und bis 2100 ein anthropogener Treibhausgasausstoß nahe null oder darunter notwendig (ibid., 20). Letzteres impliziert, dass der Atmosphäre netto Treibhausgase entzogen werden müssen. Vom wichtigsten Treibhausgas Kohlendioxid dürften ab dem Jahr 2011 insgesamt nur noch rund 1000 Mrd. Tonnen emittiert werden, etwa so viel wie in den 40 Jahren zuvor.

Der Wissenschaftliche Beirat der Bundesregierung Globale Umweltveränderungen (WBGU) schlägt daher vor, die CO_2-Emissionen aus fossilen Quellen bis 2070 vollständig zu beenden (WBGU 2014, 15). Je später die Reduktion beginnt, desto radikaler müssen die Minderungsschritte ausfallen – und dementsprechend schwieriger und teurer werden sie. So hatte der WBGU 2009 für ein Emissionsbudget von 750 Mrd. Tonnen bis 2050 schon einmal skizziert, wie hoch die durchschnittlichen globalen Reduktionsraten in Abhängigkeit vom Zeitpunkt der Trendumkehr in den 2030er Jahren jeweils sein müssten: Bei Überschreiten des Emissionsmaximums im Jahr 2010 hätte diese etwa 3,7 Prozent pro Jahr betragen, für einen Rückgang ab dem Jahr 2015 schon 5,3 Prozent und bei Einsetzen der Trendumkehr im Jahr 2020 müsste die Reduktionsrate bei jährlich 9 Prozent liegen (WBGU 2009, 16).

Besonders drastisch wird das Bild, wenn man berücksichtigt, dass weite Teile der Welt sich am Wohlstandsniveau der Bürger und Bürgerinnen in den Industrieländern orientieren. Sollte nun im Jahr 2050 eine Weltbevölkerung von neun Milliarden Menschen über ein Pro-Kopf-Einkommen verfügen, das dem heutiger EU-Bürgerinnen und Bürger vergleichbar ist, müsste die Weltwirtschaft bis dahin um etwa das Sechsfache wachsen (Jackson 2011, 94). Um die Emissionen ausreichend zu reduzieren, wäre dafür eine Verringerung der Kohlenstoffintensität um rund 9 Prozent jährlich nötig – 40 Jahre lang. Weitere Einkommenssteigerungen in den Industrieländern sind dabei noch gar nicht berücksichtigt, wie Tim Jackson (ibid.) vorrechnet: Würden sich diese zusätzlich fortsetzen, müsste die Weltwirtschaft sogar um das fast Fünfzehnfache wachsen, die Kohlenstoffintensität im Jahr 2050 rund hundertdreißigmal niedriger liegen als heute.

Um derartige Ziele auch nur annähernd zu erreichen, ist vor allem ein massiver Umbau der Energieversorgung notwendig, der angesichts unerfüllten grundlegenden Bedarfs in den Entwicklungsländern mancherorts einen erhöhten Energieverbrauch beinhalten, insgesamt aber mit einem geringeren Verbrauch einhergehen muss. Die Dekarbonisierung erfordert neben dem Umstieg auf erneuerbare Energien daher vor allem in den Industrieländern gewaltige Einsparungen, die man sich in der Regel von Effizienzsteigerungen erhofft: In Deutschland hat sich die Bundesregierung etwa die Reduktion des Primärenergieverbrauchs gegenüber 2008 bis zum Jahr 2020 um 20 Prozent und bis zum Jahr 2050 um 50 Prozent zum Ziel gesetzt. Dies soll maßgeblich durch die Umsetzung des »Nationalen Aktionsplans Energieeffizienz« erreicht werden (BMWi 2014 und Eckstein et al. 2014). Zahlreiche Studien sind um den Nachweis der technischen und wirtschaftlichen Machbarkeit der Energiewende bemüht und haben so – glücklicherweise – dazu beigetragen, mit überkommenen Vorstellungen aufzuräumen, wonach etwa Atom- und Kohlekraft unverzichtbar seien, um nicht ins Mittelalter zurückzukehren (vgl. UBA 2014). Allerdings sehen die weltweiten Szenarien zur Erreichung der Klimaziele in der Regel problematische oder heute noch nicht verfügbare Technologien im Energiesektor vor, etwa Atomkraft oder großflächig eingesetzte Kohlenstoffabscheidung (CCS).

Im Hinblick auf die erwarteten absoluten Einsparungen durch Effizienzsteigerungen erscheinen dennoch gewisse Zweifel an den prognostizierten Potentialen angebracht, denn sehr oft wird dabei ein zentraler Aspekt vernachlässigt: das sogenannte Jevons' Paradox, auch »Rebound-Effekt« genannt, das den gesteigerten Konsum von Ressourcen bezeichnet, welcher gerade durch Produktivitätssteigerungen bedingt oder jedenfalls ermöglicht wird (Santarius 2012, 7). Mit anderen Worten: Effizienzmaßnahmen können eine Mehrnachfrage nach sich ziehen, die den Einspareffekt der erhöhten Effizienz teilweise, in Extremfällen sogar vollständig zunichtemacht oder überkompensiert; in letzterem Fall spricht man von einem »Backfire-Effekt«. Entkopplung wird dadurch zumindest erschwert, in ausreichendem Maß wahrscheinlich unmöglich – zumal, wenn gleichzeitig in unveränderter Weise hohe Wachstumsraten die gesellschaftliche Zielmarke darstellen (vgl. Infokasten 6).

Infokasten 6: Der Rebound-Effekt

Der sogenannte Rebound-Effekt entspricht dem prozentualen Anteil des technischen Einsparpotentials, der durch eine von der Effizienzsteigerung selbst induzierten Steigerung der Nachfrage nach Gütern und Dienstleistungen kompensiert wird. Bei einem Rebound-Effekt von 50 Prozent wird also nur die Hälfte der technisch möglichen Einsparung in der Praxis tatsächlich realisiert.

Auch wenn die meisten Studien zum Thema Energie- und Ressourceneffizienz – allen voran großangelegte Dekarbonisierungsszenarien – noch immer nur die technisch mögliche Reduktion ohne zuwiderlaufende Effekte betrachten (Medlener/Alcott 2011, 7), wächst die wissenschaftliche und politische Aufmerksamkeit für das Thema Rebound in den letzten Jahren langsam. Am häufigsten wird der sogenannte *direkte Rebound* auf Konsumentenebene untersucht, also etwa das vermehrte Fahren nach dem Kauf eines sparsameren Autos. Darüber hinaus gibt es jedoch *indirekten Rebound,* wenn nach dem Umstieg auf eine sparsamere Variante eines Gutes vermehrt andere Güter nachgefragt werden. Schließlich kann *Rebound auf gesamtwirtschaftlicher Ebene* auftreten, etwa, wenn aufgrund von Effizienzsteigerungen in einem Sektor die Nachfrage und daher der Preis von Energie sinkt und darum andere Sektoren mehr energieintensive Produkte nachfragen (Santarius 2012, 9). Zum Teil könnten Steigerungen der

Energieeffizienz einen makroökonomischen Wachstumsschub auslösen, der gar zu »Backfire« führt. Als das prominenteste historische Beispiel dafür gilt die Industrialisierung selbst, wie schon der Namensgeber des »Jevons' Paradox«, William Stanley Jevons (1865) beobachtete: James Watts Erfindung einer effizienteren Dampfmaschine führte zu enormen Produktivitätssteigerungen, die starkes Wachstum ermöglichten und letztlich in höherem Kohleverbrauch resultierten. Gillingham, Rapson und Wagner benennen drei Hauptwege makroökonomischer Wachstumseffekte durch Effizienzsteigerungen: Die Erhöhung der Rendite im nun effizienteren Sektor, so dass dort mehr investiert wird, durch Effizienzbemühungen induzierte technische Innovationen und durch die Freisetzung von Mitteln durch Kostenersparnisse, die nun anderweitig eingesetzt werden können und deren Wirkung dabei gegebenenfalls sogar durch einen Multiplikatoreffekt verstärkt wird (Gillingham et al. 2016, 78 ff.). Die Mechanismen, die hinter solchen Effekten stehen, hängen nicht allein von Preisentwicklungen und den daraus resultierenden Einkommens- und Substitutionseffekten ab, also von einem »finanziellen Rebound«, sondern können auch psychologischer Natur sein oder, als »materieller Rebound«, von einer Mehrnachfrage nach Energie oder Material für die Herstellung der effizienteren Güter oder der Schaffung zusätzlicher Produktionskapazitäten herrühren (Santarius 2012, 12 ff.).

Die Befunde zur empirischen Höhe von Rebound-Effekten sind derzeit noch mit großen Unsicherheiten behaftet. Nach Santarius (2012, 19) lassen sich aus den vorliegenden Studien für Industrieländer »[mit] Vorsicht (…) rund 10–30 Prozent direkte Rebound-Effekte bei Endverbrauchern in den Sektoren Verkehr, Haushalte / Elektrogeräte und Gebäude extrapolieren (…). Hinzu kommen indirekte und makroökonomische Rebound-Effekte (…) im Umfang von 5–50 Prozent, mit Spitzen in manchen Sektoren von über 90 Prozent und Backfire.« Langfristige historische Untersuchungen deuteten ebenfalls darauf hin, dass meist über 50 Prozent und bis mehr als 100 Prozent der Effizienzsteigerungen durch einen Anstieg der Nachfrage kompensiert werden. Santarius formuliert daher als »Faustformel«, dass Effizienzmaßnahmen höchstens die Hälfte der Einsparung realisieren, die sie versprechen (ibid.). Zurückhaltender zeigen sich Gillingham, Rapson und Wagner, die unter anderem die Ableitung einer Kausalität von Effizienzsteigerungen und Mehrnachfrage aus historischen Korrelationen in Frage stellen (Gillingham et al. 2016); diese Autoren betrachten allerdings ausschließlich ökonomische Rebound-Effekte, nicht aber psychologische. Sie kommen insbesondere zur Einschätzung, dass Backfire ein seltener Ausnahmefall sei und halten makroökonomische Wachstumseffekte, die zu Rebound führen, für eher vernachlässigbar. Für wahrscheinlich halten sie einen Gesamteffekt von bis zu 60 Prozent (ibid., 85) – auch dies wäre eine erhebliche Größenordnung.

Die Kenntnis des Rebound-Effekts schmälert nicht die Notwendigkeit von Effizienzmaßnahmen, dämpft aber Erwartungen bezüglich ihres Beitrags zur absoluten Reduktion von Umweltbelastungen. Solange Produktivitätssteigerungen sektorale Wachstumsschübe auslösen, ist eine ausreichende Dekarbonisierung beziehungsweise – bezieht man andere Ressourcen in die Betrachtung mit ein – Dematerialisierung des Wirtschaftens nur möglich, wenn gleichzeitig nichtnachhaltige Sektoren real schrumpfen. Dies gilt insbesondere dann, wenn es sich bei den Effizienzmaßnahmen um politisch besonders beliebte »win-win-Lösungen« handelt, auf denen nicht zuletzt viele der grünen Wachstumshoffnungen beruhen: Sie setzen Mittel frei, die wiederum Nachfragesteigerungen ermöglichen, die zwar möglicherweise weniger ressourcenintensiv, aber nie *vollständig* dematerialisiert sein können. Gegensteuern ließe sich letztlich nur mit der Setzung von absoluten Verbrauchs- beziehungsweise Emissionsobergrenzen, die aufgrund von Verlagerungseffekten zwischen Regionen, aber auch zwischen verschiedenen Umweltproblemen weltweit und problemübergreifend sein müssten. So dürfte etwa der Umstieg auf erneuerbare Energieträger nicht zur Beschleunigung des Artenverlusts durch den Anbau von Energiepflanzen in Monokultur führen. Ob der Netto-Effekt für die Wirtschaftsleistung insgesamt positiv wäre, kann zumindest bezweifelt werden.

Schon Studien wie der Stern-Report, die maßgeblich auf Entkopplung setzen und Rebound-Effekte nicht oder kaum berücksichtigen, kommen auf Kosten der Dekarbonisierung zwischen einem und drei Prozent des globalen BIP (Jackson 2011, 96). Dabei lancierte der erste Stern-Report (Stern 2007) den Wert von 1 Prozent des BIP, ging dabei aber von einem wenig restriktiven Stabilisierungsziel von 550 ppm CO_2-Äquivalenten in der Atmosphäre aus, weil ein Ziel von 450 ppm zu teuer zu erreichen sei.

Die Erwartung stetigen Wirtschaftswachstums beruht dabei oft mit darauf, dass für den Anfang des erforderlichen Transformationsprozesses der Wirtschaft recht geringe Reduktionserfordernisse und damit einhergehende Kosten angenommen werden. Je länger aber die Trendwende hinausgezögert wird, desto drastischer müssen allerdings Reduktionsanstrengungen anschließend ausfallen – und desto höher sind voraussichtlich die Kosten. Auch wenn von einer Erreichung der globalen Klimaschutzziele bei insgesamt wachsender Weltwirtschaft ausgegangen wird, heißt das im Übrigen nicht, dass das weitere Wachstum auch in den Industriestaaten stattfinden kann (Jackson 2011, 97). Möglicherweise hätten diese nämlich einen deutlich höheren Anteil der Kosten des Umbaus zu tragen; zumindest erscheint dies angesichts ihres Wohlstandsniveaus und der für viele Menschen weltweit noch unerfüllten sozialen Mindeststandards aus einer Gerechtigkeitsperspektive nur einleuchtend.

Solange die Steigerung des individuellen und gesamtgesellschaftlichen materiellen Wohlstands auch in den Industrieländern ein dominierendes Ziel ist und überdies die – im aktuellen System nicht unberechtigte – Angst vor den Folgen ausbleibenden Wachstums Politik und Gesellschaft beherrscht, mutet allerdings unwahrscheinlich an, dass die Industrieländer bereit sein werden, einen entsprechenden Anteil der Kosten des wirtschaftlichen Strukturwandels zu übernehmen. Wenigstens aus Gründen der Vorsicht ist daher möglicherweise ein Plan B gefragt – zumal wenn es gelänge, mit diesem auch andere gesellschaftliche Probleme anzugehen.

3.4 Hoffnungsträger Wirtschaftswachstum: Verbessern sich Lebensstandard, Zufriedenheit und Verteilungsgerechtigkeit?

Vor diesem Hintergrund ist es zentral, auch die sozialen Auswirkungen von Wachstum und gesellschaftlicher Wachstumsorientierung zu betrachten: Erfüllt Wirtschaftswachstum die Hoffnungen (noch), die sowohl in Bezug auf Lebensstandard als auch – darauf aufbauend – Lebenszufriedenheit und sozialen Frieden damit verbunden werden? Gerade in den letzten Jahren wurde dies von einer breiteren Öffentlichkeit intensiv diskutiert, nicht zuletzt in Verbindung mit einer Kritik an der einseitigen Messung gesellschaftlichen Fortschritts am Bruttoinlandsprodukt (BIP) (vgl. Stiglitz et al. 2009, Diefenbacher / Zieschank 2011). Hier sollen einige Schlaglichter auf diese vielfältige Debatte genügen.

Gesellschaftliches Wohlergehen: Lebensqualität und menschliche Entwicklung

Tatsächlich hat die enorme Expansion der Güterausstattung seit der Industrialisierung, wie zu Anfang des Kapitels dargestellt, den Lebensstandard vieler Menschen stark angehoben. Auch Arbeitsschutz und soziale Sicherheit haben sich erheblich verbessert (siehe Kapitel 4). Dennoch stehen Höhe und Wachstum des BIP eines Landes nicht zwangsläufig in Zusammenhang mit dessen Erfolg in entscheidenden Dimensionen gesellschaftlichen Wohlergehens. Dies zeigen beispielsweise die *Indikatoren menschlicher Entwicklung* der UN, die neben dem Einkommen unter anderem Bildungsniveau, Lebenserwartung und Gesundheitszustand sowie Aspekte wie Geschlechtergerechtigkeit und Umweltbelastungen erfassen. Unbestreitbar erreichen Länder mit hohem Einkommen, vor allem die frühindustrialisierten Staaten, in den meisten Bereichen die besseren Ergebnisse. Gleichzeitig können aber die Diskrepanzen zwischen Ländern mit vergleichbarem Pro-Kopf-Einkommen ganz erheblich sein, was auf die entscheidende Bedeutung von Faktoren »jenseits des BIP« hinweist. So kann sich in Ländern der unteren Einkommensgruppen die Lebenserwartung durchaus um zwanzig Jahre unterscheiden – und das BIP pro Kopf zwischen Ländern mit sehr hoher Lebenserwartung – über 80 Jahre – kann um das bis zu Vierfache variieren. Als Beispiel seien die Extremfälle Luxemburg und Chile genannt, deren Bevölkerung im Jahr 2013 jeweils eine Lebenserwartung von 81,4 Jahren hatte – bei einem kaufkraftbereinigten BIP pro Kopf von 87737 Dollar (Luxemburg) beziehungsweise 21714 Dollar (Chile). Die steigende Lebenserwartung geht in den wohlhabenden Ländern überdies vielfach nicht mehr mit einer Steigerung der

Zahl gesunder Lebensjahre einher. In Deutschland ist dies im europäischen Vergleich sogar besonders ausgeprägt: Während die auch in den letzten Jahren stetig steigende Lebenserwartung bei Geburt 2013 bei 83,2 Jahren für Frauen und bei 78,6 Jahren für Männer lag, betrug die Zahl der zu erwartenden gesunden Lebensjahre bei stagnierender oder sogar abnehmender Tendenz nur 57 bzw. 57,8 Jahre (Eurostat 2016). Insgesamt nimmt am oberen Ende der Einkommensskala der Zusammenhang zwischen BIP pro Kopf und dessen Zuwächsen auf der einen Seite und den Indikatoren für Lebensqualität und -standard auf der anderen Seite deutlich ab. Die rund 20 Länder in der Spitzengruppe des auf Industrieländer zugeschnittenen *Better Life Index* der OECD (2016 b) sind so zum Teil auf ganz unterschiedlichen Plätzen zu finden, je nachdem, welche Aspekte von Bildung über Einkommen bis Work-Life-Balance stärker gewichtet werden.

Lebenszufriedenheit

Auch eine Abfrage der subjektiven Zufriedenheit der Menschen als Annäherung an einen Versuch, Nutzen zu messen, erbringt nicht das der klassischen ökonomischen Betrachtungsweise entsprechende Bild, wonach erweiterte Konsummöglichkeiten generell zu Nutzengewinnen führen. In Deutschland ist die gegenwärtige Lebenszufriedenheit seit 1991 relativ konstant bei einem Wert von etwa 7 auf einer Skala von 0 bis 10 (SOEPGroup 2015), während im gleichen Zeitraum das Bruttoinlandsprodukt um etwa 30 Prozent gestiegen ist. Auch die Zufriedenheit mit der eigenen Arbeit liegt seit 1991 relativ konstant bei einem Wert von 7. Im Vergleich zu 1984 hat sie sich in West-Deutschland sogar um knapp 10 Prozent verschlechtert (ibid.). Ein direkter Zusammenhang zwischen BIP und Lebenszufriedenheit ist also nicht festzustellen.

Diese Beobachtung ist nicht neu und lässt sich mindestens ab einem bestimmten durchschnittlichen Einkommensniveau – und der damit einhergehenden weitgehenden Erfüllung materieller Grundbedürfnisse wie Nahrung und Obdach – für fast alle Länder treffen. Eine Meta-Studie von Easterlin und Angelescu (2007) zeigt, dass auch für arme Länder nicht zwingend ein Zusammenhang zwischen Zufriedenheit und BIP-Wachstum gegeben ist. Nach dem Ökonomen Richard Easterlin, der dies für die USA bereits 1974 feststellte, wird der Befund auch als »Easterlin-Paradox« bezeichnet. Gleichzeitig zeigen Befragungen, dass Einkommen beziehungsweise Konsum und Zufriedenheit auf individueller Ebene durchaus zusammenhängen: Im Durchschnitt ist die Lebenszufriedenheit umso größer, je höher die privaten Konsumausgaben sind. So lag die Lebenszufriedenheit der ausgabenstärksten zehn Prozent der Bevölkerung in Deutschland um etwa 14 Prozent höher als die der ausgabenschwächsten (Noll / Weick 2014). Als naheliegende Erklärung lässt sich etwa der Distinktionsgewinn durch Konsum, den andere sich *nicht* leisten können, anführen – ein Aspekt, auf den noch zurückzukommen sein wird. Jedenfalls hat die zentrale Rolle des Konsums in frühindustrialisierten Gesellschaften sowohl negative soziale und ökologische Effekte und geht auch teilweise selbst auf sozialpsychologische Defiziterscheinungen zurück.

Man muss sich gar nicht den zum Teil ausgesprochen kulturpessimistischen Grundton genereller Konsumkritik zu eigen machen, um vor diesem Hintergrund nach erfolgversprechenderen Formen der Bedürfnisbefriedigung zu suchen – zumal, wenn man sich die ökologischen Folgen eines immer weiter wachsenden Konsums vor Augen führt. Nicht zuletzt der »postmaterialistische« Wertewandel eines Teils der Bevölkerung in den frühindustrialisierten Ländern, der bereits in der zweiten Hälfte des 20. Jahrhunderts eingesetzt hat (WBGU 2011, 71 ff.), und die erwähnte verstärkte Entwicklung alternativer Indikatoren für gesellschaftlichen Wohlstand in jüngerer Zeit weisen darauf hin, dass diese Suche längst begonnen hat. Festzustellen ist überdies, dass die Konsumausgaben der privaten Haushalte nicht mehr die relativen Zuwächse früherer Jahrzehnte erreichen: Lagen diese in Westdeutschland zwischen 1970 und 1980 – preisbereinigt – bei durchschnittlich 3,4 Prozent pro Jahr, waren es im darauffolgenden Jahrzehnt nur noch 2,3 Prozent. Im vereinten Deutschland verzeichnete der private Konsum von 1991 bis 2000 1,7 Prozent, zwischen 2000 und 2010 nur 0,5 Prozent jährliches Wachstum (Statistisches Bundesamt 2015).

Neben geringeren Einkommenszuwächsen könnte dies auf Sättigungstendenzen zurückgehen. Sättigung deutet sich bislang in Bezug auf bestimmte Konsumgüter wie etwa Haushaltsgeräte und – jedenfalls in manchen Bevölkerungsgruppen – den privaten Pkw an, wobei der Ausstattungsgrad der Haushalte auch hier in absoluten Zahlen weiter wächst. Andere Bereiche wie Unterhaltungselektronik weisen große Zuwächse auf. Ebenso steigt beispielsweise die Wohnfläche pro Person weiter an.

Einiges spricht jedenfalls dafür, dass die Aufrechterhaltung der Nachfrage immer mehr Aufwand seitens der Anbieter erfordert: aufwendige Werbemaßnahmen, die verstärkt auf den Symbolgehalt der Konsumgüter anstelle eines Gebrauchswerts abstellen, die Beschleunigung von Produktlebenszyklen durch Innovation, aber auch »mittels modischer, technologischer oder anderer Methoden der ›künstlichen‹ Veralterung von Produkten« (Zinn 2004, 71). Prominent geworden ist in den letzten Jahren etwa der Begriff der »geplanten Obsoleszenz« (vgl. Kreiß 2014).

Verteilung von Einkommen und Vermögen

Keinesfalls unberücksichtigt bleiben darf, dass Einkommen und Vermögen – und damit Konsum, aber auch andere Möglichkeiten gesellschaftlicher Teilhabe – sowohl weltweit als auch innergesellschaftlich alles andere als gleich verteilt sind. Dabei ist nicht zu erwarten, dass die Gesellschaft im Zuge gesteigerter Wirtschaftsleistung durch Konvergenz der Einkommen ohne weiteres aus dieser Situation »herauswachsen« wird. Hier lohnt trotz aller Schwierigkeiten der Datenlage für lange zurückliegende Zeiträume ein Blick auf die langfristige Entwicklung: Laut World Wealth and Income Database (2016) lag der Einkommensanteil der oberen zehn Prozent der Bevölkerung in Deutschland sowohl im Jahr 1891 als auch im Jahr 2010 bei etwa 40 Prozent. Dies beschwört zunächst das Bild von Wachstum als einer »Rolltreppe« herauf, die nicht zu einer egalitäreren Gesellschaft führt, aber zumindest alle nach oben befördert. Ein genauerer Blick zeigt allerdings, dass dies nicht zutrifft. So hatte sich der Einkommensanteil des obersten Dezils zwischenzeitlich durchaus verringert und steigt nun wieder: In den 1920er und 1930er Jahren lag er zwischen 32 und 38 Prozent, von 1960 bis in die 1990er Jahre schwankte er zwischen 30 und 32 Prozent. Erst danach stieg der Anteil wieder auf knapp 40 Prozent. Verschiedene Ungleichheitsmaße bestätigen für die letzten Jahrzehnte die wieder zunehmende Einkommensspreizung in Deutschland (vgl. auch Kapitel 4). In Bezug auf die absolute Höhe der Einkommen zeigt sich eine vergleichbare Entwicklung: Das verfügbare Einkommen der ärmsten zehn Prozent ist im Zeitraum 2000 bis 2005 um 8 Prozent und damit recht deutlich gefallen. Trotz einer gewissen Erholung wurde bis zum Jahr 2012 lediglich das Niveau von 2000 wieder erreicht. Gleichzeitig stieg das verfügbare Haushaltseinkommen der reichsten zehn Prozent um 17 Prozent an (Goebel et al. 2015). Vom Wirtschaftswachstum haben im Zeitraum 2000 bis 2012 also vor allem die Wohlhabenden profitiert.

Noch ungleicher als das Einkommen ist in der Regel das Vermögen verteilt. Nach Berechnungen des DIW Berlin lag der Vermögensanteil der reichsten zehn Prozent der Bevölkerung in Deutschland im Jahr 2012 bei über 70 Prozent, des reichsten Prozents bei über 30 Prozent und der reichsten 0,1 Prozent bei etwa 15 Prozent. Demgegenüber besitzen 50 Prozent der Einwohner Deutschlands im Durchschnitt kein Vermögen; die Datenlage zum Vermögen der Topvermögenden in Deutschland ist allerdings weiterhin mit großen Unsicherheiten behaftet (Grabka / Westermeier 2014). Blickt man über den deutschen Tellerrand auf die weltweite Vermögensverteilung, zeigt sich eine noch erheblich größere Ungleichheit. Nach dem Global Wealth Report besaßen im Jahr 2015 0,7 Prozent der Weltbevölkerung über 45 Prozent des Weltvermögens (Crédit Suisse Research Institute 2015). Auch hier ist eine Tendenz zu weiterer Konzentration und damit verstärkter Ungleichheit zu beobachten.

»Gleichheit ist Glück«: Ist die Verteilung wichtiger als Wohlstandsniveau und Wachstum?

Es besteht also kein Automatismus einer Einkommens- und Vermögenskonvergenz durch Wachstum, noch nicht einmal für alle steigenden Einkommen. Die Verteilungseffekte hängen vielmehr von politischen und gesellschaftlichen Weichenstellungen ab. Das mag trivial erscheinen, widerspricht aber den lange dominierenden ökonomischen Erwartungen an *Trickle down*-Effekte. In den letzten Jahren findet die Verteilungsproblematik allerdings zunehmend breitere wissenschaftliche und politische Aufmerksamkeit. So hat sich die OECD des Themas angenommen und damit erhebliches Aufsehen erregt – unter anderem mit dem Verweis auf durch Ungleichheit entgangene Wachstumschancen (OECD 2015).

Empirische Befunde weisen in den letzten Jahren zunehmend darauf hin, dass sich der Bogen von der Verteilung zurück zur Lebensqualität schlagen lässt: Je ungleicher eine Gesellschaft, desto größer sind in der Tendenz gesundheitliche und soziale Probleme (Wilkinson / Pickett 2009, Rowlingson 2011). Davon betroffen sind ganz besonders die unteren Einkommensgruppen, aber nicht sie allein: Auch Menschen mit höherem Einkommen geht es in ungleichen Gesellschaften schlechter als jenen in Ländern mit gleichmäßigerer Verteilung.

Welche und wie weitreichende gesellschaftliche Veränderungen gegenüber heute notwendig wären, um die bestehenden Ungleichheiten angemessen zu verringern, wird sehr unterschiedlich beurteilt. Ob »nur« Maßnahmen für mehr Chancengleichheit und moderate steuerliche Umverteilung oder ein radikaler Umbau von Wirtschaft und Gesellschaft für erforderlich gehalten werden, hängt nicht zuletzt von der jeweiligen Position zum derzeitigen kapitalistischen Wirtschaftssystem und dessen Globalisierung insgesamt ab. Ohne dies hier vertiefen zu können, deutet allerdings einiges darauf hin, dass nicht zuletzt das politische Bestreben, das Wachstum der eigenen Volkswirtschaft in einer zunehmend globalisierten Welt um – fast – jeden Preis aufrechtzuerhalten, in den letzten Jahrzehnten dazu beigetragen hat, Ungleichheit zu verschärfen. So war ein Argument für die Begrenzung der Lohnnebenkosten und, damit verbunden, für den Abbau sozialer Sicherung, oder die Forderung nach Lohnzurückhaltung in Deutschland stets, dass die Wettbewerbsfähigkeit der nationalen Wirtschaft gestärkt werden müsse. Dass diese Strategie des »Exportweltmeisters« Deutschland im europäischen Vergleich in gewissem Maße aufgegangen zu sein scheint, macht sie keinesfalls zu einem allgemein übertragbaren Modell – schließlich müssen sich für jedes Exportgut auch Käufer finden. Weltweit betrachtet muss ja der Außenhandelssaldo gleich null sein; für jeden Außenhandelsüberschuss gibt es also irgendwo auf der Welt ein Außenhandelsdefizit.

Die dargestellten Befunde legen nahe, dass – neben dem sozialpsychologischen Stellenwert des Konsums – die Verteilungsfrage entscheidender für das gesellschaftliche Wohlergehen sein könnte als die weitere Vermehrung der Gütermenge. Dies darf nicht den Blick darauf verstellen, dass ein Ausbleiben von Wachstum unter den derzeitigen Bedingungen Verteilungsprobleme aller Voraussicht nach verschärft: Wo keine Zuwächse mehr zu verteilen sind, stellt sich die Frage, wer wie viel von seiner *bisherigen* Ausstattung abgibt – etwas, das in der Regel als deutlich größere Zumutung wahrgenommen wird als das Überlassen eines gewissen *zusätzlichen* Einkommensanteils. Eine Gesellschaft, die sich dieser Problematik stellt, hat jedoch möglicherweise die Chance, künftig bei geringerem Wirtschaftswachstum sogar besser zu leben.

Gesellschaftliche Teilhabe jenseits der individuellen Kaufkraft, schon heute ein zentraler Aspekt gesellschaftlichen Wohlergehens, dürfte dabei noch weiter in den Mittelpunkt rücken. Sind der Zugang zu Gesundheitsversorgung, Bildung und anderen Bereichen der Daseinsvorsorge, die Absicherung gegen Notlagen und die Partizipation am kulturellen und politischen Leben weitgehend unabhängig vom eigenen Einkommen möglich, ist dessen Niveau weniger bedeutend, als wenn es maßgeblich über Chancen auf Teilhabe und sozialen Status entscheidet. Dies gilt – individuell und gesamtgesellschaftlich – umso mehr, wenn davon nicht nur die gegenwärtigen Einkommensbezieherinnen und -bezieher, sondern auch deren Kinder betroffen sind. Ganz entscheidend sind allerdings nicht nur formale Handlungsfreiheiten und materielle Sicherheit, sondern auch die Befähigung zu einem gelingenden Leben, einschließlich realer Chancen auf soziale Anerkennung und persönliche Entfaltung (vgl. BUND 2008 251 und Muraca / Egan-Krieger 2011). In unserer Gesellschaft spielt hier die Arbeit, insbesondere aber die Erwerbsarbeit eine ganz zentralle Rolle.

3.5 Auf dem Weg in eine Postwachstumsgesellschaft

Vieles weist also darauf hin, dass eine Fortsetzung des *business as usual* der Wachstumsgesellschaft aus ökologischen Gründen nicht mehr möglich ist. Um soziale Ziele zu erreichen, wird dieser Weg nicht ausreichend, möglicherweise sogar kontraproduktiv sein. Überdies könnte es künftig zunehmend schwerer fallen, in reifen Volkswirtschaften noch Wirtschaftswachstum zu generieren; jedenfalls lassen sich die in den letzten Jahrzehnten sinkenden Zuwachsraten des BIP und der Konsumausgaben durchaus als Zeichen dafür deuten (Reuter 1998, Zinn 2004). Der dominierende Fokus auf Gegenrezepte zur Wachstumsschwäche trägt bislang eher dazu bei, dass die Erfordernisse der dringend notwendigen sozial-ökologischen Transformation gesellschaftlich und politisch nicht ausreichend bearbeitet werden. Eine erfolgversprechende Transformationsstrategie muss sich, so hier die These, daher mit Alternativen wenigstens zur Wachstumsorientierung, aller Voraussicht nach zum Wirtschaftswachstum insgesamt befassen.

Wachstumstreiber

Dass ein Abschied vom Wachstum auch in wohlhabenden Ländern schwerfällt, ist jedoch nicht allein »Gewohnheitssache« oder den Profitinteressen – gar der »Gier« – mächtiger Einzelakteure geschuldet. Die Bindung der gegenwärtigen Gesellschaft einschließlich ihres Wirtschaftssystems und ihrer politischen Institutionen an das Wachstum geht darüber hinaus. Die Frage, auf welche Ursachen und Mechanismen der Drang oder sogar Zwang zu Wachstum maßgeblich zurückgeführt werden kann, wird dabei unterschiedlich beantwortet und erscheint durchaus nicht abschließend geklärt – vielleicht nicht einmal klärbar (vgl. Binswanger 2006). Sieht man einmal von der wenig überzeugenden Behauptung ab, das Streben nach grenzenloser Expansion der Verfügbarkeit materieller Güter sei eine anthropologische Grundkonstante, umfasst die Bandbreite relevanter Erklärungsangebote insbesondere drei zum Teil interdependente Arten von Wachstumstreibern:

1. *Kulturelle und (sozial-)psychologische Faktoren* in der Moderne oder jedenfalls der von materiellem Überfluss und immer weiterer Beschleunigung geprägten jüngeren »Konsumgesellschaft«.
2. *Strukturen und Dynamiken des bestehenden Wirtschaftssystems,* sei es das Akkumulationsregime des Kapitalis-

mus mit seinen Eigentums- und Herrschaftsverhältnissen *per se*, seine aktuelle globalisierte und von Finanzmärkten getriebene Form, das zins- beziehungsweise kreditbasierte Geldsystem, oder Arbeitsteilung und Technologisierung in Industriegesellschaften.

3. *Die Abhängigkeit zentraler politischer und gesellschaftlicher Institutionen vom Wirtschaftswachstum in modernen Staaten*, die auf wachsende Einnahmen angewiesen sind, um sozialstaatliche Leistungen aufrechtzuerhalten, verteilungspolitische Spielräume zu erhalten und Schulden zu bedienen, und deren Stabilität nicht zuletzt von der Lage am Arbeitsmarkt abhängt.

Außerdem wird teilweise das Bevölkerungswachstum mit Blick auf den Naturverbrauch als weiterer Treiber problematisiert oder damit die Notwendigkeit begründet, wirtschaftlich zu wachsen. Zumindest in frühindustrialisierten Gesellschaften spielt es angesichts des demographischen Wandels allerdings bereits heute keine oder gar eine gegensätzliche Rolle – der Rückgang des Arbeitskräfteangebots etwa gilt in der Regel als wachstumshemmend. Global betrachtet erscheinen überdies Verteilungsfragen sowie Produktions- und Konsummuster entscheidender für die Versorgung einer wachsenden Weltbevölkerung und deren ökologischen Auswirkungen.

Postwachstum: eine facettenreiche Debatte

Die Umrisse der ökonomischen Diskussion um Wachstum, seine Grenzen und Wandlungsmöglichkeiten in der Vergangenheit wurden am Anfang des Kapitels dargestellt. In den letzten Jahren hat sich nun im deutschsprachigen Raum unter der Überschrift »Postwachstumsgesellschaft« oder »Postwachstumsökonomie«, international unter Verwendung von Begriffen wie »décroissance«, »decrescità«, »steady state economy« und »prosperity without growth« eine vielfältige wachstumskritische Debatte ausdifferenziert, die darauf, aber auch auf viele andere ideengeschichtliche Traditionen und praktische Erfahrungen zurückgreift. Dazu gehören unter anderem vor allem in den romanischsprachigen Ländern Europas Entwicklungskritik und Anti-Utilitarismus (vgl. Martínez-Alier et al. 2010, siehe auch Infokasten 7). Neben der in erster Linie auf frühindustrialisierte Staaten des globalen Nordens bezogenen »westlichen« Diskussion gibt es überdies im globalen Süden Diskussionslinien wie etwa »Buen vivir« (vgl. Fatheuer 2011), die im Folgenden jedoch nicht einbezogen werden. Die Diskussion um Postwachstum knüpft an alternative Formen des Wirtschaftens wie solidarische Ökonomie und Relokalisierungsstrategien ebenso an wie an Entwürfe eines durch weitreichende politische Maßnahmen vorangetriebenen sozial-ökologischen Umbaus der Wirtschaftsstruktur, die sich von der Betonung von Wachstum lösen, ohne dessen Infragestellung ins Zentrum zu rücken (vgl. Heinrich-Böll-Stiftung 2008, Hopkins 2008, WBGU 2011). Die Positionen, die dabei vertreten werden, reichen von modernekritischen, teilweise ausgeprägt werttraditionellen Beiträgen über ökologisch-ökonomische Analysen und einer marxistisch argumentierenden Kapitalismuskritik bis zu öko-feministischen Perspektiven (siehe Infokasten 7). Neben der ökologischen Krise als wichtigem Ausgangspunkt eint die Ansätze, dass sie die sozial-ökologische Transformation als einen Prozess tiefgreifenden gesamtgesellschaftlichen Wandels betrachten, der über die Ökologisierung bestehender Produktionsmuster hinausreicht. Was dieser Wandel allerdings im Einzelnen umfasst, ob er auf individueller oder gesellschaftlicher Ebene beginnt und ob an seinem Ende noch ein marktwirtschaftlich verfasstes Wirtschaftssystem steht, ist umstritten. Auch herrscht durchaus keine Einigkeit darüber, ob es in erster Linie darum geht, eine kontraproduktive Wachstumsfixierung aufzulösen und wachstumsunabhängiger zu werden – eine Haltung, die zum Teil als »a-growth« bezeichnet wird –, mit einem zwangsläufig bevorstehenden Ausfall von Wachstum konstruktiv umzugehen – »degrowth by design or by disaster« – oder aus Gründen der globalen Gerechtigkeit einen Prozess der bewussten Schrumpfung herbeizuführen.

Infokasten 7: Kartierungsversuche in einer vielfältigen Diskussionslandschaft

Es gibt mittlerweile eine ganze Reihe von Versuchen, die wachstumskritische Diskussion der letzten Jahre zu ordnen, indem die verschiedenen Positionen idealtypisch beschrieben werden.[8] Auch wenn jeder dieser Vorschläge zwangsläufig unvollständig ist, sind sie zur Orientierung durchaus hilfreich, wie zwei Beispiele zeigen:

1) Schmelzer (2015) identifiziert fünf Stränge der deutschen Debatte:
Den ersten bezeichnet Schmelzer als »konservativ«; dieser Strang will vor allem die gesellschaftliche Stabilität unter der absehbaren Bedingung der Schrumpfung erhalten. Betont wird, dass Staat und Bürger »über ihre Verhältnisse lebten« und Wertewandel, Verzichtsbereitschaft und eine Entlastung des Sozialstaats durch subsidiäre Systeme wie Ehrenamt und

8 Vgl. etwa Adler/Schachtschneider 2010, Ott 2011, Ott 2012, Schmelzer 2015, für die internationale Diskussion u.a. Urhammer/Røpke 2013, Martinez-Alier et al. 2010; speziell zum Thema Arbeit Koepp et al. 2015.

Familie notwendig seien. Zugeschrieben wird diese Position vor allem Meinhard Miegel (vgl. Miegel 2010).

Ein weiterer Strang wird als »sozialreformerisch« bezeichnet; seine Vertreter und Vertreterinnen – genannt werden Angelika Zahrnt und Uwe Schneidewind (z.B. Schneidewind/Zahrnt 2013, Seidl/Zahrnt 2010) – betonen einerseits, dass eine auf das BIP-Wachstum fixierte Politik in die ökologische Krise führt, andererseits sehen sie die faktische Wachstumsabhängigkeit vieler Bereiche der Gesellschaft. Notwendig sei daher ein Umbau der bestehenden Institutionen mit dem Ziel eines nachhaltigen Liberalismus, wofür eine große Bandbreite unterschiedlicher Instrumente von Ökosteuern über die politische Unterstützung suffizienter Lebensstile und weniger wachstumsgetriebener Unternehmensformen bis zum nachhaltigen Konsum einzusetzen ist.

Als explizit »suffizienzorientiert« gilt ein dritter Diskussionsstrang, der in Deutschland vor allem mit dem Namen Niko Paech verbunden ist (vgl. Paech 2012). Hier werden die negativen Effekte materiellen Überflusses auf das individuelle und gesellschaftliche Wohlergehen sowie die Unmöglichkeit von Entkopplung beschrieben und die notwendige Schrumpfung des globalen Nordens betont. Da als vorrangige Wachstumstreiber Überkonsum, Fremdversorgung – besonders in globalen Lieferketten – und das Geld- und Zinssystem gelten, werden in einer Postwachstumsökonomie mehr lokale Selbstversorgung, auch in alternativen Wirtschaftsprojekten, eine Umverteilung der Arbeitszeit und längerfristig eine Geld- und Bodenreform gefordert. Der Wandel muss dabei auf individueller und lokaler Ebene beginnen.

Eine vierte Diskussionsrichtung fokussiert auf kapitalistisches Wachstum als Verursacher multipler Krisen und die damit einhergehende »imperiale Lebensweise« (Brand/Wissen 2013) zu Lasten des globalen Südens. Dagegen werden der Ausbau alternativer Wirtschaftsformen wie »Commoning« oder verschiedene Varianten der solidarischen Ökonomie und die Demokratisierung von Wirtschaft und Staat in Stellung gebracht, wofür von Modellprojekten bis zum politischen Kampf für demokratische Investitionslenkung, Arbeitszeitverkürzung und die Einführung von Grund- und Maximaleinkommen zahlreiche Instrumente in Frage kommen. Neben Schmelzer selbst können dieser – in sich wiederum recht heterogenen – Richtung Autoren und Autorinnen wie Birgit Mahnkopf, Elmar Altvater, Barbara Muraca und andere zugerechnet werden.[9] Schließlich erweitern feministische Perspektiven die Kritik kapitalistischer Verhältnisse um die Kritik an der Trennung von Produktion und unbezahlter, entwerteter, meist weiblicher Reproduktion als Ursache von ökologischen und sozialen Krisenerscheinungen und lenken den Blick auf Fragen der Geschlechtergerechtigkeit (vgl. Netzwerk Vorsorgendes Wirtschaften 2013).

2) Konrad Ott versucht, auch die internationale Diskussion in den Blick zu nehmen, bleibt dabei aber abstrakter (Ott 2012). Er unterscheidet vier Varianten von »degrowth«, darunter eine moderate Form, die vor allem die Fixierung auf das BIP als Leitindikator kritisiert und dafür plädiert, sich an anderen Maßstäben zu orientieren, ohne zwangsläufig eine Aussage über die gesellschaftlichen Wachstumsaussichten zu treffen. Als zweite Variante benennt Ott Ansätze mit starkem ökologischem Ausgangspunkt, die »degrowth« zum Erreichen von starker Nachhaltigkeit und Umweltgerechtigkeit für notwendig halten. Ihr Interesse gilt allenfalls mittelbar dem BIP: Sollte Entkopplung möglich sein, könnte es durchaus weiter wachsen, angesichts von Rebound-Effekten gilt dies aber als unwahrscheinlich. Darüber hinaus seien ihre Vertreter kritisch gegenüber einer Kommodifizierung von Natur und offen für alternative

9 Vgl. die Mehrzahl der Beiträge in Rätz et al. 2011.

Eigentumsregimes. In einer Variante »2+« wird die Perspektive explizit um die Anliegen des globalen Südens erweitert; »degrowth« sei hier Bestandteil einer Strategie von Kontraktion im Norden und weltweiter Konvergenz der Lebensverhältnisse. Otts dritte Variante betont vor allem die negativen sozialen Auswirkungen von Wettbewerb, Beschleunigung und Konsum und sucht nach Möglichkeiten, menschliches Gedeihen und eine höhere Lebensqualität zu erreichen. Dazu werden alternative Lebensweisen und Bilder »guten Lebens« herangezogen beziehungsweise neu kreiert, die nicht zuletzt neue Formen gegenseitiger Anerkennung beinhalten.

Variante 4 schließlich integriert »degrowth« in eine umfassende Strategie zur Überwindung des Kapitalismus, der hier als strukturell inkompatibel mit dem Erreichen ökologischer und sozialer Zielsetzungen angesehen wird.

Mit Blick über den deutschen Tellerrand hinaus sei im Übrigen auf die zunächst in Südeuropa und Frankreich begonnene Diskussion um und die politische Bewegung für »décroissance« hingewiesen, die in den letzten Jahren verstärkt auch im deutsch- und englischsprachigen Raum Aufmerksamkeit findet. Sie speist sich neben einer ökologisch-ökonomischen aus der von Ott als Variante 3 beschriebenen Perspektive. Eine Besonderheit des Diskurses sind seine Wurzeln in der vor allem frankophonen Kritik am westlichen Entwicklungsbegriff, einschließlich des Konzepts »nachhaltiger Entwicklung«, Technik und Utilitarismus (vgl. Martinez-Alier 2010).

Es würde bei weitem den Rahmen des Kapitels sprengen, die unterschiedlichen Facetten dieser Diskussion ausführlich darzustellen. Stattdessen wird eine Auswahl relevanter Aspekte vorgestellt und dabei vor allem nach Verbindungen zur Rolle der Arbeit auf dem Weg in eine Postwachstumsgesellschaft gefragt.

Im Dilemma zwischen Nicht-Nachhaltigkeit und Instabilität

Ein zentraler Grund für die Fortsetzung des Wachstumspfades ist die wirtschaftliche und soziale Instabilität des aktuellen Systems, sobald es zu Stagnation oder gar Schrumpfung kommt (vgl. Seidl / Zahrnt 2010). Zwar zeigt sich empirisch, dass die Dramatik der Auswirkungen je nach Ausgestaltung der gesellschaftlichen Strukturen unterschiedlich sein kann (Jackson 2011, 76f.). In gewisser Weise ist dies die Kehrseite des Befunds, dass Steigerungen des gesellschaftlichen Wohlergehens und der Wirtschaftsleistung nur bedingt zusammenhängen. Bleibt Wachstum längerfristig aus, droht gegenwärtigen kapitalistisch verfassten Gesellschaften jedoch eine Abwärtsspirale, die von sozialen Verwerfungen bis hin zu drastischen Verschlechterungen der allgemeinen Lebensbedingungen begleitet sein kann.

Diese Gefahr soll, anknüpfend an Jacksons (2011) Darstellung eines zentralen Mechanismus kapitalistischen Wirtschaftens, kurz und stark vereinfacht beleuchtet werden: die Freisetzung von Arbeitskraft aufgrund steigender Arbeitsproduktivität, also der Erzeugung der gleichen oder sogar wachsenden Gütermenge mit geringerem Arbeitseinsatz. Inwiefern es sich bei der Erhöhung der Arbeitsproduktivität tatsächlich um »Effizienzsteigerungen« handelt, ist durchaus umstritten und hängt nicht zuletzt von der Definition des Arbeitseinsatzes ab. So kann eine Verringerung des Arbeitszeitvolumens etwa mit Arbeitsverdichtung einhergehen (vgl. Kapitel 4). Außerdem darf die Betrachtung nicht vernachlässigen, dass im Produktionsprozess eben auch Kapital und natürliche Ressourcen eingesetzt werden – in der Regel desto mehr, je weniger Arbeit zum Einsatz kommt.

Eine Steigerung der Arbeitsproduktivität ist also keineswegs mit der Steigerung der Multifaktorproduktivität gleichzusetzen.

Hinter dieser Steigerung steht maßgeblich das strukturell bedingte Bemühen der Unternehmen, ihre Produktionskosten zu senken, um Gewinn zu erzielen. Auf Gewinn sind sie angewiesen, um ihren Kapitalbedarf zu decken, der zur Aufrechterhaltung der Produktion sowie zur weiteren Effizienzsteigerung und für die Entwicklung von Produkt- und Prozessinnovationen notwendig ist, ohne die sie im Wettbewerb zurückfallen würden – und ohne die der Wachstumsprozess irgendwann zum Stillstand käme (Jackson 2011, 109), wie schon eingangs des Kapitels aus Sicht der ökonomischen Wachstumstheorie im Anschluss an Schumpeter dargestellt wurde. Was aber geschieht mit der Arbeitskraft, die in diesem Prozess zunächst einmal nicht mehr benötigt wird? So lange die Wirtschaft expandiert, kann sie zur Ausdehnung der Produktion – entweder zur Steigerung der Produktion der nun effizienter herstellbaren Güter oder in anderen Bereichen – eingesetzt werden. Das vor gut zwanzig Jahren intensiv diskutierte Phänomen des »jobless growth« zeigt aber, dass auch hierbei kein Automatismus besteht: Gemessen am BIP kann durchaus Wachstum stattfinden, ohne dass dies beschäftigungswirksam wird (Reuter 1998). Die Menschen, die ihre Arbeitskraft zur Verfügung stellen, werden dafür bezahlt, fragen mit der resultierenden Kaufkraft Güter nach und halten den Prozess so am Laufen. Darauf wiederum basiert nicht nur in Deutschland der moderne Wohlfahrtsstaat, zu dessen Haupteinnahmequellen die Erhebung von Steuern und Abgaben auf Arbeitseinkommen und Konsum zählt (siehe auch Kapitel 4).

Wird die Wirtschaft nun in ihrer Dynamik gebremst und gerät ins Stocken, »kehren sich die Rückkopplungsmechanismen, die vorher zur Expansion beigetragen haben, schnell ins Gegenteil um und treiben die Wirtschaft noch weiter in die Rezession« (ibid., 79). Die eingesparte Arbeitskraft findet keine entlohnte Verwendung an anderer Stelle, das Einkommen und damit die Kaufkraft der arbeitslos werdenden Menschen werden reduziert. Die sinkende Güternachfrage schmälert den Profit der Unternehmen und ihre Investitionsmöglichkeiten, aber auch die Einnahmen des Staates, der sich zudem sinkenden Steuern und Sozialversicherungsbeiträgen auf Erwerbseinkommen bei gleichzeitig steigenden Sozialausgaben zur Absicherung der arbeitslosen Teile der Bevölkerung gegenübersieht. Durch Verschuldung kann dies nur zeitweise gemildert werden – und auch nur, so lange zumindest die Hoffnung auf künftiges Wachstum besteht, mit dem die Schulden einmal bedient werden können. Hält die Situation an, steigt die Arbeitslosigkeit immer weiter und der soziale Friede droht zu schwinden – dies umso mehr, als der formellen Erwerbsarbeit in unserer Gesellschaft in zweierlei Hinsicht ein zentraler Stellenwert zukommt: zum einen für die Generierung von Einkommen, das gerade in der Konsumgesellschaft von größter Bedeutung ist, zum andern als maßgebliche Quelle von sozialer Anerkennung und Persönlichkeitsgestaltung in der Arbeitsgesellschaft.

Der zentrale Stellenwert der Erwerbsarbeit

Der Streit um Antworten auf die skizzierte Dynamik, die auf den Wachstumspfad zurückführen sollen, füllt Bibliotheken. Dass es für die Lebensrealität der Menschen einen gravierenden Unterschied macht, welche Positionen sich dabei durchsetzen, ließ und lässt sich nicht zuletzt in der jüngsten Wirtschafts- und Finanzkrise beispielsweise in Griechenland beobachten. Aus einer Postwachstumsperspektive interessiert vor allem, ob und wie krisenhafte Auswirkungen vermieden werden können, ohne die Expansion beziehungsweise die darauf gerichteten Anstrengungen fortzusetzen; mit anderen Worten, wie die aktuelle Wachstumsabhängigkeit verringert werden kann, um aus dem »Wachstumsdilemma« (Jackson 2011, 80) von Nicht-Nachhaltigkeit einerseits und Instabilität andererseits herauszukommen. Im Kontext des vorliegenden Bandes geht es darum, sich dieser Frage mit Blick auf das Thema Arbeit zu nähern. Dazu seien die beiden genannten Aspekte des Stellenwerts von Erwerbsarbeit kurz ausgeführt.

Der Einkommensaspekt stellt zunächst auf die Erfüllung grundlegender materieller Bedürfnisse ab: In einer arbeitsteiligen und geldbasierten Wirtschaft, in der Menschen nicht von Subsistenzarbeit leben, bedarf es eines Einkommens, um sich zu erhalten. Der gegenwärtige Lebensstandard geht in den Industrieländern selbstverständlich deutlich über eine solche materielle Grundausstattung hinaus, die zudem wohlfahrtsstaatlich weitgehend abgesichert ist. Allerdings reichen auch die Konsumbedürfnisse heute sehr viel weiter. Konsum ist zentraler Bestandteil gesellschaftlicher Teilhabe und dient der Ausgestaltung von Aspekten der eigenen Persönlichkeit (Sommer/Fischer 2012, Ullrich 2006). Einkommensrückgänge werden insofern in der Regel als erhebliche Einschränkung der Lebensqualität empfunden, jedenfalls, wenn sie unfreiwillig erfolgen. Vor allem für Menschen in den unteren Einkommensgruppen können sie auch tatsächlich mit einer starken Beschneidung ihrer Teilhabechancen einhergehen.

Gleichzeitig scheint die absolute Steigerung der Befriedigung durch einen steigenden materiellen Lebensstandard seit längerem an Grenzen gekommen zu sein, wie die oben dargestellten Befunde zur Lebenszufriedenheit gezeigt haben. Das ein allgemeiner Nachfragerückgang bisher dennoch ausbleibt, ist unter anderem darauf zurückzuführen, dass menschliche Bedürfnisse und die Art, sie zu befriedigen, in hohem Maß in Sozialisationsprozessen erlernt werden (Witt 2002) – ein Aspekt, der in der ökonomischen Fokussierung auf die sogenannte Konsumentensouveränität regelmäßig ausgeblendet wird. Dementsprechend sind menschliche Bedürfnisse ebenso wandlungsfähig wie durch kulturelle Prägung mächtigen Beharrungskräften ausgesetzt. In der wachstumskritischen Diskussion spielt die Frage der Konsumorientierung als Wachstumstreiber vor diesem Hintergrund eine erhebliche Rolle, insbesondere mit Blick auf den sogenannten Statuskonsum (siehe Infokasten 8).

Infokasten 8: Konsum als Wachstumstreiber – Wachstum als Treiber von Konsum?

Statuskonsum ist ein Faktor, der den Konsum besonders eng mit der Funktionsweise der Wachstumsgesellschaft verknüpft: Solange Menschen den Grad ihrer Befriedigung relativ zur wachsenden Ausstattung anderer definieren, kann kein Lebensstandard als ausreichend gelten, ist nichts »genug«. Gesamtgesellschaftlich führt ein Distinktionsgewinn durch Konsumgüter, die andere sich *nicht* leisten können, zu einem Nullsummenspiel, bei dem ein Status- und Nutzengewinn auf der einen Seite durch einen Status- und Nutzenverlust auf einer anderen Seite aufgewogen wird – und zwar auch dann, wenn beide Konsumniveaus ansteigen. Das ist eine vertrackte Situation, trägt sie doch dazu bei, den Wachstumsmotor am Laufen zu halten, gerade weil er die Hoffnungen nicht erfüllt, die in die stete Vermehrung von Gütern gesetzt werden. Jedes Mal, wenn der Anstieg des allgemeinen Wohlstandsniveaus vormalige Luxusgüter – einschließlich des Zugangs zu Erlebnissen wie zum Beispiel Reisen – für immer mehr Menschen erschwinglich macht, müssen diese durch neue Dinge ersetzt werden, die auch auf dem nun gehobenen Konsumniveau noch Distinktion versprechen. Die Existenz positionaler Güter hatte Thorstein Veblen bereits 1899 beschrieben (Brown 1998). Fred Hirsch untersuchte in den 1970er Jahren die Auswirkungen auf den Zusammenhang von Wachstum und Bedürfnisbefriedigung und machte die Bezeichnung der »sozialen Grenzen des Wachstums« prominent (Hirsch 1976). Die Konsumkultur, schreibt Tim Jackson (2011, 112), »hält sich also eben dadurch am Leben, dass sie so erfolgreich versagt«. Wie schon für John Stuart Mill und Fred Hirsch ist diese Dynamik für ihn dabei nicht nur mit dem Streben nach Befriedigung, sondern auch mit der Angst vor einem Zurückfallen im gesellschaftlichen Wettbewerb verknüpft.

Verstärkt werden kann die Spirale stetig neu geweckter Konsumwünsche unter anderem durch kompensatorischen Konsum, mit dem versucht wird, Frustration, Stress und unerfüllte Bedürfnisse nach sozialer Anerkennung – nicht zuletzt in der Erwerbsarbeit – auszugleichen (Sommer / Fischer 2012, 12 f., Fromm 1976). Konsumwachstum bei stagnierender Lebenszufriedenheit könnte insofern auch darauf hindeuten, dass solche Erscheinungen zunehmen. Der Psychiater und Psychoanalytiker Hans Joachim Maaz (2015) deutet die konsumtive Prägung unserer Zeit gar als einen Ausdruck einer massenhaft auftretenden narzisstischen Störung, die bedingt sei durch die vorherrschende Ideologie des Wachstums und der Leistungsgesellschaft.

Daneben spielt eine Rolle, dass der Konsumsphäre eine expansionsorientierte Produktionssphäre gegenübersteht, die eine nichtnachlassende Nachfrage braucht, und dass manche Infrastrukturen der Industriegesellschaften objektiv zur Ausstattung mit bestimmten Gütern – etwa Autos – zwingen, wenn man keine erheblichen Nachteile in Kauf nehmen will (Winterfeld 2011).

Erwerbsarbeit ist aber auch darüber hinaus ein zentraler »gesellschaftlicher Integrationsfaktor« (BUND 2008, 255). Wie schon in Kapitel 2 angeklungen, wird Arbeit seit Jahrhunderten nicht zuletzt als Feld der Selbstverwirklichung, gar der Wesensbestimmung des Menschen verstanden. Möglicherweise hat die Industriegesellschaft sogar einen ganz neuen »Sozialtypus« (Welzer 2011, 37) geprägt, dessen Verhältnis zu sich selbst und zur Arbeit weit über seine Rolle als Konsument hinaus zum Wachstumsstreben der Gesellschaft beiträgt (siehe Infokasten 9).

Infokasten 9: Der niemals fertige, immer wachsende Mensch

Folgt man dem Sozialpsychologen Harald Welzer, ging die Entstehung der Wachstumsgesellschaft »einher mit der Entstehung eines ganz neuen Typs von Individuum, mit einem zuvor gänzlich unbekannten Sozialtypus des Gestalters der eigenen Biographie« (Welzer 2011, 37). Mit der Befreiung von den äußeren Zwängen feudalistischer Systeme im Zuge der Industrialisierung bildete sich etwa die Vorstellung heraus, dass man »nicht nur ›etwas aus sich machen‹ *kann*, sondern eben auch *muss*« (ibid., 18). Zudem entstand mit der industriellen Produktion »ein System, in dem unablässig gearbeitet wird, um eine prinzipiell unendliche Reihe von Produkten zur Gewinnung von Mehrwert zu generieren« (ibid., 20). Welzer sieht darin den »Urgrund für die Mentalität eines niemals fertigen, eines immer wachsenden Menschen« (ibid.). Arbeit wird dabei zu einer »in sich unbegrenzte[n] Tätigkeit, die kein spezifisches, abgegrenztes, im Produkt aufgehobenes Ziel hat« (ibid., 24).

In der modernen Arbeitsgesellschaft findet dabei eine weitgehende Gleichsetzung von Arbeit mit Erwerbstätigkeit statt, die »der zentrale Knotenpunkt in einem komplexen Netz weiterer sozialer Institutionen« ist (Jaeggi/Kübler 2014, 521). Neben Existenzsicherung und Sinnstiftung im Sinne von Selbstverwirklichung dient sie maßgeblich als Quelle sozialer Anerkennung, sowohl unmittelbar im beruflichen Umfeld durch Anerkennung der eigenen Leistung als auch im weiteren gesellschaftlichen Umfeld durch Zuerkennung des Status eines – etwas überspitzt formuliert – nützlichen Mitglieds der Gesellschaft. Arbeitslosigkeit wird daher vielfach weit über den Verlust materieller Möglichkeiten hinaus als Stigma empfunden und kann unter anderem gravierende gesundheitliche Auswirkungen haben.

Damit ist nicht gesagt, dass Erwerbsarbeit die mit ihr verknüpften Hoffnungen in der Praxis heute immer erfüllt, im Gegenteil: Unbefriedigende, gar krankmachende Arbeitsverhältnisse kommen häufig vor (vgl. Kapitel 4). Dies kann durchaus mit der Wachstumsgesellschaft selbst in Verbindung gebracht werden (Jaeggi/Kübler 2014, Neckel/Wagner 2014). So lassen sich Verschlechterungen der Arbeitsbedingungen durch wachsenden Wettbewerbsdruck und Prekarisierung sowie zunehmende Entfremdung in weltweiten Produktionsketten zumindest teilweise auf die neoliberal geprägte Globalisierung als aktuelle Form wachstumsorientierter Politik und Wirtschaft zurückführen (BUND 2008). Diese Bedingungen könnten ihrerseits zu einer Verstärkung von Phänomenen wie kompensatorischem Konsum beitragen. Nimmt man darüber hinaus in den Blick, dass Tendenzen der Privatisierung und Kommerzialisierung gesellschaftliche Teilhabe jenseits individueller Kaufkraft zusätzlich erschweren, weist einiges auf selbstverstärkende Elemente der Wachstumsspirale hin.

Dass Erwerbsarbeit die mit ihr verbundenen Funktionen nicht zwangsläufig erfüllt, ist dennoch eine Herausforderung, die sich voraussichtlich auch unter Postwachstumsbedingungen stellen wird. Mit ihrem hohen Stellenwert geht bislang zudem eine Abwertung anderer Formen der Arbeit einher: Informelle Tätigkeiten, insbesondere die unbezahlte, noch immer überwiegend von Frauen geleistete Sorgearbeit, erfahren nicht die gleiche Anerkennung (vgl. Kapitel 11). Dieser »Makel« zieht sich bis hinein in die heute immer stärker ausgebaute Sphäre bezahlter sogenannter personenbezogener Dienstleistungen oder »Care-Tätigkeiten« (BUND 2008, 255). Ein Ausgleich verringerter Erwerbstätigkeit durch andere Arbeitsformen erscheint daher noch immer schwierig. Gleichzeitig ist das alte Leitbild des »Normalarbeitsverhältnisses« – ganztags, in Vollzeit, unbefristet und ausreichend für die Existenzsicherung einer Familie – in der Realität immer seltener anzutreffen; sowohl Berufs- als auch Familienbilder haben sich in den letzten Jahrzehnten erheblich verändert (vgl. Kapitel 12). Hier könnten sich Anknüpfungspunkte für Schritte in Richtung einer Postwachstumsgesellschaft ergeben.

Die Idee einer bewusst gestalteten Postwachstumsgesellschaft oder -ökonomie zielt ja eben darauf ab, das Wirtschaften so zu gestalten, dass die Orientierung an Wachstum als gesellschaftlicher Zielgröße nicht mehr relevant ist, und, wo diese Orientierung ein Hindernis für gesellschaftliches Wohlergehen darstellt, das gesellschafts- und wirtschaftspolitische Instrumentarium so neu zu ordnen, dass ein gutes Leben ohne Wachstum möglich wird.

4 Konkrete Erfahrungen mit Arbeit in der Wachstumsgesellschaft

In diesem Kapitel sollen die Auswirkungen der Wachstumsgesellschaft auf den Bereich der Arbeit betrachtet werden. Das in großem Maßstab mit der Industriellen Revolution einsetzende wirtschaftliche Wachstum hat in den Industriestaaten zu einer enormen Steigerung des materiellen Lebensstandards und auch zu vielen Verbesserungen im Arbeitsalltag der Menschen geführt. Allerdings brachten und bringen die mit dem Wachstumsparadigma einhergehenden Anforderungen an die Arbeitswelt auch problematische Entwicklungen mit sich. Im Folgenden wird versucht, die durch eine wachstumsgetriebene Arbeitswelt ermöglichten Verbesserungen und verursachten Probleme aus historischer Sicht nachzuzeichnen und vor dem Hintergrund aktueller Entwicklungen und Problemlagen zu reflektieren. Eine ausführliche historische Darstellung der Entwicklung der Arbeit in Deutschland seit der Industriellen Revolution ist im Rahmen dieses Buches nicht möglich und auch nicht dessen Ziel.[10] Vielmehr wird versucht, die für das Thema des Buches besonders relevanten Entwicklungen darzustellen.

10 Für solche Übersichten siehe z. B.: Hahn und Gall (2011) und Wehler (2008).

Infokasten 10: Vom Arbeiten 1.0 zum Arbeiten 4.0

Im Rahmen des vom Bundesministerium für Arbeit und Soziales (BMAS) im April 2015 gestarteten Dialogs »Arbeiten 4.0« wurde eine grobe Einteilung der historischen Entwicklung der Arbeitswelt entsprechend der Stufen der industriellen Revolution in die Phasen Arbeiten 1.0 bis 4.0 vorgelegt. Diese Stufen werden im Folgenden kurz vorgestellt. Die Einteilung beruht dabei maßgeblich auf der von *Grünbuch Arbeiten 4.0* (BMAS 2015).

Arbeiten 1.0 (Ende des 18. Jahrhunderts)
Diese Phase ist durch die Anfänge der Industriegesellschaft geprägt; erste Arbeiterorganisationen werden gegründet. Durch die Dampfmaschine und das verstärkte Aufkommen mechanisierter Produktionsanlagen werden zum einen die Produktionsweise und, damit einhergehend, auch die Organisation der Arbeit verändert. Auch die Gesellschaft insgesamt ist einem Wandel unterworfen.

Arbeiten 2.0 (Ende des 19. Jahrhunderts)
In dieser Phase haben zum einen die Massenproduktion und zum anderen der Wohlfahrtsstaat ihre Wurzeln. Durch die Industrialisierung haben sich mittlerweile enorme soziale Probleme ergeben. Bittere Armut und miserable Arbeitsbedingungen führen zu einem zunehmenden Druck der Arbeiterorganisationen, aufgrund dessen schließlich erste Instrumente des Arbeitsschutzes und der Sozialversicherung eingeführt werden.

Arbeiten 3.0 (ab Beginn der 1970er Jahre)
Diese Phase ist maßgeblich von der sich verstärkenden Globalisierung und der Weiterentwicklung der sozialen Marktwirtschaft geprägt. Konflikte zwischen Arbeitgebern und Ar-

beitnehmern werden sozialpartnerschaftlich auf Augenhöhe miteinander verhandelt. Allerdings folgt, mit verursacht durch den durch die Globalisierung ausgelösten Wettbewerbsdruck, gegen Ende der Phase eine teilweise Rücknahme sozialer Rechte. In der Produktion werden seit den 1980er Jahren vermehrt Informationstechnologien und Elektronik eingesetzt, was zu einer Vergrößerung des Automatisierungsgrades führt. Der Anteil der Dienstleistungen an der Wertschöpfung steigt stark an.

Arbeiten 4.0 (heute)
Das heutige und zukünftige Arbeiten wird – nach Ansicht des BMAS (2015) – geprägt sein von vernetztem Arbeiten, einem gesellschaftlichen Wertewandel und einem neuen sozialen Kompromiss. Arbeit wird vernetzter, digitaler und flexibler sein. Durch die wachsende Vernetzung von Mensch und Maschine stehe ein neuerlicher grundlegender Wandel der Produktionsweise und damit auch der Arbeitsbedingungen bevor. Durch einen gesellschaftlichen Wandel werden sich außerdem die Ansprüche an die Arbeit deutlich verändern. All diese Veränderungen und die sich daraus ergebenden Herausforderungen sollten unter Einbeziehung aller relevanten Akteure aktiv gestaltet werden.

4.1 Entwicklung der bezahlten Arbeit

Wie in Kapitel 3 in Infokasten 3 bereits dargestellt, sah John Maynard Keynes durch eine steigende Kapitalausstattung und Produktivität eine starke Verringerung des Arbeitsvolumens kommen (Keynes 1930, 328 f.). Dies sah Keynes als Chance wie auch als Gefahr. Die Gefahr liege, so Keynes, darin, dass der »alte Adam« seit Menschengedenken an die Vollzeitarbeit gewöhnt und auf diese konditioniert worden sei. Vollzeitarbeit sei deswegen stark in den Menschen verwurzelt. Sie trauerten deswegen der Vollzeitarbeit nach und wüssten mit der gewonnenen Freizeit nicht unbedingt Sinnvolles anzufangen. Dies müssten die Menschen erst lernen, was aber für den Großteil – da war sich Keynes sicher – möglich und für sie und die gesamte Menschheit dann auch von großem Vorteil sei. Um die noch vorhandene Arbeit gerecht aufzuteilen, empfahl Keynes als mittelfristige Lösung schließlich eine 15-Stunden-Woche, die auch für die meisten Menschen vollkommen ausreichend sei, um den »alten Adam« zu befriedigen.

Die Vorhersage – oder vielleicht auch Utopie – von John Maynard Keynes aus dem Jahr 1930 hat Generationen von Ökonominnen und Ökonomen nachdenklich gemacht. Doch wie hat sich die Arbeitszeit tatsächlich entwickelt? Wie beim materiellen Wohlstand ist auch hier beim langfristigen Vergleich eine deutliche Verbesserung, in diesem Fall eine Reduzierung, zu beobachten. So halbierte sich die durchschnittliche wöchentliche Arbeitszeit: von etwa circa 80 Stunden im Jahr 1825 auf 60 Stunden im Jahr 1900, auf 42 Stunden im Jahr 1932 (Strawe 1994) und schließlich auf etwa 38 Stunden heute (IAB 2015a). Die vorliegenden Schätzungen sind vor allem für das 19. Jahrhundert mit einiger Vorsicht zu betrachten; trotzdem kann im langfristigen Vergleich zweifelsfrei eine deutliche Reduktion der bezahlten Erwerbsarbeitszeit festgestellt werden. Auf die Aussage von Keynes bezogen zeigt sich jedoch, dass sich seit seinem Aufsatz aus dem Jahr 1930 die bezahlten Arbeitszeiten nur noch in geringem Umfang – um etwa zehn Prozent – vermindert haben. Von einer 15-Stunden-Woche kann auch heute keine Rede sein.

Eine bedeutende Errungenschaft in der Entwicklung der Arbeitszeitverkürzung war die gesetzliche Festlegung der täglichen Arbeitszeit auf maximal 8 Stunden, die in Deutschland im Jahr 1918 in Kraft trat und die erlaubte wöchentliche Arbeitszeit bei einer Sechs-Tage-Woche auf 48 Stunden begrenzte. Diese Begrenzung war allerdings Teil der »Demobilmachungsverordnungen« der Zeit nach dem Ersten Weltkrieg und damit zeitlich befristet. Nach deren Auslaufen Ende des Jahres 1923 stieg die wöchentliche Arbeitszeit zumindest in einigen Branchen wieder an und betrug im Jahr 1924 durchschnittlich rund 50 Stunden (Schneider et al. 1984, 83 ff.). Wiedereingeführt wurde die gesetzliche Festschreibung des Achtstundentags durch die Arbeitszeitordnung vom 30. April 1938. Diese galt, mit Unterbrechung während des Zweiten Weltkrieges, bis zum Jahr 1994. In diesem Jahr wurde die Arbeitszeitordnung durch das Arbeitszeitgesetz abgelöst, welches die Regelarbeitszeit aber unverändert auf acht Stunden pro Tag begrenzte.

Der nächste Meilenstein der Arbeitszeitverkürzung bestand in der Etablierung der Fünf-Tage-Woche. War bislang nur der Sonntag als arbeitsfreier Tag üblich und gesetzlich vorgeschrieben, so setzten sich in den 1950er Jahren die Gewerkschaften mit dem Slogan »Samstags gehört Vati mir« massiv für einen arbeitsfreien Samstag und die Einführung der 40-Stunden-Woche ein. In Verhandlungen mit den Arbeitgebern wurden dabei branchenspezifische Stufenpläne zur Reduzierung der Arbeitszeit ausgehandelt. Gesetzlich vorgeschrieben ist die 40-Stunden-Woche jedoch nicht. Innerhalb der gesetzlichen Vorschrift einer maximal 48 Stunden betragenden Arbeitswoche (sechs Tage à acht Stunden) ist die Festlegung der Wochenarbeitszeit Teil der Tarifverhandlungen. Tatsächlich Realität wurde die 40-Stunden-Woche deswegen für den Großteil der Arbeitnehmer erst im Laufe der 1970er Jahre (Schneider et al. 1984, 87). Damit war die sogenannte goldene Dreiteilung des Tages – 8 Stunden Arbeit, 8 Stunden Freizeit, 8 Stunden Schlaf – auch während der Arbeitswoche möglich geworden. Als goldene Dreiteilung des Tages findet man den Acht-Stunden-Tag aber auch erwähnt in Handbüchern der Betriebswirtschaftslehre – denn damit waren drei Acht-Stunden-Schichten innerhalb von einem 24-Stunden-Tag reibungslos möglich (z.B. Schanz 2015, 413).

Mit ihrer Forderung nach einer weiteren Verkürzung der Regelarbeitszeit auf 35 Stunden pro Woche konnten sich die Gewerkschaften Ende der 1970er Jahre jedoch nicht mehr durchsetzen. Zu massiv war der Widerstand der Arbeitgeber. Eine weitere Verkürzung der Arbeitszeit auf 38,5-Stunden wurde für die Metallindustrie erst im Tarifkompromiss 1984 beschlossen. Im Jahr 1995 wurde dann doch eine Reduzierung der Wochenarbeitszeit auf 35 Stunden in der westdeutschen Metallindustrie, der Stahl-, Elektro-, Druck- sowie holz- und papierverarbeitenden Industrie tarifvertraglich vereinbart.

Betrachtet man die Entwicklung der Arbeitszeit nach der Wiedervereinigung genauer, so zeigen sich verschiedene Trends. Bei der regulären wöchentlichen Arbeitszeit einer Vollzeitstelle zeigen sich seit 1991 nur noch sehr geringe Veränderungen. Sie fiel von 1991 bis 1996 von 39 auf 38 Stunden, verharrt seitdem aber mit minimalen Schwankungen bei dieser Stundenzahl. Ein etwas anderes Bild zeigt sich, wenn man Teilzeitstellen mit einbezieht, also die durchschnittliche wöchentliche Arbeitszeit aller Arbeitnehmer betrachtet. Durch einen steigenden Anteil an Teilzeitbeschäftigten ist hier eine deutliche Abnahme von 35 Stunden im Jahr 1991 auf 30 Stunden im Jahr 2014 zu beobachten (IAB 2015b). Diese Betrachtung kommt der von Keynes benannten 15-Stunden-Woche schon etwas näher, und der steigende Anteil von Teilzeitbeschäftigten entspricht auch seiner Forderung, die vorhandene

Arbeit aufzuteilen. Da gleichzeitig jedoch die Anzahl der Arbeitnehmer von 35 Mio. auf 38 Mio. anstieg, lag das geleistete Arbeitsvolumen im Jahr 2014 mit 58 Mrd. Stunden nur etwas tiefer als im Jahr 1991, in dem es 60 Mrd. Stunden betrug. Seit 2005, in dem es bei 56 Mrd. Stunden lag, ist das Arbeitsvolumen jedoch sogar wieder etwas angestiegen, was vor allem auf die positive Entwicklung am Arbeitsmarkt zurückzuführen ist (IAB 2015c). Momentan scheint also die bezahlte Arbeit – ob sinnvoll oder nicht, sei hier dahingestellt – nicht auszugehen.

Infokasten 11: Jenseits der bezahlten Arbeit

Die bezahlte Arbeit stellt nur einen Aspekt der täglich von Menschen verrichteten Arbeit dar. Und sie ist, quantitativ gesehen, nicht einmal der größte Teil: Wie Erhebungen des Statistischen Bundesamts zeigen, wird für unbezahlte Arbeit im Durchschnitt mehr Zeit aufgewendet als für bezahlte (Statistisches Bundesamt 2015c). So lag die durchschnittliche wöchentliche unbezahlte Arbeitszeit von Erwachsenen im Zeitraum 2012/13 bei 24,5 Stunden pro Woche, die bezahlte Arbeitszeit bei 20,5 Stunden. Zu den unbezahlten Arbeiten zählen dabei neben der Haushaltsführung und Betreuung von Haushaltsmitgliedern auch die Unterstützung von Personen in anderen Haushalten sowie ehrenamtliches und freiwilliges Engagement.

Interessant ist auch die Aufteilung auf die Geschlechter: Während bei alleiniger Betrachtung der bezahlten Arbeitszeit Männer mit etwa 25 Stunden pro Woche rund 9 Stunden mehr arbeiteten als Frauen, verschiebt sich dieses Bild bei der Einbeziehung der unbezahlten Arbeit. Danach arbeiten Frauen mit 45,5 Std./Woche etwa eine Stunde mehr als Männer, die 44,5 Std./Woche arbeiten, da Frauen mit 29 Stunden pro Woche etwa 10 Stunden mehr unbezahlte Arbeit leisten als Männer.

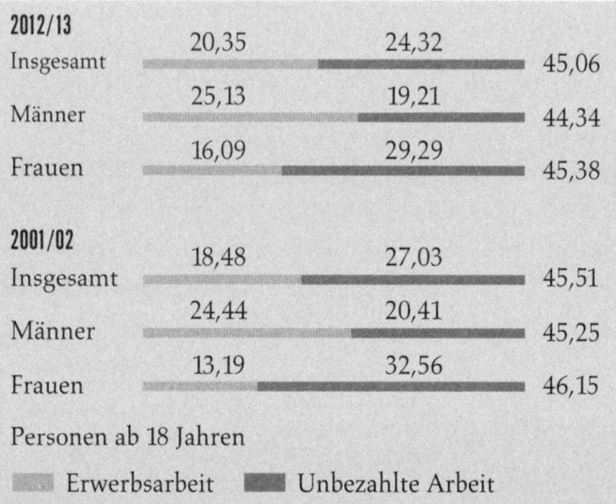

Abb. 4: Erwerbsarbeit und unbezahlte Arbeit in Stunden und Minuten je Woche. *Quelle: Statistisches Bundesamt, Wiesbaden 2015.*

Beim Vergleich der Ergebnisse von 2012/13 mit denen des Zeitraums 2001/02 zeigt sich, dass vor allem bei den Frauen eine Verlagerung von unbezahlter zu bezahlter Arbeit stattgefunden hat. So nahm die wöchentliche unbezahlte Arbeitszeit um knapp vier Stunden von 33 auf 29 Stunden ab, während die bezahlte Arbeitszeit um drei Stunden zunahm. Bei den Männern nahm sowohl die bezahlte als auch die unbezahlte Arbeitszeit leicht ab: die bezahlte um etwa eine halbe, die unbezahlte Arbeitszeit um etwa eine Stunde. Über beide Geschlechter hat sich die gesamte Arbeitszeit – unbezahlt / bezahlt – um knapp eine Stunde verringert, wobei sich der Anteil unbezahlter Arbeit um fünf Prozentpunkte erhöht hat. Lag der Anteil bezahlter Arbeitszeit an der gesamten Arbeitszeit im Zeitraum 2001/02 mit 27 Std./Woche noch bei 59 Prozent, so lag er im Zeitraum 2012/13 mit 24,5 Std./Woche nur noch bei 54 Prozent.

Die Lebensarbeitszeit eines Beschäftigten hat beziehungsweise wird sich durch die schrittweise Erhöhung der Regelaltersgrenze der Rente von 65 auf 67 Jahre bis 2030 potentiell deutlich verlängern: Das wird zumindest dann der Fall sein, wenn ein vergleichbares Rentenniveau erreicht werden soll. Und da das Rentenniveau aufgrund des demographischen Wandels aller Voraussicht nach fallen wird, da es über den sogenannten Nachhaltigkeitsfaktor in der Rentenanpassungsformel gesteuert wird, kommt für viele Arbeitnehmer ein vorzeitiges Ausscheiden aus dem Berufsleben wahrscheinlich nicht in Frage.

Ergänzend zu den dargestellten durchschnittlichen Entwicklungen ist gerade in den letzten Jahrzehnten festzustellen, dass eine starke Ausdifferenzierung der Arbeitsverhältnisse und der damit einhergehenden Arbeitszeiten stattgefunden hat. Das Normalarbeitsverhältnis mit der Standardarbeitszeit hat immer mehr an Bedeutung verloren. Im Arbeitsreport des WSI wird diese Entwicklung mit drei Schlagwörtern beschrieben: Flexibilisierung, Polarisierung, Entstandardisierung (Absenger et al. 2014, 11).

Als Startpunkt der Flexibilisierung der Arbeitszeit gilt der Tarifkompromiss aus dem Jahr 1984. In vielen Betrieben wurden seitdem flexible Arbeitsmodelle eingeführt. So lag laut Erhebungen des WSI der Anteil der Betriebe mit Arbeitszeitkonten im Jahr 2010 bei 44 Prozent (ibid., 61). Eine besonders kritisch zu bewertende Form der Flexibilisierung stellt die »Arbeit auf Abruf« dar, bei der Arbeitnehmer nur eingesetzt und bezahlt werden, wenn tatsächlich Arbeitsbedarf vorliegt. Schon in den 1980er Jahren wurde diese Form der Arbeitsvertragsgestaltung unter der Bezeichnung »Kapovaz« – kapazitätsorientierte variable Arbeitszeit – diskutiert (vgl. Meyer 1988). Ob Bedarf vorliegt, wird vom Arbeitgeber entschieden, der diesen Bedarf dem Abrufarbeitnehmer mindestens vier Tage vorher mitteilen muss. Der Abrufarbeitnehmer ist dann zu dieser Arbeitsleistung verpflichtet, wobei die Zeit der »Rufbereitschaft« zwischen den Arbeitsleistungen unbezahlt ist. Bei dieser extremen Form der Arbeitszeitflexibilisierung verringert sich zum einen die Selbstbestimmung der Zeitgestaltung für den Arbeitnehmer, zum anderen wird das wirtschaftliche Risiko vom Arbeitgeber auf den Arbeitnehmer verlagert. Laut Untersuchungen von Schult und Tobsch (2012) betrug der Anteil der Arbeitnehmer auf Abruf im Jahr 2010 gut 5 Prozent, wobei mit einem Anteil von 13 Prozent vor allem geringfügig Beschäftigte davon betroffen waren.

Gleichzeitig haben sich die Arbeitszeiten polarisiert. Während bei den abhängig beschäftigten Männern im Jahr 1991 noch circa 9 Prozent angaben, mehr als 45 Stunden pro Woche zu arbeiten, lag deren Anteil im Jahr 2012 mit 14 Prozent deutlich höher. Zeitgleich stieg der Anteil derer, die »nur« 10 bis 35 Stunden arbeiteten, von etwa 3 auf 16 Prozent an. Dementsprechend verringerte sich der Anteil derer, die 36 bis 44 Stunden arbeiteten, von 88 Prozent auf 70 Prozent (Absenger et al. 2014, 44). Auch zwischen Männern und Frauen herrscht immer noch ein deutlicher Unterschied, was die durchschnittliche Erwerbsarbeitszeit angeht. Der sogenannte *Gender Time Gap* hat sich dabei durch den Anstieg in Teilzeit arbeitender Frauen von 7 Stunden pro Woche im Jahr 1991 auf 9 Stunden im Jahr 2012 erhöht (ibid., 42).

Schließlich kam es zu einer Entstandardisierung der Arbeitszeit. Besonders problematisch zu bewerten ist dabei der Anstieg atypischer Arbeitszeiten. So hat sich im Jahr 2012 im Vergleich zu 1991 der Anteil der Beschäftigten, die samstags arbeiten, von 33 auf 44 Prozent erhöht. Der Anteil der Beschäftigten, die sonntags arbeiten, ist von 17 auf 26 Prozent gestiegen, die nachts arbeiten, von 13 auf 15 Prozent, und die in Wechselschichten arbeiten, von 13 auf 18 Prozent. Aufsummiert entspricht dies einem Anstieg des Anteils der atypischen Arbeitszeiten von 38 auf 57 Prozent (ibid., 11). Arbeitszeiten dieser Art sind zum einen mit erhöhten gesundheitlichen Belastungen verbunden, zum anderen erschweren sie die Vereinbarkeit von Familie und Beruf. Die Gewerkschaftsforderung »Samstags gehört Vati mir« aus den 1950er Jahren wird durch die verstärkte Inanspruchnahme des Wochenendes untergraben; auch sonntags »gehören« eine zunehmende Zahl von Müttern und Vätern nicht mehr ausschließlich ihren Familien.

Keynes' Prognose einer 15-Stunden-Woche scheint also derzeit eher wieder in weitere Ferne zu rücken. An bezahlter Arbeit besteht bislang grundsätzlich kein Mangel – wobei ihre Verteilung durchaus problematisch ist. Die »Aussicht auf eine Arbeitsgesellschaft, der die Arbeit ausgegangen ist«, wie Hannah Arendt sie mit Blick auf die möglichen Auswirkungen der Automatisierung in ihrem Buch *Vita Activa* beschreibt, hat sich bislang also nicht erfüllt (Arendt 1960, 13) – obwohl gerade jetzt, in den Utopien einer extrem technikorientierten Arbeitswelt 4.0, derartige Prognosen wieder einmal Hochkonjunktur haben.

Die Produktivitätszuwächse der letzten Jahrzehnte wurden statt in Arbeitszeitverkürzungen zum allergrößten Teil in Produktionssteigerungen umgesetzt: Während – wie oben ausgeführt – die in Deutschland geleisteten Arbeitsstunden von 1991 bis 2014 von 60 auf 58 Milliarden Stunden nur um etwa 3 Prozent zurückgingen, stieg die Arbeitsproduktivität pro Erwerbstätigenstunde im gleichen Zeitraum um 39 Prozent an (Statistisches Bundesamt, GENESIS-Datenbank). Vom Arbeitsproduktivitätszuwachs wurde also nur weniger als ein Zehntel in Arbeitszeitverkürzungen umgesetzt, der weit überwiegende Teil von neun Zehnteln hingegen in Produktionssteigerungen. Diese Entwicklung muss vor dem Hintergrund der durch die Produktion verursachten Umweltbelastungen (siehe Kapitel 3) und den trotz steigendem Konsum stagnierenden Lebenszufriedenheitswerten kritisch hinterfragt werden. In diesem Zusammenhang sind auch die aktuellen und neuen Formen der Arbeitszeitgestaltung bezüglich ihrer Sinnhaftigkeit zu überprüfen.

4.2 Entwicklung des Arbeitsschutzes und der sozialen Sicherung

»… die größte aller Torheiten ist, seine Gesundheit aufzuopfern, für was es auch sei …«

Arthur Schopenhauer (1851)

Seit der Industriellen Revolution haben sich die Arbeitsbedingungen enorm verändert. Der Beginn dieser Zeit war durch sich stark verändernde Produktionsweisen und einen rasch steigenden Ressourcenhunger gekennzeichnet; die Arbeitsbedingungen verschlechterten sich zunächst deutlich. Die Arbeiten wurden gefährlicher, eine geregelte Kontrolle und Inspektion der Maschinen und Produktionsverfahren gab es nicht. Die Folge war eine Vielzahl von oft schweren Arbeitsunfällen. Wer sich verletzte, musste mit dem Verlust seiner Arbeitsstelle und damit seines Einkommens rechnen. Da noch keine allgemeinen Unfall-, Kranken- oder Rentenversicherungen existierten und nur in Ausnahmefällen betriebliche Krankenversicherungen vorhanden waren, stürzten Unfälle und Krankheiten die Arbeiter und oft auch ihre Familien in bittere Armut. Überlange Arbeitszeiten waren die Regel. Kinderarbeit war noch immer weit verbreitet. Gesetzliche

Regelungen waren rar; wo sie in geringem Umfang vorhanden waren, fehlte es oft an Instrumenten zu deren Durchsetzung.

Die Situation begann sich in Preußen Mitte des 19. Jahrhunderts mit dem sogenannten Preußischen Regulativ von 1839 zu verbessern, das als Beginn der Arbeitsschutzgesetzgebung angesehen werden kann und insbesondere die Kinderarbeit einschränkte (siehe Infokasten 12). Im Jahre 1853 wurden staatliche Fabrikinspektoren zur Überprüfung der vorhandenen gesetzlichen Regelungen eingesetzt. 1871 wurde für das in diesem Jahr gegründete Deutsche Reich die Reichsgewerbeverordnung erlassen, wodurch die Fabrikinspektoren zur obligatorischen Gewerbeaufsicht ausgebaut wurden.

Infokasten 12: Kinderarbeit

Eine besonders große Entwicklung innerhalb der Zeit der Wachstumsgesellschaft gab es bei Kindern und Jugendlichen. Zu Beginn der Industrialisierung wurden Kinder und Jugendliche fast überall als Arbeitskräfte eingesetzt. Zwar mussten Minderjährige schon vor der Industrialisierung zum Beispiel in landwirtschaftlichen Betrieben und in den Manufakturen mitarbeiten, aber längst nicht in dem Ausmaß wie später in den Fabriken und unter Tage.
1842 wurde in Deutschland ein Gesetz zum Verbot von Kinderarbeit erlassen. Vorher hatte bereits in England das Kinderschutzgesetz 1802 die bis dahin häufig vorkommende »Nutzung« der Kinder in Waisenhäusern als Arbeitskräfte in Baumwollfabriken verboten, die zuvor zu Bedingungen eingesetzt wurden, die aus heutiger Sicht als Kindersklaverei gelten würden. In anderen Regionen und Wachstumsgesellschaften dieser Welt ist es nach wie vor üblich, dass Kinder und Jugendliche in menschenunwürdigen Bedingungen zum Beispiel in

der Textilbranche arbeiten müssen. Über ausbeuterische Kinderarbeit in Bergwerken hat nicht zuletzt Friedrich Engels in *Die Lage der arbeitenden Klasse in England* ausführlich berichtet (Engels 1845).
Das englische Fabrikgesetz von 1833 schränkte schließlich zumindest die Arbeitsschichten ein: für Jugendliche zwischen 14 und 18 Jahren auf zwölf Stunden und von Kindern zwischen 9 und 13 Jahren auf neun Stunden. Das bereits erwähnte »Preußische Regulativ« von 1839 verbot die regelmäßige Arbeit von Kindern bis zum neunten Lebensjahr in Fabriken, Berg-, Hütten- und Pochwerken und schränkte sie für Kinder bis 16 Jahre auf maximal zehn Stunden täglich ein. Im Kinderschutzgesetz von 1903 wurde die Arbeit von unter Zwölfjährigen im Handel und von unter Vierzehnjährigen in Industrie und Gewerbe verboten. Die Land- und Forstwirtschaft fiel jedoch nicht unter das Gesetz. Heute ist die Arbeit von Kindern unter 15 Jahren verboten; Ausnahmen gibt es unter anderem in der Landwirtschaft und für Zeitungsausträger. Für die Arbeit von 15- bis Siebzehnjährigen gelten besondere Bestimmungen, die im Jugendarbeitsschutzgesetz festgehalten sind.

Die Sozialgesetzgebung Bismarcks stellt einen weiteren Meilenstein des Arbeitsschutzes in Deutschland dar. 1883 wurde in deren Zuge die Krankenversicherung eingeführt, die das Krankengeld, die ärztliche Behandlung, das Sterbegeld und die Mutterschaftshilfe regelt. Im Jahr 1884 folgte das Unfallversicherungsgesetz. Es umfasste die Unfallrente, die medizinische Heilbehandlung und die Unfallverhütung. 1889 wurde die »Invaliditäts- und Altersversicherung« beschlossen, die zwar nicht mit der heutigen Rentenversicherung verglichen werden kann – zu dieser Zeit gab es beispielsweise noch kein festgelegtes altersbedingtes Ausscheiden aus dem Beruf. Sie kann jedoch als deren Vorgänger angesehen werden und gewährte jedem Arbeitnehmer ab Vollendung des 70. Lebensjahres einen »Sicherheitszuschuss zum Lebensunterhalt«.

Im Zuge des Unfallversicherungsgesetzes wurde zudem eine kollektive Haftpflichtversicherung der Unternehmer eingeführt. Dafür wurden branchenspezifische Berufsgenossenschaften neu gegründet, die als Träger der Unfallversicherung fungierten. Sie erhielten das Recht, autonome Unfallverhütungsvorschriften zu erlassen und deren Einhaltung zu überwachen. Damit war das bis heute in Deutschland übliche duale Arbeitsschutzsystem geboren, das sich in den sozialen und den technischen Arbeitsschutz aufteilt. Der soziale Arbeitsschutz umfasst zum einen die speziellen Schutzrechte von besonders schutzbedürftigen Arbeitergruppen wie zum Beispiel Jugendliche, Mütter und Schwerbehinderte. Zum anderen enthält er die gesetzlichen Bestimmungen zur Arbeitszeit. Zuständig für die Überprüfung ist die staatliche Gewerbeaufsicht. Der technische Arbeitsschutz befasst sich dagegen mit der Vermeidung arbeitsbedingter Gefahren für die Mitarbeiter. Er umfasst zum Beispiel Vorgaben zur Sicherheit von gefährlichen Anlagen, aber auch zur menschengerechten Gestaltung der Arbeit. Für dessen Überwachung und Einhaltung sind die Berufsgenossenschaften zuständig.

Im Laufe der Zeit hat sich das duale Arbeitsschutzsystem enorm weiterentwickelt. Einen wichtigen Fortschritt stellten die nach dem Ersten Weltkrieg im Jahr 1919/20 erstmals bestellten innerbetrieblichen Unfallvertrauensmänner und Sicherheitsingenieure dar, die zu einer Professionalisierung des Arbeitsschutzes führten. Ein weiterer wichtiger Meilenstein war das 1973 eingeführte Arbeitssicherheitsgesetz, das unter anderem festlegte, dass ein Betrieb einen Betriebsarzt und eine Arbeitssicherheitsfachkraft bestellen muss, deren genauen Aufgaben das Gesetz ebenfalls regelt. Große Auswirkungen hatte auch das Arbeitsschutzgesetz aus dem Jahr 1996. Es verpflichtet Arbeitgeber darauf, das Arbeitssicherheitsgesetz in ihren Betrieben anzuwenden und führt als zentrales Element die verpflichtende Gefährdungsbeurteilung ein: eine systematische Erfassung und Bewertung aller relevanten Gefährdungen am Arbeitsplatz sowie der Ableitung und Umsetzung aller zum Schutz der Sicherheit und der Gesundheit des Arbeitnehmers erforderlichen Maßnahmen. Seit dem Jahr 2013 sind auch psychische Belastungen im Arbeitsschutzgesetz berücksichtigt und somit Teil der Gefährdungsbeurteilung.

Im Vergleich zu den unkontrollierten und den Arbeitern Risiken aufbürdenden Arbeitsbedingungen sind die heutigen Verhältnisse aufgrund des dualen Arbeitsschutzes deutlich reglementierter und arbeitnehmerfreundlicher. Die Haftung liegt beim Arbeitgeber, der dafür verantwortlich ist, seine Mitarbeiterinnen und Mitarbeiter bezüglich der Sicherheitsvorschriften und potentiellen Gefahren zu unterweisen und für sichere Arbeitsbedingungen zu sorgen. Die positive Wirkung dieser Änderungen lässt sich beispielsweise an der gesunkenen Zahl der tödlichen Arbeitsunfälle ablesen: Sie werden von den gewerblichen Berufsgenossenschaften erfasst und haben sich von knapp 8000 im Jahr 1917 auf etwa 4000 im Jahr 1948 halbiert und konnten bis heute auf etwa 500 reduziert werden (DGUV 2010). Normiert man die Unfallhäufigkeit auf 1000 Vollarbeiter, so ist der Wert von 1,13 Unfällen im Jahr 1917 auf 0,01 Unfälle im Jahr 2014 gefallen. Er beträgt heute also nicht einmal mehr ein Hundertstel des Wertes von vor knapp einhundert Jahren.

Zudem sind die Beschäftigten durch den Ausbau der Sozialsysteme viel besser gegen verschiedene Risiken wie Krankheiten, Unfälle und Arbeitslosigkeit abgesichert als früher. Durch die auf einem Umlageverfahren basierende gesetzliche Rentenversicherung ist die Altersversorgung geregelt, durch die Grundsicherung mit Sozialhilfe, Arbeitslosengeld II und Sozialgeld sollte das soziokulturelle Existenzminimum sichergestellt werden. Diese Systeme stehen jedoch zunehmend unter Druck. Im Zuge der Agenda 2010 und den Hartz-IV-Reformen wurden Sozialleistungen gekürzt und die Voraussetzungen für deren Bezug verschärft. Das Niveau der gesetzlichen Rentenversicherung wurde – und wird weiter – schrittweise abgesenkt. Verursacht wird dies zum Teil durch den demographischen Wandel, der dazu führt, dass zumindest potentiell und *ceteris paribus* einem Beitragszahler mehr Leistungsempfänger gegenüberstehen werden. Daneben ist dafür jedoch auch der politische Wille verantwortlich, einen stärkeren Fokus auf die kapitalgedeckte private Altersvorsorge zu legen. Da gerade bei Haushalten mit niedrigem Einkommen fraglich ist, ob sie sich eine private Altersvorsorge leisten können beziehungsweise ob diese sich für die Bezieher niedriger Einkommen überhaupt lohnt, wenn sie mit der Grundsicherung verrechnet wird, kann das zu sozialen Problemen führen. Förderprogramme der privaten Altersvorsorge wie beispielsweise die Riester-Rente schaffen dabei zurzeit nur sehr bedingt Abhilfe: So beanspruchen die einkommensstärksten zwanzig Prozent der deutschen Bevölkerung rund 38 Prozent der Fördersumme der Riester-Rente, die einkommensschwächsten zwanzig Prozent hingegen nur gut 7 Prozent (Corneo et al. 2015, 19).

Die Fortschritte beim Arbeitsschutz und der sozialen Sicherung seit der Industriellen Revolution sind – wie dargestellt – immens. Sie wurden zu einem großen Teil auch durch das Wirtschaftswachstum und den technischen Fortschritt ermöglicht. Heute ist ein wirksamer und guter Arbeitsschutz jedoch nicht mehr maßgeblich von wirtschaftlichem Wachstum abhängig, sondern von effektiven innerbetrieblichen und staatlichen Strukturen. Etwas verzwickter ist die Situation bei der sozialen Sicherung. Schon heute kann darüber diskutiert werden, ob die Grundsicherung sich auf einem ausreichend hohen Niveau befindet. Durch den demographischen Wandel und den zu erwartenden, begrüßenswerten Fortschritt im medizinischen Bereich könnten die Grundsicherung und andere Elemente der sozialen Sicherung in Zukunft unter zusätzlichen Druck geraten. Bleibt das Wirtschaftswachstum aus, so treten hier Verteilungsfragen noch weiter in den Vordergrund. Das betrifft die Verteilung der Arbeit an sich, die Verteilung der Löhne und schließlich die Verteilung der Transferleistungen. Für eine gelingende Postwachstumsgesellschaft sind aber auch stabile soziale Sicherungssysteme von entscheidender Bedeutung. Vor diesem Hintergrund sind die Entwicklungen der letzten Jahrzehnte kritisch zu analysieren. Es müssen Konzepte für die Zukunft entwickelt werden, die nicht auf hohe Renditen angewiesen, aber trotzdem stabil sind und dabei allen Beziehern einen auskömmlichen Lebensstandard ermöglichen (siehe Kapitel 8).

4.3 Veränderung der Arbeitsinhalte

»Man muss die Erleichterung der Arbeit nicht zu teuer kaufen.« *Friedrich Nietzsche (1886, 683)*

Die Arbeit in einer Marktwirtschaft findet ganz überwiegend in Form der Lohnarbeit statt, deren Anteil noch höher ist als in vorherigen Gesellschaftsformen und zu einem Teil die vorher weiter verbreitete selbständige Arbeit, die Familien- und Sklavenarbeit ersetzt hatte. So lag im Jahr 2015 der Anteil der Arbeitnehmer an den Erwerbstätigen bei etwa 90 Prozent, nur 10 Prozent waren Selbständige (Statistisches Bundesamt 2016). Im Vergleich zu den Anfängen des Kapitalismus wurde die Lohnarbeit immer stärker vertraglich gebunden. Zum Schutz der Arbeitskraft wurde die Vertragsfreiheit von Arbeitsverträgen durch das Arbeits- und Tarifrecht eingeschränkt. Dies führte dazu, dass heute ein Großteil der Lohnarbeiterinnen und Lohnarbeiter sozialversicherungspflichtig beschäftigt sind. Unter den Erwerbstätigen insgesamt hat diese Gruppe den größten Anteil – auch wenn sich deren Quote in den letzten 20 Jahren reduziert hat. Sie fiel im Westen Deutschlands zwischen 1992 und 2012 von 74 auf 69 Prozent, in den neuen Bundesländern im selben Zeitraum sogar von 88 auf 72 Prozent.

Während der Entwicklung der Marktwirtschaft unterlag die Arbeit einem starken sozioökonomischen Strukturwandel. Jean Fourastié sprach mit seiner Drei-Sektoren-Hypothese von einer Veränderung des Schwerpunktes wirtschaftlicher Tätigkeit vom primären Wirtschaftssektor der Rohstoffgewinnung zunächst zum sekundären Wirtschaftssektor der Rohstoffverarbeitung und dann zum tertiären Sektor der Dienstleistungen (Fourastié 1954).

Obgleich die Grenzen zwischen den Sektoren nicht immer ganz klar zu ziehen sind, wird diese Theorie von der Statistik belegt. Die Industrialisierung führte zu einer starken Verlagerung der Arbeitstätigkeiten hin zur Rohstoffverarbeitung. In den 1950er Jahren ist der Anteil des sekundären Sektors in der Bundesrepublik Deutschland innerhalb von zehn Jahren von gut 40 auf knapp 50 Prozent angestiegen und umfasste damit auch den größten Anteil der Beschäftigten. Der Anteil des primären Sektors sank zeitgleich von 25 auf etwa 13 Prozent. Im Jahr 2012 lag der primäre Sektor nur noch bei 1,6 Prozent.

Gleichzeitig ist jedoch auch der Anteil des sekundären Sektors deutlich auf rund 25 Prozent gefallen. Stattdessen ist nun der tertiäre Dienstleistungssektor mit 74 Prozent für den größten Teil der Wertschöpfung verantwortlich.

Für die Arbeitsmotivation und Effizienz, mit der eine bestimmte Arbeitstätigkeit verrichtet wird, zählt auch der Umstand, inwieweit ein Bezug zum Endprodukt der Arbeit hergestellt werden kann. Diese Frage hat sich in einer vorindustriellen, agrarischen Gesellschaft nur selten gestellt. Jeder, der einmal eigenes Gemüse angebaut hat, weiß, wie deutlich und direkt die Verbindung zwischen Gießen und anderen Gartentätigkeiten und der erfolgreichen Ernte gezogen werden kann.

Die Arbeiterinnen und Arbeiter haben in einer kapitalistischen Wachstumsgesellschaft häufig keine eigenen Produktionsmittel zur Verfügung, sondern verkaufen stattdessen ihre Arbeitskraft, mit der Güter hergestellt werden (Marx 1867). In diesem Zusammenhang spricht Marx auch von »entfremdeter« oder »entäußerter« Arbeit. Dies hat verschiedene Auswirkungen. Teilweise befreit die kapitalistische Produktionsweise die Person von bisherigen Abhängigkeiten, zum Beispiel bei landwirtschaftlicher Tätigkeit von Klima und Ernteerträgen. Lohnarbeit kann allerdings auch in neue Formen von Abhängigkeiten führen. Marx spricht hier von drei Dimensionen möglicher Ausbeutung von Lohnarbeitskräften durch die Kapitalisten: Zum einen entscheidet die Arbeitgeberschaft, wie der Mehrwert des fertigen Produktes verteilt wird (1). Damit es diesen Mehrwert gibt, muss die Arbeitskraft mehr arbeiten und an Wert bilden, als sie bezahlt bekommt (2). Der Arbeitgeber beutet die Arbeitskraft aus, sowohl was die Arbeitszeit als auch was den Arbeitswert angeht (3). Für Marx war Lohnarbeit aufgrund der systembedingten Unsicherheit und Unstetigkeit immer prekär. Jedoch hat er die Entwicklung und Ausweitung von vertraglich gesicherten Rentenansprüchen oder Mitspracherechten nicht mehr erlebt. Diese Veränderungen verhalfen den Menschen – über ihre materiellen Ansprüche hinaus – zu einer anderen sozialen Stellung als sie die Arbeiterinnen und Arbeiter im Frühkapitalismus hatten.

Nach der Herzberg'schen Zweifaktorentheorie ist die Arbeitszufriedenheit abhängig von sogenannten Hygienefaktoren wie Verdienst, soziale Beziehungen, Arbeitsplatzsicherheit und anderem mehr (Herzberg / Mausner / Snyderman 1959). Sind diese Faktoren nicht vorhanden, entsteht Unzufriedenheit am Arbeitsplatz. Die zweite Kategorie von Faktoren sind die sogenannten Motivationsfaktoren wie Anerkennung oder Vorwärtskommen, deren Anwesenheit zu Zufriedenheit führen.

Arbeitspsychologisch hat es starke Auswirkungen auf die Motivation, aber auch auf den Krankenstand und die Qualität der Arbeitsleistungen, wenn die Struktur einer Arbeitstätigkeit so beschaffen ist, dass Teilaufgaben für diejenigen, die sie bewältigen müssen, keinen erkennbaren Zusammenhang zu anderen Teilaufgaben aufweisen, wenn Arbeitskräfte voneinander isoliert sind und wenn keine Gruppenstrukturen erkennbar sind. Dies lässt sich auf Bergbautätigkeiten genauso anwenden wie auf große Textilunternehmen – so belegt von der Studie des Tavistock Institute in einem englischen Bergwerk (Trist und Bamforth 1951) und einer vergleichenden Studie, dem Ahmedabad-Experiment, die die indische Textilindustrie untersucht hat (Ulich 2005).

Infokasten 13: Arbeitsmigration

Weitere größere Verschiebungen innerhalb des deutschen Arbeitsmarkts ergaben und ergeben sich durch soziogeographische Wanderungen. Menschen ziehen häufig dorthin, wo Arbeit ist, sofern die Strecke nicht durch Pendeln bewältigt werden kann. Auch hier lässt sich feststellen, dass es bereits vor der Industrialisierung Tendenzen zu Landflucht und Urbanisierung gab, allerdings lange nicht in dem Ausmaß wie danach.

Neben der berufsbedingten Mobilität Richtung Stadt gibt es auch die internationalen Bewegungen, die durch geographische Unterschiede in den Wachstumsentwicklungen begründet sind. »Wir riefen Arbeitskräfte und es kamen Menschen«, sagte Max Frisch und meinte damit die Anwerbungen großer Industriestaaten in Europa von Menschen aus Süd- und Osteuropa in den 1950er und 1960er Jahren (Seiler/Frisch 1965, 7).

Arbeitsmigration bedeutet, dass Personen in der Regel von industriell weniger entwickelten in ökonomisch stärkere Regionen umziehen. Ein Beispiel hierfür ist die Hochphase der Anwerbung von sogenannten Gastarbeitern aus Süd- und Südosteuropa. Auch die unter anderem durch staatliche Anreize geförderten Zuzüge von Spätaussiedlerinnen und Spätaussiedlern besonders in den 1990er Jahren können unter der Perspektive der Arbeitsmigration betrachtet werden.

Im Juli 1954 waren erst 0,4 Prozent der Arbeitskräfte in Deutschland sogenannte Gastarbeiter. Nach großen Schüben Ende der 1950er und in den 1960ern betrug ihr Anteil an der Gesamtzahl der beschäftigten Arbeitnehmerinnen und Arbeitnehmer im Jahr 1971 über 10 Prozent.

Durch Familienzuzug lebten 1973 vier Millionen Menschen als Gastarbeiterfamilien in Deutschland. Durch die drohende Ölkrise wurde das nicht unumstrittene Gesetz zur Rückkeh-

rerhilfe erlassen. Damit sollte die Rückkehrbereitschaft von Familien in ihre Herkunftsländer gefördert werden.
Auch Länder wie Frankreich und Großbritannien warben zeitgleich Arbeitskräfte aus dem Ausland an – hier insbesondere aus den ehemaligen Kolonien.
Am Ende der staatlichen Gastarbeiteranwerbung waren allerdings nicht mehr Arbeitskräfte aus Italien, Spanien, Griechenland oder Spätaussiedler aus ehemals sowjetischen Regionen die besonders Fremden, sondern »Außereuropäer«, zu denen auch die Türken gezählt wurden. Aus einer eher ökonomischen Frage wurde also zunehmend eine soziale, die sich bedingt durch weitere Zuzüge aus dem Ausland erneut stellen und möglicherweise verschärfen wird.

4.4 Veränderung der Arbeitsorganisation

Die Anfang des 20. Jahrhunderts stark aufkommende, auf einer kleinteiligen Zerlegung der Arbeitsabläufe aufbauende und im hohen Maße standardisierte Massenproduktion ist Teil der als »Taylorismus« und »Fordismus« bezeichneten Formen der industriellen Warenproduktion. Planung und Produktion werden strikt voneinander getrennt, und es überwiegen starre hierarchische Strukturen. Vereinfachend kann diese Form der Arbeitsorganisation in der Produktion mit dem Bild eines Fließbandes veranschaulicht werden, bei dem jeder Arbeiter nur für einen einzelnen Arbeitsschritt zuständig ist. Durch die vielfache Wiederholung kann eine hohe Spezialisierung und damit Arbeitsproduktivität erreicht werden. Allerdings ist der Grad der Fremdbestimmung für die Arbeiter extrem hoch. Das Tempo wird vom Fließband vorgegeben, jeder Arbeitsschritt ist genau definiert und muss jedes Mal auf exakt dieselbe Weise ausgeführt werden. Flexibilität, Kreativität, Weiterentwicklung und Selbstverwirklichung sind für die Arbeiter kaum möglich. Auch Adam Smith sah in der stark arbeitsteiligen Produktion Gefahren, die er in seinem Hauptwerk *Der Wohlstand der Nationen* drastisch beschrieben hat (Smith 1776, Bd. 3, 123 f.):

> »Ein Mensch, der sein ganzes Leben damit hinbringt, ein paar einfache Operationen zu vollziehen, deren Erfolg vielleicht immer derselbe oder wenigstens fast derselbe ist, hat keine Gelegenheit, seinen Verstand zu üben. … Er verliert also natürlich die Fähigkeit zu solchen Übungen und wird am Ende so unwissend und dumm, als es nur immer ein menschliches Wesen sein kann. Die Verknöcherung seines Geistes macht ihn nicht nur unfähig, an einer vernünftigen Unterhaltung teilzunehmen …, sie benimmt ihm sogar alle Rüstigkeit des Körpers und macht ihn unfähig, seine Gliedmaßen in einem anderen Geschäfte als dem, zu welchem er erzogen ist, mit Ausdauer und Anstrengung zu gebrauchen. … Dies aber ist der Zustand, in welchen in jeder zivilisierten Gesellschaft die arbeitenden Armen … notwendigerweise fallen müssen, wenn es sich die Regierung nicht angelegen sein läßt, dagegen Vorsorge zu treffen.«

Trotzdem ist die traditionelle, stark arbeitsteilige Massenproduktion noch heute, gut einhundert Jahre nachdem das erste Ford Modell T vom Band gelaufen ist, die gängige Produktionsform zahlreicher Güter – gerade in vielen Entwicklungs- und Schwellenländern.

Aufgrund der bereits beschriebenen Verschiebung vom sekundären Produktions- zum tertiären Dienstleistungssektor, eines größeren Anteils der direkt auf die Wünsche von Kundinnen und Kunden zugeschnittenen Produktion und eines steigenden Bewusstseins für die negativen Aspekte der traditionellen Massenproduktion entstanden ab den 1960er Jahren neue Formen der Arbeitsorganisation. In Deutschland fand diese Bewegung beispielsweise Ausdruck durch das 1974 aufgelegte staatliche Programm »Forschung zur Humanisierung des Arbeitslebens« (Salfer und Furmaniak 1981), das bis 1989 lief und als Ziel hatte, »die Möglichkeiten [zu] untersuchen, wie die Arbeitsbedingungen stärker als bisher den Bedürfnissen der arbeitenden Menschen angepaßt werden können (BMFT 1979, 7). Es entwickelten sich verschiedene neue Formen der Arbeitsorganisation, die damals unter anderem mit den Begriffen »Toyotismus«, »Volvoismus« und »Postfordismus« beschrieben wurden. Sie versuchen, die Vorteile von Handwerk und traditioneller Massenproduktion zu vereinen und zeichnen sich durch ein deutlich höheres Maß an Flexibilität und Selbst- beziehungsweise Mitbestimmung aus. Ein typisches Merkmal stellt die Bildung von Arbeitsgruppen dar, in denen mehrere Arbeitsschritte zusammengefasst sind. Die Gruppe kann bis zu einem gewissen Grad eigenverantwortlich entscheiden. Außerdem sind die Hierarchieebenen deutlich flacher. Neben den angestrebten Qualitätsverbesserungen und Produktivitätssteigerungen sollte damit die Arbeit auch in gewissem Umfang rehumanisiert und redemokratisiert werden.

Der Prozess der Flexibilisierung der Arbeit und der Rückverlagerung unternehmerischer Verantwortung von der Führungsebene auf niedrigere Hierarchieebenen und die damit einhergehende Diversifizierung des Aufgabenbereichs hat sich in den vergangenen Jahrzehnten in vielen Branchen weiter verstärkt. In Anlehnung an die Industrielle Revolution wird dieser Wandel als »organisatorische Revolution« bezeichnet.[11]

11 Zur »organisatorischen Revolution« vgl. Snower (1997), Gual i Sole (1998) und Eichhorst et al. (2013).

Ermöglicht wurde dieser Wandel auch durch den technischen Fortschritt, durch den nun auch kleinere Chargen flexibel und kosteneffizient produziert werden können. Anstatt einer standardisierten Massenproduktion konnten nun individualisierte, an Kundenwünsche angepasste Produkte hergestellt und so neue Märkte erschlossen werden. Kennzeichnend für den durch die »organisatorische Revolution« ausgelösten Wandel ist beispielsweise, dass Zielvereinbarungen an die Stelle von Handlungsanweisungen treten. Die Ziele sollen von den jeweiligen Teams selbstverantwortlich erreicht werden, wobei die Mittel der Zielerreichung oft weitgehend den Teams und Teamleitern überlassen bleiben. Statt Fremdbestimmung und direkter Kontrolle sind Selbstorganisation und unternehmerisches Handeln gefragt. Die Mitarbeiter werden sozusagen »Intrapreneure« innerhalb der eigenen Firma (Pinchot 1985).

Der hier beschriebene Prozess wird häufig als neue »Subjektivierung« der Arbeit bezeichnet. Damit er erfolgreich verläuft, ist es in zunehmender Weise erforderlich, die Persönlichkeit ins Arbeitsleben einzubringen – was aber ein zweischneidiges Schwert darstellt: Zum einen ermöglicht diese Subjektivierung, positiv gewendet, den Mitarbeitern mehr Entwicklungs- und Partizipationsmöglichkeiten und dadurch mehr Raum zur Selbstverwirklichung. Negativ betrachtet, wird der vom Markt vorgegebene, zuvor hauptsächlich auf der Führungsebene lastende Leistungs- und Erfolgsdruck direkt auf die Mitarbeiter übertragen. Dies kann zu Überforderungen führen: zum einen, wenn die Mitarbeiter nicht in ausreichendem Maße zu dieser Form der unternehmerischen Verantwortung befähigt und unterstützt wurden, und zum anderen, wenn unrealistisch hoch angesetzte Zielvereinbarungen zu einer systematischen Überforderung führen. Im Lichte einer immer weiter voranschreitenden »Vermarktlichung« und Kurzfristigkeit der Unternehmenssteuerung ist diese Gefahr als besonders relevant und kritisch zu bewerten. Dies gilt noch einmal verschärft bei insgesamt zurückgehenden gesamtwirtschaftlichen Wachstumsraten und damit vor dem Hintergrund einer möglichen Postwachstumsökonomie.

Oft geht mit der »Subjektivierung« auch eine »Entgrenzung« der Arbeit einher. Damit wird die zunehmende Auflösung der Grenzen zwischen Arbeit und Privatleben beschrieben, beispielsweise durch eine permanente Erreichbarkeit. Wie bei der Subjektivierung sind auch die Folgen der Entgrenzung ambivalent. Auch sie geht oft einher mit einem höheren Grad der Selbstbestimmtheit und Flexibilität. Fühlen sich die Mitarbeiterinnen und Mitarbeiter jedoch überfordert, wird durch die Entgrenzung der im Arbeitsleben entstehende Stress noch stärker auf das Privatleben übertragen, ein Abschalten ist dann vielen Menschen nicht mehr möglich. Dies führt sowohl für die Mitarbeitenden selbst als auch oft für deren Familien zu steigenden Belastungen. Dass solche Probleme in relevantem Umfang vorliegen, lässt beispielsweise die rapide Zunahme psychischer Erkrankungen vermuten. So hat sich laut dem Fehlzeiten-Report die Anzahl der Fehltage durch psychische Erkrankungen von 1994 bis 2011 mehr als verdoppelt; die Zahl der Fehltage durch Burn-out hat sich von 2004 bis 2011 mehr als verzehnfacht (Badura et al. 2012). Allerdings lässt sich wohl ein Teil dieser Steigerungen durch eine höhere Sensibilisierung für dieses Thema erklären. In einer Betriebsrätebefragung im Zeitraum 2008/09 gaben 60 Prozent der Betriebsräte bezüglich der Belastungen innerhalb der Belegschaft an, dass in ihrer Wahrnehmung die »Notwendigkeit, eigenverantwortlich zu arbeiten«, die Belegschaft »stark bis sehr stark« belaste; 50 Prozent fällten dieses Urteil bezüglich des »hohen Verantwortungsdrucks«. Zusammen mit der

Belastung »Termin und Zeitdruck« (67 Prozent) waren dies die meistgenannten Belastungen (WSI et al. 2009). Die aufgezeigte Ambivalenz verdeutlicht, dass in der »organisatorischen Revolution« sowohl Chancen als auch Gefahren liegen. Mehr Selbstbestimmung und Verwirklichungsmöglichkeiten sind wichtige Bestandteile einer »guten« sinnstiftenden Arbeit. Werden die Mitarbeiter jedoch nicht ausreichend befähigt und unterstützt, oder liegen unrealistische Zielvorgaben vor, kann darin jedoch für viele auch mehr Fluch als Segen liegen.

Neben und verknüpft mit der organisatorischen Revolution waren die Arbeitsorganisation und Arbeitsinhalte in den letzten Jahrzehnten weiteren großen Veränderungsprozessen unterworfen. So wurde in einigen Branchen seit Ende der 1990er Jahre auch eine »Retaylorisierung« festgestellt (Kuhlmann 2009). Im produzierenden Gewerbe, beispielsweise im Automobilbereich, ist diese Entwicklung durch eine Abkehr von Gruppenarbeit und einer erneuten Hinwendung zu straff getakteten, stark arbeitsteiligen Fließbandtätigkeiten gekennzeichnet. Im Dienstleistungsbereich, etwa im Einzelhandel, bekommt diese Entwicklung beispielsweise Gestalt durch eine starke Fokussierung auf eine einzelne Arbeitstätigkeit, zum Beispiel Regale einräumen. Die negativen Folgen einer solch starken Arbeitsteilung unterscheiden sich kaum von den bereits dargestellten Auswirkungen des Taylorismus oder von der oben zitierten Beschreibung von Adam Smith.

In den letzten Jahrzehnten waren zudem eine Erosion des Normalarbeitsverhältnisses und eine sogenannte Dualisierung des Arbeitsmarktes zu beobachten. Der Begriff des Normalarbeitsverhältnisses bezeichnet eine unbefristete, direkt beim Unternehmen ausgeübte Vollzeitbeschäftigung, deren Vergütung regelmäßig und mindestens Subsistenz sichernd und voll integriert in die sozialen Sicherungssysteme ist. Zudem haben die so beschäftigten Arbeitnehmerinnen und Arbeitnehmer die Möglichkeit einer Interessenvertretung über Betriebsräte und Gewerkschaften. Der Begriff der Dualisierung beschreibt die Entwicklung, dass sich der deutsche Arbeitsmarkt zunehmend ausdifferenziert in einen zwar weiterhin großen, jedoch im Umfang abnehmenden Teil, der von Normalarbeitsverhältnissen geprägt ist, und in einen Teil, in denen atypische Beschäftigungsverhältnisse zu finden sind (Eichhorst et al. 2010): Teilzeitbeschäftigungen mit zwanzig oder weniger Arbeitsstunden pro Woche, geringfügige Beschäftigungen, befristete Beschäftigungen sowie Leiharbeitsverhältnisse. Von 1991 bis 2014 hat sich deren Anteil von 13 Prozent auf 21 Prozent erhöht (Statistisches Bundesamt 2015a). Einhergehend mit dieser Dualisierung fand auch eine zunehmende Prekarisierung der Beschäftigungsverhältnisse statt. Der Begriff der prekären Beschäftigung beschreibt Arbeitsverhältnisse mit niedrigen Löhnen, die oft befristet und unsicher sind, keine Möglichkeiten zur Weiterbildung und zum Aufstieg bieten, nicht durch die Sozialversicherung abgesichert sind und kaum arbeitsrechtliche Schutzrechte begründen. Allerdings sind bei weitem nicht alle atypischen Beschäftigungsverhältnisse prekär – auf der anderen Seite können auch Vollzeitbeschäftigungen prekär sein. Atypische Beschäftigungsverhältnisse weisen jedoch ein deutlich höheres Risiko auf, gleichzeitig auch prekär zu sein (Brehmer / Seifert 2007). Die zunehmende Prekarisierung lässt sich an verschiedenen Statistiken ablesen, zum Beispiel:

- Der Anteil der Niedriglohnbeschäftigten in Deutschland hat sich von 19 Prozent im Jahr 1995 auf 24 Prozent im Jahr 2012 erhöht. In Ostdeutschland lag er dabei mit 37 Prozent deutlich höher als in Westdeutschland, wo er 22 Prozent betrug (Kalina / Weinkopf 2014, 3).

- Die Anzahl der Leiharbeitnehmer hat sich von 114 000 im Jahr 1993 auf 961 000 im Juni 2015 mehr als verachtfacht (Bundesagentur für Arbeit 2016b, 7).
- Die Tarifbindung ist deutlich rückläufig. In den alten Bundesländern fiel der Anteil der Beschäftigten, für die ein Branchen- oder Firmentarifvertrag galt, von 76 Prozent im Jahr 1998 auf 60 Prozent im Jahr 2014, in den neuen Bundesländern von 63 Prozent auf 47 Prozent (Statistisches Bundesamt 2015b, 52).

Durch den technischen Fortschritt fand in vielen Branchen seit Beginn der 1990er Jahre eine umfassende Digitalisierung statt, die auch als »dritte industrielle Revolution« oder »digitale Revolution« bezeichnet wird. Diese Entwicklung setzt sich nun in der Entwicklung zur sogenannten Industrie 4.0 fort, bei der die Kommunikation von Maschinen untereinander und deren Auswirkung auf die Produktionsprozesse im Fokus stehen. Welches Ausmaß und welche Auswirkungen diese Veränderungen haben werden, lässt sich nur schwer prognostizieren. Für Aufsehen sorgte in der Öffentlichkeit im Januar 2016 eine Studie des Weltwirtschaftsforums (WEF), wonach bis 2020 – maßgeblich ausgelöst durch die digitale Revolution und Industrie 4.0 – weltweit über 7 Mio. Arbeitsplätze verloren gehen würden. Dabei handele es sich bei zwei Dritteln der verlorenen Arbeitsplätze um Büro- und Verwaltungsstellen. Gleichzeitig würden nur 2 Mio. neue Arbeitsplätze geschaffen. Netto bliebe also ein Verlust von rund 5 Mio. Arbeitsplätzen bis zum Jahr 2020 bestehen (WEF 2016, 1).

Inwieweit diese Prognose eintreten wird, bleibt abzuwarten. Klar scheint jedoch, dass sich der Arbeitsmarkt in den kommenden Jahrzehnten – wie auch in den Jahrzehnten zuvor – stetig wandeln wird. Damit der Wandel der Arbeitswelt den Beschäftigten und Selbständigen zum Vorteil gereicht, müssen die Veränderungsfaktoren genau analysiert und aktiv gestaltet werden. Der stupide, repetitive Arbeitsalltag des Taylorismus scheint dafür kein probates Mittel. Vielmehr gilt es, andere, humanere Formen der Arbeitsorganisation zu fördern und dabei auch die Möglichkeiten des technischen Fortschritts zu nutzen. Die organisatorische und digitale Revolution und die Industrie 4.0 bieten hier viel Potential. Gleichzeitig bergen sie aber auch Gefahren, zum Beispiel über die benannten Prozesse der Subjektivierung und Entgrenzung der Arbeit. Auch die zu erwartende »Vernichtung« bestehender Arbeitsplätze wird natürlich zu Spannungen führen, ist aber im Sinne einer schumpeterischen »schöpferischen Zerstörung« wohl unvermeidlich und – vorausgesetzt, es gibt eine adäquate Unterstützung bei der Restrukturierung – auch zu begrüßen. Entscheidend ist es, die neuentstehenden Strukturen so zu gestalten, dass sie am menschlichen Wohl ausgerichtete Arbeitsbedingungen hervorbringen und dabei nicht auf konstantes Wirtschaftswachstum im traditionellen Sinne angewiesen sind. Dann würde die Postwachstumsökonomie eine positive Vision einer zukünftigen Arbeitswelt ermöglichen.

4.5 Entwicklung und Folgen der Arbeitslosigkeit

Zum Abschluss dieses Kapitels soll auf die Entwicklung der Arbeitslosigkeit in der Wachstumsgesellschaft eingegangen werden. Die Folgen der Arbeitslosigkeit wurden bereits 1933 von Jahoda et al. in der zu den Klassikern der empirischen Soziologie gehörenden Studie *Die Arbeitslosen von*

Marienthal untersucht. Das einzige in Marienthal ansässige Industrieunternehmen war in Folge der Weltwirtschaftskrise 1929/1930 in Konkurs gegangen, so dass fast alle Bewohner der Arbeitersiedlung in der Nähe Wiens ihre Arbeit verloren. Marie Jahoda, Paul Felix Lazarsfeld und Hans Zeisel untersuchten die Auswirkungen dieser kollektiven Arbeitslosigkeit, auf Anregung des damals führenden österreichischen Sozialdemokraten Otto Bauer. Die Folgen waren dramatisch: Zwar gab es eine bescheidene Arbeitslosenunterstützung, trotzdem breitete sich große Armut aus. Ohne die Aussicht auf eine baldige Beschäftigung oder andere Zukunftsperspektiven machte sich Hoffnungs- und Antriebslosigkeit breit. Nach dem Wegfallen der von der Arbeit vorgegebenen Zeiteinteilung waren viele nicht mehr imstande, eine alternative Tagesstruktur zu gestalten. Insgesamt umschrieben die Forscher die arbeitslose Arbeitersiedlung als »müde Gemeinschaft«.

Seitdem zeigen zahlreiche weitere Studien, dass der hohe gesellschaftliche Stellenwert der bezahlten Arbeit dazu führt, dass Arbeitslosigkeit oft mit einem Ansehensverlust und Langzeitarbeitslosigkeit mit einer Stigmatisierung verbunden ist. Damit gehen oft psychische und gesundheitliche Probleme einher. Die subjektive Lebenszufriedenheit liegt bei Arbeitslosen in Deutschland im Durchschnitt bei etwa 6 Punkten auf einer Skala von 0–10 und damit um etwa einen Punkt niedriger als die durchschnittliche subjektive Lebenszufriedenheit (Faik und Becker 2009, 18). Hinzu kommt, dass, wie schon erwähnt, die Folgen oft nicht nur die Arbeitslosen selbst, sondern auch deren Familien treffen (Marcus 2014). Zudem birgt Langzeitarbeitslosigkeit die Gefahr einer Dequalifizierung, also einer Entwertung der bisher erlangten Qualifizierung. Mit Arbeitslosigkeit geht meist auch eine relative Verarmung einher. So lag die Armutsgefährdungsquote von Arbeitslosen in Deutschland im Jahr 2014 bei 67 Prozent (Eurostat 2016a). Das ist mehr als viermal so hoch wie der deutsche Durchschnitt, der bei 15 Prozent lag (Eurostat 2016b).

Arbeitslosigkeit hat also in unserer heutigen Gesellschaft äußerst negative Folgen für die Betroffenen. Wie hat sich die Zahl der Arbeitslosen in der Wachstumsgesellschaft entwickelt? In Westdeutschland hat sich die Arbeitslosenquote nach dem Zweiten Weltkrieg von 11 Prozent im Jahr 1950 auf 0,7 Prozent im Jahr 1965 zunächst stark reduziert. Geht man von der in den Wirtschaftswissenschaften gängigen Annahme aus, dass Vollbeschäftigung bei einer Arbeitslosenquote von weniger als 2 Prozent vorliegt, so war Westdeutschland von 1961 bis 1973 »vollbeschäftigt«. Danach stieg die Arbeitslosenquote jedoch deutlich an und erreichte im Jahr 2005 in Westdeutschland ihren Höchststand von 11,0 Prozent (BfA 2016a). In Ostdeutschland stieg die Arbeitslosenquote von 10,2 Prozent im Jahr 1991 auf den Maximalwert von 20,6 Prozent im Jahr 2005 an. Für Deutschland insgesamt erhöhte sie sich im selben Zeitraum von 7,3 auf 13,0 Prozent. Seit dem Jahr 2005 hat sich die Arbeitslosenquote jedoch wieder deutlich verringert. So lag sie im Jahr 2014 durchschnittlich bei 7,5 Prozent, wobei die Quote in Ostdeutschland 11,0 Prozent und 6,7 Prozent in Westdeutschland betrug. Trotzdem ist Deutschland auch heute weit entfernt von einer Vollbeschäftigung, wie sie in den 1960er Jahren vorlag. Allem Anschein nach zeigt sich hier das Problem der »technologischen Arbeitslosigkeit«, das bereits John Maynard Keynes (1930, 325) vorausgesagt hatte:

> »We are being afflicted with a new disease of which some readers may not yet have heard the name, but of which they will hear a great deal in the years to come – namely, technological

> unemployment. This means unemployment due to our discovery of means of economising the use of labour outrunning the pace at which we can find new uses for labour.«

Das Problem der technologischen Arbeitslosigkeit wird auch in Zukunft von großer – vielleicht sogar noch größerer – Relevanz sein. Bereits im Abschnitt über die Veränderung der Arbeitsorganisation wurde auf deren Wirkung im Rahmen der Entwicklung zur Industrie 4.0 eingegangen. Damit wird die Bewältigung unfreiwilliger Arbeitslosigkeit auch eine der entscheidenden Herausforderungen auf dem Weg zu einer Postwachstumsgesellschaft sein. Wie gezeigt wurde, hat das Wirtschaftswachstum der vergangenen Jahrzehnte nicht zu einer nachhaltigen Reduzierung der Arbeitslosigkeit geführt. Angegangen werden kann das Problem der Arbeitslosigkeit zum Beispiel über eine gleichmäßigere Verteilung der Arbeit (vgl. Kapitel 12) sowie über eine Abmilderung der Folgen von Arbeitslosigkeit (vgl. Kapitel 11).

5 Konkrete Utopien zur Zukunft der Arbeit – ein Rückblick

Zu allen Zeiten mindestens der letzten zweihundert Jahre sind Konzepte entwickelt worden, die in Abgrenzung zu den Verhältnissen erst im Feudalismus und dann im industriell geprägten Kapitalismus und seinen häufig unerträglichen Arbeitsbedingungen theoretisch beschrieben haben, auf welchen Grundsätzen eine verbesserte Arbeitsgesellschaft gestaltet werden sollte und wie die Organisation der Erwerbsarbeit erfolgen könnte. Oft stellen sie den Einzelnen und seine Befreiung aus Abhängigkeitsverhältnissen in den Vordergrund, die häufig als entwürdigend und unmoralisch empfunden werden, dann wieder steht jedoch die Gemeinschaft oder die Gesellschaft und ihre institutionelle Form im Mittelpunkt. Zum Teil nehmen diese Konzepte ihren Ausgangspunkt in abstrakten Prinzipien oder philosophischen Überlegungen, zum Teil werden sie aber auch in Form realer Utopien vorgetragen.

Wir beschränken die Verwendung des Begriffs der Utopie hier auf *mögliche* Entwicklungen der Gesellschaft – Entwicklungen also, die realisiert werden können. In diesem Verständnis ist eine Utopie keine bloße Fiktion des Bewusstseins, kein künstliches soziotechnisches Konstrukt, sondern die Vorwegnahme einer möglichen Zukunft, einer möglichen Realität. Eine Utopie hat also die Funktion, zwischen dem

Bewusstsein und der zukünftigen Realität zu vermitteln. Eine solche »aufgeklärte« Utopie ist kein statisches Modell, sondern muss fortwährend durch kritische Reflexion auf die Ergebnisse von Prognosen modifiziert werden. Indem Utopien an den Ergebnissen von Prognosen abgearbeitet werden, werden sie auch zum Korrektiv für unser Bewusstsein: Wir werden so gezwungen, nicht nur unser Wissen zu überprüfen, sondern auch unsere Hoffnungen und Wünsche, unsere Ideologien und Zielvorstellungen – und der Standard für diese Überprüfung wird durch eine kritische Vorwegnahme der Wirklichkeit gesetzt (Picht 1967, 39 ff.; Diefenbacher / Ratsch 1992, Kap. 3).

5.1 Die Befreiung von Arbeit bei Gustav Landauer

In einer eindrucksvollen Utopie hat Gustav Landauer – Anarchist, Schriftsteller, zuletzt Kultusminister der ersten bayerischen Räteregierung 1919 – einen Weg der Befreiung der Arbeit von kapitalistischen Herrschaftsstrukturen entworfen, für den sich die Menschen »absondern« von Unterdrückung und Entfremdung und zur Gründung eigenverantwortlich betriebener Genossenschaften hinwenden.[12]

In drei »Flugblättern«, mit denen die Gründung des Sozialistischen Bundes vollzogen und um Mitglieder geworben wurde, wird beschrieben, wie durch einen »aktiven Generalstreik« den Kapitalisten ihre Ohnmacht vorgeführt wird (Landauer 1908):

12 Der folgende Abschnitt ist ein gekürzter und überarbeiteter Ausschnitt aus Diefenbacher (1996).

»Der Generalstreik! Aber ein Generalstreik ganz anderer Art, als er gewöhnlich im Mund der Agitatoren und im Herz der schnell hingerissenen Masse wohnt – die abends Beifall klatscht und morgens wieder zur Fabrik trottet. … Wir künden Euch, Ihr Arbeiter, den aktiven Generalstreik! … Im aktiven Generalstreik sind die Arbeiter so weit, daß sie die Kapitalisten aushungern, weil sie nicht mehr für den Kapitalisten arbeiten, sondern für die eigenen Bedürfnisse. Ihr Kapitalisten, Ihr habt Geld? Ihr habt Papiere? Ihr habt Maschinen, die leer stehen? Eßt sie auf, tauscht sie untereinander, verkauft sie Euch gegenseitig – macht was Ihr wollt! Oder – arbeitet! Arbeitet wie wir. Denn Arbeit könnt Ihr von uns nicht mehr bekommen. Die brauchen wir für uns selbst.«

Nicht mehr als Lohnarbeiter für den Warenmarkt zu produzieren – das war für Landauer der Weg zum Sozialismus, mit dessen Aufbau sofort begonnen werden konnte (Landauer 1909).

Der erste Schritt ist die Organisation des Konsums, ein weiterer Schritt die Organisation des Kredits, des Bankwesens also, in kleinen, dezentralen Genossenschaften. Diese beiden ersten Schritte führen aber erst in Verbindung mit dem dritten zum Sozialismus: der Übernahme von Grund und Boden durch die Volksgemeinden.

Aber Landauer selbst scheint zu spüren, dass seine Vorstellungen an dieser wichtigen Stelle noch unklar sind, denn wenige Absätze weiter in diesem dritten Flugblatt postuliert er, dass das Unabgeschlossene, Unfertige notwendiger Bestandteil des Aufbaus sozialistischer Gesellschaften ist (Landauer 1909):

»Heute machen sich die Menschen … die fabelhaftesten Vorstellungen von dem Aufhören des Privateigentums an Grund

und Boden. Das kommt daher, daß sie als Ungläubige und Tatlose immer nur ans Vollendete, ans sogenannte Ganze ... denken, statt an den Allerersten Anfang, das Handanlegen und Durchsetzen. Unter uns Menschen und in der Natur überhaupt gibt es keine fertigen Gebilde, nichts Rundes und Abgeschlossenes. ... Die Wirklichkeit ist in der Bewegung, und der wirkliche Sozialismus ist immer nur beginnender, ist immer nur ein solcher, der unterwegs ist.«

Aus dem Kapitalismus austreten heißt für Landauer daher: sozialistische Gehöfte, sozialistische Dörfer in der Form von Genossenschaften gründen, deren interne Organisationsstruktur allerdings noch nicht fest umrissen wird; Land- und Industriearbeit, Hand- und Kopfarbeit vereinigen, für alle Bedürfnisse selbst sorgen und, sobald es geht, mit anderen dieser Dörfer oder Genossenschaften auf dem neuen, »sozialen Markt« tauschen und den kapitalistischen Markt vermeiden. Staat und Kapital werden einfach in Ruhe gelassen. Sie werden quasi von selbst von der neuen sozialistischen Wirklichkeit ersetzt: Die Kapitalisten schließen sich dem Sozialismus kraft zunehmender Einsicht an, oder sie finden einfach keinen Nährboden mehr für ihre verfehlte Lebensweise. Auch der Staat erlischt wie die Großunternehmen – sie zu zerstören, hätte gar keinen Sinn (Landauer 1910a, 1910b).

Der Sozialistische Bund gewann nie mehr als knapp 300 Mitglieder. Landauers Aufrufe zum »aktiven Generalstreik«, zur Gründung anarchistischer Konsumgenossenschaften und der ersten Siedlung[13] blieben in der Arbeiterschaft fast ohne

13 Landauer (1910/13): In Sachen der Konsumgenossenschaften. In: Der Sozialist, 1.10.1910; Sozialismus und Genossenschaft. In: Der Sozialist, 13.10.1910; Vom Sozialismus und der Siedlung. Thesen zur Wirklichkeit und Verwirklichung. In: Aufbruch (Berlin), Heft 4, 1913, 86–93.

Resonanz. In der Zeit vor Ausbruch des Weltkrieges gibt es vermehrt resignative Äußerungen von Landauer (1913), besonders nachdem die anarchistische Föderation Deutschlands sein Gesuch um Zusammenarbeit rundum ablehnte, weil sie es mit ihrem klassenkämpferischen Programm zur Zerstörung des Staates für unvereinbar hielt.

5.2 Martin Bubers ›Pfade in Utopia‹

Eine Utopie über das Zusammenleben von Menschen, die erheblichen Einfluss in der Praxis der israelischen Kibbuzbewegung hatte und noch immer hat, hat Martin Buber (1959) in seinem Werk *Pfade in Utopia* ausführlich hergeleitet und formuliert. Nur wenige Menschen sind heute mit der Breite des Werkes von Martin Buber vertraut; in der Öffentlichkeit kennt man vielleicht noch die chassidischen Geschichten (Buber 1933), sehr viel weniger schon seine philosophischen und fast gar nicht seine politischen Schriften. Aber Martin Bubers utopischer Entwurf der Konstitution einer idealen Gesellschaft bestimmt sein Nachdenken auch über die Bausteine seiner politischen Konzepte. Ein gemeinsamer Nenner ist eine bestimmte Variante des Anarchismus, dessen Erscheinungsform in einer ersten Annäherung mit dem Begriff des Kommunitarismus bezeichnet werden kann, denn der Kern der Philosophie Martin Bubers ist nicht das Individuum, sondern die Beziehungen und der Dialog zwischen Individuen (Etzioni 1999, 14). Auch für Martin Buber besteht – wie für Gustav Landauer – die Aufgabe darin, eine neu zu errichtende Gesellschaft zu schaffen, die er als kulturvolle, freiwillige Gemeinschaft freier Individuen begreift, als soziale Kultur, in der Leben, Arbeit und Kunst eins sind. Der politische Anarchismus Martin Bubers ist, inspiriert von Gustav Landauer, im Sinne eines »föderativ-gemeinschaftlichen Sozialismus« (Wolff 2011, 25; Buber 1929) zu verstehen, der zudem eine religiöse Konnotation besitzt.

Auch die ökonomische Basis des Sozialismus dieser Prägung weist deutliche Bezüge zu Gustav Landauers sozialistischen Dörfern auf: »Gemeineigentum an Boden, Selbstarbeit und die freie Bestimmung der Siedler über die Normen ihres Gemeinschaftslebens« (Buber 1929, 386). Kern der zukünftigen freien Gesellschaftsordnung wären damit dezentralisierte, autonome Einheiten, in denen sich Menschen zu sozial verantwortlichen Individuen entwickeln können. Föderativer Sozialismus und sozialistischer Zionismus sollten ein Bündnis eingehen, nicht nur, um die sozialen und ökonomischen Probleme zu lösen und Siedlungen zu schaffen, sondern auch, um den jüdisch-arabischen Konflikt dauerhaft zu bewältigen (Wolf 2011, 34). »Grund- und Eckstein der Buber'schen Sozialutopie ist die *Gemeinschaft*«, so schreibt Abraham Schapira in seinem Nachwort zu einer Neuausgabe von *Pfade in Utopia* (Schapira 1985, 327) – ein »utopisch-anarchischer Traum von Gemeinsamkeit« (ibid.), des Dialogs und der Begegnung mit Anderen.

Dabei sieht Buber einen Kernpunkt, der immer viel Aufmerksamkeit bedarf: »Wie Menschen gut in Gemeinschaften integriert werden können, ohne dass sich ihr Selbst dabei verliert« (Etzioni 1999, 53). Dabei zieht Buber kleine und persönliche Gemeinschaften großen zentralisierten und bürokratisch organisierten Gesellschaften deutlich vor. Gesellschaft ist für Buber ein Interessensverband, Gemeinschaft aber ein »Lebensverband« (Bohnsack 2008, 31). Ein solcher Lebensverband baue sich auf von der Familie über den Kibbuz, die Produktion und Konsum miteinander verbinden, bis zur regionalen Verbundenheit (ibid.). Deswegen ist ein Kibbuz nur dann einer, »wenn seine Mitgliederzahl den Personenkreis, den ein Mensch persönlich kennen kann, nicht übersteigt« (Buber 1961, 302). Schließlich entscheidet sich die Qualität der Arbeit in der Gemeinschaft auch in der Wahl der Technik: Buber spricht sich nicht für einen Verzicht auf technische Errungenschaften aus, sondern für eine Humanisierung der Technik. Zwischenmenschliche Beziehungen müssen sich innerhalb des Arbeitens mit Technik abspielen können, und es muss auch in von Technik geprägten Arbeitsprozessen möglich sein, »dem Arbeiter ein Verhältnis zum Werk als ganzem zu vermitteln« (ibid., 310 f.).

5.3 Kolonisierung der informellen Arbeit

Gershuny (1981, 90 ff.) hat bereits Ende der 1970er, Anfang der 1980er Jahre die von Fourastié (1954) und Bell (1976) vertretenen Annahmen, wonach sich die frühentwickelten Industriegesellschaften auf dem Weg in eine Dienstleistungsgesellschaft befänden, teils verworfen, teils modifiziert. Für ihn ergibt sich ein Substitutionsprozess: Immer mehr Dienstleistungen wie Waschen, Reinigen, Kochen, Reparieren, Transport und Unterhaltung werden durch Eigenproduktion in den privaten Haushalten ausgeführt, wobei langlebige Haushaltsgüter zum Einsatz kommen, die vom sekundären Sektor angeboten werden.

Nach Huber (1984, 76 ff.) fußt das informelle Arbeiten in hohem Maße auf der geldlichen Versorgung durch die formellen Institutionen. »Erwerbsarbeit und Eigenarbeit sind in einer freien und mehr oder weniger sozialen Marktwirtschaft auf vielfältige Weise *voneinander* abhängig. Kein Konsum ohne Produktion. Kein Konsum ohne Geldeinnahmen. Kein Geldfluss und keine Produktion ohne Konsum« (Huber 1984, 77). Moderne Eigenarbeit ist also – wie dies auch Gershuny (1981; 1983) deutlich gemacht hat – warenintensiv: Zuerst müssen Güter erworben werden, bevor die häusliche Produktion aufgenommen werden kann. Dem stehen aber einige Hindernisse – wie etwa die abnehmende Haushaltsgröße – entgegen. Offe und Heinze (1986, 474) sehen die privaten Haushalte daher in einer Modernisierungs- oder Kommerzialisierungsfalle.

Vor diesem Hintergrund warnt Huber (1984, 216 ff.) vor übertriebenen Hoffnungen in die informelle Ökonomie, wenn sich an den gegenwärtigen Bedingungen nichts ändert. Stattdessen votiert er für eine besser balancierte Dualwirtschaft unter industriellen Bedingungen: In diesem Modell soll die Erwerbsarbeit durch Arbeitszeitverkürzungen auf 20 bis 25 Stunden pro Woche zurückgedrängt werden, so dass mehr Zeit für Eigenarbeit vorhanden ist. Was die konkrete Ausgestaltung des Modells angeht, so sind seine wenigen Ausführungen sehr vage. Ebenso bleibt er eine Antwort schuldig, ob sich mit der Arbeitszeitverringerung eine »Dekolonisierung des Alltags« ergeben wird.

Der sozial homogenen Dualwirtschaft steht die Drohung einer sozial gespaltenen »Doppelwirtschaft« entgegen, bei der informelle und formelle Ökonomie so getrennt sind, dass ein fließender Übergang zwischen beiden Bereichen nicht möglich ist. »Es entstehen dadurch jeweils zwei Klassen von Menschen – die erwerbstätige und die nicht-erwerbstätige Bevölkerung, Berufstätige und Arbeitslose, Honorige und Kriminelle, Herren des Hauses und Hausfrauen« (Huber 1984, 59). In der Dualwirtschaft sind die Grenzen dagegen durchlässig. Die von Huber unterstellte Wahlfreiheit der

Individuen muss dabei allerdings – wie schon bei Gershuny (1981; 1983) und Pahl (1984) – kritisch hinterfragt werden. Sind die Personen wirklich immer im »Besitz einer Rückfahrkarte«, wie Huber (1984, 59) behauptet?

5.4 Das Autonomiekonzept von André Gorz

André Gorz (1983; 1989) plädiert normativ dafür, das Erwerbssystem zu begrenzen und die Autonomiespielräume der Lebenswelt zu erweitern. Ähnlich wie bei Huber (1984) sieht sein Konzept eine Arbeitszeitreduzierung auf 20000 oder 30000 Stunden im Leben vor. Untermauert werden soll die Arbeitsumverteilung durch ein garantiertes Grund- oder Minimaleinkommen (Gorz 1983, 69ff.; 1989, 287ff.). Vor diesem Hintergrund könnte die nach wie vor trotz Arbeitslosigkeit recht starre Erwerbsbiographie auf verschiedene Art und Weise aufgelockert werden (Gorz 1989, 299):

> »Während dieser Unterbrechungen wäre das Einkommen weiter das normale Einkommen (mal aufgeschoben, mal antizipiert), auf das man durch seine normale Arbeit Anrecht hat – im Prinzip nicht anders (wenngleich in anderer Weise finanziert) als das Einkommen, auf das man heute während seines bezahlten Urlaubs Anrecht hat. Diese Möglichkeit, seine berufliche Tätigkeit für sechs Monate oder zwei Jahre periodisch zu unterbrechen, würde es jedem/r einzelnen während jedes Lebensalters ermöglichen, seine Studien fortzuführen oder wieder aufzunehmen; einen neuen Beruf zu erlernen; eine Musik- oder Theatergruppe aufzubauen, im Viertel eine Kooperative zu initiieren, ein Unternehmen oder ein Kunstwerk zu schaffen; ein Haus zu bauen; eine Erfindung oder Forschung weiter zu entwickeln; seine Kinder zu erziehen; ei-

ner politischen Aktivität nachzugehen; Entwicklungsdienst in einem Land der Dritten Welt zu leisten; einen Verwandten oder Freund in seinen letzten Lebensmonaten zu pflegen.«

Im Modell von Gorz (1983, 81 ff.; 1989, 235 ff.) sollen alle Menschen sowohl im autonomen Sektor, der Lebenswelt, als auch im heteronomen Sektor, der Alltagswelt, tätig sein. In der Heteronomie-Sphäre werden dann alle notwendigen Güter durch entfremdete und professionalisierte Erwerbsarbeit hergestellt. Dabei soll die Technik immer so weit eingesetzt werden, wie sie Arbeit und Zeit einsparen kann: »Dies ist ihr erklärtes Ziel – ein anderes hat sie nicht. Die Technik ist dafür da, die Menschen mehr und besser mit weniger Anstrengung und in kürzerer Zeit produzieren zu lassen« (Gorz 1989, 131). Die Probleme des heteronomen Sektors werden zwar von ihm angesprochen; die geleistete Arbeit wird aber in ihrer Monotonie und Fremdbestimmung hingenommen. Polemisch formuliert: Die Arbeit im »Reich der Notwendigkeit« (Marx 1894, 828) soll durch die neuen Techniken in möglichst kurzer Zeit bewältigt werden, danach winkt das »Reich der Freiheit«. Heteronomie- und Autonomiesphäre lassen sich jedoch auf diese Weise nicht voneinander trennen, denn die Strukturen der heteronomen Erwerbsarbeit werden nach wie vor ihre Auswirkungen auf den autonomen Bereich haben. *Trotz* Arbeitszeitverkürzungen müssen auch im industrialisierten Sektor veränderte Arbeits- sowie Produktionsbedingungen – so etwa durch Entdichtung der Erwerbsarbeit, Reduktion des Arbeitstempos, Einflussnahme auf Rationalisierungs- und technologische Prozesse – durchgesetzt werden. Ansonsten bleiben die Vorstellungen von Gorz (1983; 1989) sehr utopisch und idealistisch.

> »Arbeitsverkürzung, die dem bürgerlichen utopischen Denken seit Anbeginn als Geheimformel zur Beseitigung irdischen Elends innewohnt, ist auch bei Marx die materielle Grundbedingung für das Reich der Freiheit, das seinem ganzen Sinngehalt nach nur als Selbstzweck verstanden werden kann. Die klugen Arbeitsutopien in der Geschichte vermeiden es tunlichst, sich dieses Reich der Freiheit auszumalen. In der radikalen Kritik bestehender Verhältnisse formulieren sie Bedingungen dafür, dass es entstehen kann und kommen muss, und geben Hinweise darauf, welche Tätigkeiten in diesem von Arbeitszwang freigesetzten Reich der Freiheit möglich sind. Die unbefangene Art, in der zu Beginn des bürgerlichen Zeitalters über die gerechte und gleiche Verteilung der Arbeit auf alle Gesellschaftsmitglieder und über das Verhältnis von Arbeit und Freizeit, über Muße und notwendige Arbeit nachgedacht wurde, beeindruckt ebenso wie die Klarheit und Kompromisslosigkeit der sozialen Phantasie.« (Negt 2001, 443)

In einem weiteren Werk markiert Gorz (1989, 192 ff.) einen gesellschaftlichen Trend, bei dem ein wachsender Teil der Beschäftigten an den Rand des Wirtschaftsprozesses oder ganz aus ihm herausgedrängt wird. Der andere Teil wird dagegen – der ökonomischen Vernunft folgend – immer mehr arbeiten und damit über eine zunehmende wirtschaftliche Macht verfügen (Gorz 1989, 192):

> »Diese professionelle Elite wird es ablehnen, einen Teil ihrer Arbeit und der mit ihrem Arbeitsplatz verbundenen Vorrechte und Machtpositionen abzugeben. Sie kann daher ihre eigene Freizeit nur dadurch vergrößern, dass sie *Dritte* anstellt, um ihr verfügbare Zeit zu verschaffen.«

Die »Rationalisierungsgewinner« werden dabei von den »Rationalisierungsverlierern« verlangen, im informellen Sektor bestimmte Aktivitäten auszuführen. Der Elite gelingt es also, Arbeitszeit billiger zu kaufen als sie ihre eigene verkaufen muss. Gorz sieht hierin die Wiedergeburt einer Dienstbotenklasse. Für die »Dienstboten« ergeben sich zwar Arbeitsplätze in der informellen Ökonomie, aber zu Niedriglöhnen und auf instabiler Grundlage.

5.5 Die Dritte Industrielle Revolution nach Jeremy Rifkin

Jeremy Rifkin (1995, 45 ff.) sieht mit dem Aufkommen der Informationsgesellschaft eine »dritte industrielle Revolution« erreicht, die ihren Anfang bereits nach dem Zweiten Weltkrieg genommen hat und deren Folgen sich aber erst heute richtig bemerkbar machen. Durch rechnergesteuerte Roboter und hochentwickelte Computer wird Erwerbsarbeit immer überflüssiger (Rifkin 1995, 49):

> »Mit den richtigen Programmen versehen, können diese ›Denkmaschinen‹ alle möglichen Planungs-, Steuerungs- und Verwaltungsaufgaben übernehmen, und sie können Produktionsabläufe von der Gewinnung der Rohstoffe bis hin zur Vermarktung und Verteilung der Endprodukte und Dienstleistungen überwachen.«

Die *erste industrielle Revolution* markiert Rifkin mit dem Übergang zum Maschinenzeitalter: Im späten Mittelalter wurden neue Handelsrouten erschlossen, die Bevölkerung und die Städte expandierten und die Marktwirtschaft weitete sich immer mehr aus. Folge davon war die Zerstörung der natürlichen Ressourcen, indem ganze Wälder für den Schiffs- und Hausbau und als Heizmaterial verwendet wurden. Zwischen 1860 und 1914 kam es dann zur zweiten industriellen Revolution. Die Kohle wurde durch das Erdöl abgelöst, die Elektrizität wurde effektiver genutzt, und der Strom ermöglichte die Kommunikation der Menschen untereinander. Der Mensch wurde noch weiter von der Maschine verdrängt.

Anhand von zahlreichen Beispielen aus Landwirtschaft, produzierendem Gewerbe und Dienstleistungssektor kann Rifkin die Entwicklung zur dritten industriellen Revolution für alle industrialisierten Länder plastisch nachzeichnen. Damit verbunden ist seiner Auffassung nach eine tiefgreifende technologische und soziale Umstrukturierung der Arbeitswelt, die nicht nur zu erhöhtem Stress an den automatisierten Arbeitsplätzen, sondern auch zu einer Verschlechterung der wirtschaftlichen Lage der Arbeitnehmer geführt hat. Die destabilisierenden Wirkungen der dritten industriellen Revolution erstrecken sich auch auf die Länder der Dritten Welt (Rifkin 1995, 152):

> »In allen Entwicklungsländern werden Menschen durch Maschinen ersetzt. (…) Die Vorstellung, dass die Verlagerung von Produktionsanlagen in ärmere Länder diesen höhere Beschäftigung und größeren Wohlstand brächte, ist obsolet geworden.«

Für Rifkin (1995, 189) werden die Menschen zukünftig immer weniger Zeit in der Erwerbsarbeit verbringen und mehr Zeit für informelle Tätigkeiten haben (vgl. auch Gorz 1998). Dabei stellt sich für ihn die Frage, wie diese »Frei-Zeit« reguliert wird: Führt die Arbeitslosigkeit zu wachsender Armut, bestünde die Gefahr von sozialen Unruhen, massiver Gewalt und offenem Krieg. Werden die Arbeitnehmer aber durch kürzere Arbeitszeiten und entsprechender Entlohnung – etwa in Form eines staatlich garantierten Mindesteinkommens – an den Produktivitätszuwächsen beteiligt, so kann damit langfristig der Übergang zu einer Gemeinwirtschaft eingeleitet werden. Dieser »Dritte Sektor« hat quasi die Funktion als Auffangbecken für alle jene zu dienen, die im Erwerbsbereich freigesetzt werden (Rifkin 1995, 218):

> »Dieser Bereich, der den Maschinen weitgehend verschlossen bleiben wird, wird zwangsläufig zum Zufluchtsort für die Opfer der Dritten Industriellen Revolution. Dort werden sie ihrem Leben einen neuen Sinn geben können und ebenso ihrer Arbeit, die im marktwirtschaftlichen Sektor nichts mehr wert ist.«

In diesem Sektor können Solidarität und Verantwortung übernommen sowie menschliche Beziehungen und Einfühlungsvermögen eingebracht werden. Ähnlich wie Gorz (1989; 1998) sieht auch Rifkin (1995) eine Tendenz zur Spaltung der Gesellschaft in einen kleinen Teil von gutverdienenden und abgesicherten Arbeitnehmern und einem großen Teil von Beschäftigten, bei denen es Phasen von ungesicherter und minderbezahlter Erwerbsarbeit und Phasen von Arbeitslosigkeit gibt. Diese Entwicklung wird auch als Trend zur Zweidrittel- oder Dreiviertelgesellschaft umschrieben.

In seiner jüngsten Utopie geht Rifkin (2014) in der Beschreibung möglicher Veränderungen durch die Digitalisierung noch deutlich weiter – und blickt diesen zugleich optimistisch entgegen: Aus der Kombination neuer technischer Möglichkeiten mit sozialen Veränderungen, einschließlich einer Wiederentdeckung der Allmenden, entsteht die Chance auf eine humanere und ökologisch tragfähigere »Null-Grenzkosten-Gesellschaft«, die vor allem auf dem »Internet der Dinge« aufbaut, der nahezu kostenlosen Erzeugung von Energie aus regenerativen Quellen sowie der dezentralisierten und verschwendungsarmen Produktion durch 3D-Druck. Die technischen Fortschritte ermöglichen enorme Produktivitätssteigerungen, die einhergehen mit der intelligenten Steuerung von Waren- und Verkehrsströmen durch eine umfassende globale – aber einer nicht hierarchisierten und daher horizontalen – Vernetzung, wachsender Kooperation und kollaborativer Nutzung von Gemeingütern und Allmenden. Gerade letzteres bringt Rifkin nicht nur mit neuen technischen Möglichkeiten in Verbindung, sondern auch mit dem Widerstand gegen und die Suche nach Alternativen zu Privatisierungen von öffentlichen Gütern und Dienstleistungen sowie der kommerziellen Ausbeutung der Natur. Diese Alternativen nehmen – beispielsweise nach dem Modell freier Software – ebenso neue Formen an, wie sie zum Teil auch alte, etwa den Genossenschaftsgedanken, wiederbeleben. In der Sharing Economy rückt das Nutzen von geteilten Gütern gegenüber dem persönlichen Eigentum in den Vordergrund, was für die Konsumenten Kosten senken und den Materialverbrauch reduzieren kann.

Gleichzeitig ergeben sich für die Arbeitswelt tiefgreifende Änderungen, denn viele Arbeitsplätze werden durch intelligente Technologien und die Produktion von Gütern durch Dienstleistungen für den eigenen Bedarf ersetzt. Aus Konsumenten werden so »Prosumenten«, die zur eigenen Versorgung immer weniger auf Unternehmen angewiesen sind. Aber auch neue Arbeitsplätze entstehen, etwa in der Sozialwirtschaft und in der Herstellung und Betreuung der dezentralen Infrastruktur und der genutzten Technologien.

Die Grenzkosten für viele Produkte gehen aufgrund dieser

Entwicklungen gegen null, was nicht nur traditionellen Geschäftsmodellen, sondern dem Kapitalismus selbst die Grundlage entzieht: Statt Knappheit herrscht nun Überfluss. Rifkin sieht in diesem Prozess die Chance auf eine Abkehr vom Materialismus zugunsten einer Orientierung an Lebensqualität und der Entstehung eines globalen Bewusstseins für die Erhaltung der Biosphäre.

5.6 Die »Prosumenten-Ökonomie« als Verbindung von formeller und informeller Arbeit

Alvin Toffler (1980, 272 ff.) prophezeite für eine »nachindustrielle« Gesellschaft eine neue Klasse von Konsumenten, die »Prosumenten«. Sie produzieren die Güter und Dienstleistungen für den Eigenbedarf, indem sie die Kleidung selbst herstellen, die Autos selbst reparieren und heimwerken.

Die wirtschaftliche Entwicklung erklärt Toffler (1980) mit Hilfe von drei Innovationswellen: Im vorindustriellen Zeitalter, der »ersten Welle«, war die Landwirtschaft die dominante Wirtschaftsform. Zu dieser Zeit konsumierten die Menschen überwiegend das, was sie auch selbst produzierten. Dies waren – so Toffler – die archetypischen Prosumenten. Mit der industriellen Revolution, der »zweiten Welle«, wurden die Konsumenten und Produzenten voneinander getrennt; es gab einen Übergang von der agrargesellschaftlichen »Produktion für den Eigenverbrauch« zur industriellen »Produktion für den Markt«. Die Fabrik wurde in dieser Phase zur zentralen Institution, in der an Maschinen gearbeitet und das Geld zum Leben verdient wurde. Die meisten Menschen produzierten jetzt nicht mehr für den Eigenverbrauch, sondern für den Tausch.

Nach Toffler (1980, 139 ff.) wird im nachindustriellen Zeitalter, der »dritten Welle«, die formelle Ökonomie nicht mehr allein im Vordergrund stehen. Der bestimmende Ort werden die eigenen vier Wände sein, wo die meisten Menschen als Folge der neuen Informations- und Kommunikationstechnologien Produktion und Konsum gleichzeitig bewerkstelligen können. Die dritte Welle wird damit weder der ersten noch der zweiten Welle ähneln, sondern sich als historische Synthese beider Phasen erweisen.

Warum widmet sich die Bevölkerung heutzutage immer mehr Prosumenten-Aktivitäten? Dafür sind nach Toffler verschiedene Gründe verantwortlich: Erstens hat sich die Arbeitszeit im formellen Erwerbssektor ständig verringert. Zweitens sind die Beschäftigten immer besser qualifiziert, so dass sie monotone und routinisierte Arbeiten nur bedingt akzeptieren. Sie suchen daher im informellen Sektor eine entsprechende Ausgleichstätigkeit. Drittens sind in der Vergangenheit die Lohnkosten so stark gestiegen, dass durch Eigenarbeit Geld gespart werden kann. Viertens haben sich die persönlichen Ansprüche an Güter und Dienstleistungen verändert; der Einzelne hat eine hohe Sensibilität für deren Qualität und Verarbeitung entwickelt. Ebenso nimmt die Zahl von Kursen zu, in denen Grundwissen darüber vermittelt wird, wie bestimmte informelle Leistungen besser ausgeführt werden können.

5.7 Das »Mehrschichtenmodell der Arbeit« von Orio Giarini und Patrick Liedtke

Beim »Mehrschichtenmodell der Arbeit« von Giarini und Liedtke (1998, 231 ff.) werden produktive Tätigkeiten in drei Schichten aufgeteilt: Die »erste Schicht« soll als Basiseinheit *jedem* Menschen ein Minimum an Erwerbsarbeit in Form einer Grundbeschäftigung von rund 20 Stunden pro Woche ermöglichen. Die »zweite Schicht« würde ebenfalls bezahlte Arbeit umfassen beziehungsweise die der ersten Schicht ersetzen. Abgesehen von entsprechenden gesetzlichen Rahmenbedingungen sollte sie aber frei von staatlichen Eingriffen sein. Die persönliche Identität des Einzelnen wird dabei nicht unbedingt von der Arbeit in der ersten Schicht bestimmt, sondern von einer freien unternehmerischen Tätigkeit in der zweiten Schicht. Die »dritte Schicht« produktiver Tätigkeiten bilden nichtbezahlte freiwillige Tätigkeiten und Eigenleistungen. Alle drei Schichten können innerhalb der Lebensspanne zwischen 18 und 78 Jahren unterschiedlich organisiert sein.

Dieses neue Modell produktiver Tätigkeiten wird nach Ansicht von Giarini und Liedtke (1998, 233 ff.) notwendig, da in der Dienstleistungsgesellschaft viele Tätigkeiten, die bisher auf der Grundlage von Erwerbsarbeit erfolgten, ausgemustert oder in andere Tätigkeitsformen überführt wurden, die außerhalb des monetarisierten Systems liegen. Der Staat sollte deshalb für die erste Schicht das Äquivalent einer Grundbeschäftigung anbieten, die rund 20 Stunden pro Woche umfasst; sie sollte auf vielfältige Weise in unterschiedlich große Zeitabstände organisiert werden können. Die Tätigkeiten werden in vielen Fällen nicht den individuellen Wünschen des Einzelnen entsprechen und sollten mit einem garantierten Mindestgehalt, auf Grundlage einer negativen Einkommensteuer, vergütet werden, um absolute Armut zu verhindern.

Die Annahme dieser Arbeit wäre die Bedingung für den Bezug staatlicher Leistungen. Ein weiterer Vorteil der Basisarbeit liegt darin, dass Jugendliche die Gelegenheit erhalten, bereits ihre Ausbildung mit praktischen Arbeitserfahrungen zu kombinieren. Ebenso könnten ältere Menschen ab etwa 60 Jahren in eine Phase des gleitenden Ruhestands einsteigen und dabei weiterhin für die Gesellschaft nützlich bleiben, wenn sie dies wünschen. Dieser gleitende Ruhestand würde auch die Belastung der jüngeren Generationen verringern. Als Finanzierungsgrundlage der ersten Schicht sollen alle Finanzquellen herangezogen werden, die gegenwärtig für Arbeitslosengelder, Einkommensunterstützungen und Sozialhilfe vorgesehen sind.

Die erste Schicht sollte aber so wenig wie möglich die zweite Schicht der Arbeit beeinträchtigen, die gänzlich im monetarisierten privaten Bereich angesiedelt ist, zumal es dem Einzelnen überlassen bleiben soll, nach seinen eigenen Vorlieben eine Erwerbsarbeit in dieser Schicht anzunehmen. Verglichen mit unserer heutigen Wirtschaft muss die zweite Schicht der Arbeit flexibler sein (Giarini / Liedtke 1998, 243):

> »Der einzelne kann frei entscheiden, ob oder wie viel er auf dieser Ebene arbeiten möchte. Das kann so wenig ausmachen wie eine zusätzliche Stunde zur Basisschicht der Arbeit, zum Beispiel in Form von bezahltem Privatunterricht, oder auch so viel wie 80 oder gar 100 Wochenstunden.«

Die dritte Schicht der Arbeit ist ihrem Wesen nach zwar freiwillig und unbezahlt, dennoch tragen die sie ausübenden Personen zum Wohlstand der Gesellschaft bei, ohne dass sie irgendeine monetäre Entschädigung dafür erhalten. Unter diesem Aspekt wird von Giarini und Liedtke (1998, 246) nochmals unterstrichen, dass eine Integration monetarisierter und nichtmonetarisierter Tätigkeiten zur Bestimmung des Wohlstands einer Gesellschaft unbedingt notwendig sei.

5.8 Das Projekt »Neue Arbeit« von Fritjof Bergmann

Fritjof Bergmann (1998a; 1998b) hatte Mitte der 1980er Jahre in Flint bei Detroit das erste »Center for New Work« gegründet, als im Zuge von Rationalisierungsmaßnahmen die Hälfte der Arbeitskräfte in einem Werk von General Motors entlassen werden sollte. Auf Bergmanns Vorschlag hin wurde die Arbeitszeit der Belegschaft in sechs Monate Erwerbsarbeit und sechs Monate erwerbsfreie Zeit aufgeteilt (Bergmann 1998b, 55):

> »Was die Menschen in dieser freien Hälfte des Jahres tun würden und die erforderlichen Mittel, sie zu dieser Tätigkeit in die Lage zu versetzen, wurde zum eigentlichen Inhalt und Aufgabe von ›New Work‹.«

In Erweiterung seines ursprünglichen Modells hat Bergmann (1997, 1998a, b), ebenso wie Giarini und Liedtke (1998), die Arbeit einer Woche in drei Teile untergliedert: Zwei Tage wird einer Erwerbsarbeit nachgegangen, zwei Tage widmet man sich dem »High-Tech-Self-Providing«, einer Art Selbstversorgung auf hohem Niveau, und an den verbleibenden Tagen tun die Menschen das, was sie wirklich wollen, von Bergmann als »Calling« – etwa mit »Berufung« zu übersetzen – bezeichnet. Mit diesem von ihm als »Neue Arbeit« charakterisierten Konzept wird die reguläre Erwerbsarbeit radikal auf zwei Tage verkürzt, so dass die entstehenden Arbeitsplätze auf mehr Personen verteilt werden können. Die Selbstversorgung soll dazu dienen, anspruchsvolle Konsum- und Gebrauchsgüter wie Kleidung, Nahrungsmittel bis hin zu Wohnhäusern selbst herzustellen.

> »Von Anfang an waren Werkstätten in die Projekte miteinbezogen, in denen die Bewohner Eigenarbeit leisten konnten. Außerdem entwickelten wir eine ›Urban Agriculture‹: Auf neu entwickelten, extrem ertragreichen Pflanzensubstraten werden mit vergleichsweise sehr geringem Arbeitseinsatz große Mengen von Lebensmitteln erzielt. Auf kleinstem Raum, mitten in der Stadt, gewissermaßen im Nebenbei. Ganz besonders erscheinen mir auch die Möglichkeiten durch Benutzung von Computern – zum einen, um das Handwerkliche zu erweitern (also z.B. sich mit ›Computer Aided Manufacturing‹ selbst Kleider und Schuhe und Möbel zu machen), zum anderen aber auch, um sich in Angelegenheit der Gesundheit und der Erziehung selbständiger zu machen.« (Bergmann 1998b, 57)

Das »Calling« soll den Menschen die Gründung eines eigenen Betriebs oder die Schaffung neuer Produkte oder Dienstleistungen ermöglichen. Das können nach Auffassung von Bergmann zum Beispiel Erfindungen oder auch soziale Leistungen sein. Letztlich verbindet Bergmann mit seinem Modell der Neuen Arbeit die Hoffnung, dass sich die Menschen vom »Reich der Notwendigkeit« ins »Reich der Freiheit« vorarbeiten. Als Grundlage dienen ihm die »Zentren für Neue Arbeit«, in denen die Menschen ihre Fähigkeiten entdecken und kreativ an Veränderungen arbeiten können. In Deutschland sind solche Zentren bisher langfristig nur im »Haus der Eigenarbeit« in München und ähnlichen Modellvorhaben realisiert worden, die erste Puzzleteile für die öffentliche Förderung und Unterstützung von Eigenarbeit bilden.

In München wurde 1987 ein Projektkonzept umgesetzt, mit dem die Erwerbsgesellschaft in eine vielseitige Tätigkeitsgesellschaft mit vernetzten, unterschiedlichen Zeitsegmenten überführt werden kann (vgl. Haus der Eigenarbeit 2016). Das Münchner »Haus der Eigenarbeit« bietet vielfältige Angebote, die von Werkstätten über Vermietungen und Dienstleistungen bis hin zu Schulprojekten und Aktionen reichen (Mutz 1999, 11):

> »Das Modellvorhaben ist ein konkreter Vorschlag, die flexible Kombination unterschiedlicher Tätigkeitsfelder und die Gestaltung von verschiedenen Zeitsegmenten zu institutionalisieren und damit den Übergang von einer Erwerbsgesellschaft zu einer Neuen Arbeitsgesellschaft zu erleichtern. ... In der Neuen Arbeitsgesellschaft kann der Wirtschafts- und Erwerbsmensch zum aktiven Bürger werden, der seine Lebenswelt sozial engagiert, ökologisch verantwortlich und kulturell kompetent mit gestaltet.«

5.9 Das Modell einer »Halbtagsgesellschaft« von Carsten Stahmer

Nach Hartard et al. (2007) ist in den industrialisierten Ländern die Arbeitsproduktivität so gestiegen, dass ein ausreichendes Einkommen in absehbarer Zukunft auch in einer sogenannten Halbtagsgesellschaft erzielt werden könnte. Mit diesem Modell orientieren sich die Autorinnen und Autoren an den Vorstellungen und Zukunftsentwürfen von Gorz, Huber, Beck und anderen. Würde die Halbtagsgesellschaft Realität, so müssten alle Erwerbsfähigen im Durchschnitt nur die Hälfte der Werktage mit bezahlter Erwerbsarbeit verbringen. Dies kann allerdings nicht bedeuten, dass tatsächlich jeder in der Woche nur halbtags arbeitet. Eine solche Form der Erwerbsarbeit wäre schon aus ökologischen Gesichtspunkten nicht sinnvoll, da jeder täglich zum Arbeitsplatz fahren müsste. Vielmehr könnte die reduzierte Erwerbsarbeit alternativ tageweise, wochenweise, monatsweise oder gar jahresweise aufgeteilt werden. Die Arbeitszeitkonten wären ein mögliches Beispiel für die praktische Umsetzung dieser Überlegungen (Munz et al. 2002).

Die halbtags beschäftigten Erwerbstätigen könnten die gewonnene Zeit für informelle Arbeiten verwenden (Stahmer 2007, 367):

> »Mit der Aufwertung von unbezahlter Arbeit könnten wir Lebens-, Kooperations- und Tätigkeitsformen entwickeln, die dem Einfluss des Staates ebenso wie der ökonomischen Entscheidungsmacht weitgehend entzogen sind. Der zu schaffende Freiraum außerhalb ökonomischer Gesetzmäßigkeiten könnte uns damit auch eine Plattform liefern, von der aus wir eine neu zu schaffende Balance und damit auch veränderte Machtverhältnisse zwischen ökonomisch geprägten Produktionsprozessen und selbst bestimmter unbezahlter Arbeit erreichen könnten.«

Die informellen Arbeiten könnten nach Ansicht von Hartard et al. (2007) folgende Bereiche umfassen:

- Erstens dienen sie der Erziehung und Betreuung von eigenen oder fremden Kindern, wobei die Väter in einer Halbtagsgesellschaft die Chance erhielten, gleichberechtigt neben den Müttern bei der Kinderbetreuung aktiv zu werden. Eine ganztägige Kinderbetreuung in Kinderkrippen und Tagesstätten wäre dann nur noch in Ausnahmefällen, etwa in bestimmten Notlagen der Eltern, erforderlich.
- Zweitens könnte eine Betreuung und Pflege von älteren und kranken Menschen erfolgen.
- Weitere Beispiele für soziales Engagement sind ehrenamtliche Tätigkeiten und die Mitwirkung an anderen informellen sozialen Netzwerken.

Solange die Betreuung der Kinder letztlich doch mehr oder weniger Aufgabe der Mütter bleibt, während sich die Väter auf ihre berufliche Karriere konzentrieren können, sind die Chancen der Frauen, sich im Erwerbsleben ebenso wie die Männer profilieren zu können, sehr eingeschränkt. Das Risiko, dass Frauen für einen mehr oder weniger langen Zeitraum zu Hause bleiben, wenn sie Kinder bekommen, motiviert in der Praxis viele Arbeitgeber, den Männern letztlich doch größere berufliche Chancen zu eröffnen.

Ein häufiger Wechsel zwischen formeller Erwerbsarbeit und informellen Aktivitäten in der Lebensbiographie ist in einer Halbtagsgesellschaft nur dann möglich, wenn auch die bisher üblichen Bildungsverläufe entsprechend umgestaltet werden (Stahmer 2006, 8). Angesichts des gesellschaftlichen und technologischen Wandels sind die Menschen zeitlebens mit neuen Anforderungen an ihr Wissen und ihre Fähigkeiten konfrontiert.

Ein erstes konkretes Modell der Halbtagsgesellschaft wurde auf der Grundlage von sozio-ökonomischen Input-Output-Tabellen (SIOT) erarbeitet. Die SIOT dokumentieren das gesamte Aktivitätsspektrum – persönliche Aktivitäten, Eigenarbeit, Erwerbsarbeit – von unterschiedlichen Altersgruppen der Bevölkerung auf Grundlage von Zeitverwendungsdaten.

Ähnlich wie Stahmer sah schon Bertrand Russell (1935) in der heutigen Welt sehr viel Unheil, das »aus dem Glauben an den überragenden Wert der Arbeit an sich« entsteht (ibid., 72). Auch er plädierte deshalb für eine tägliche Arbeitszeit von vier Stunden, wobei die übrige Zeit seiner Ansicht nach nicht unbedingt leichtsinnig vertan werden sollte. Stattdessen soll der Mensch mit vier Stunden Erwerbsarbeit pro Tag seinen Unterhalt und Lebenskomfort erwerben, »während er den Rest seiner Zeit verwenden sollte, wie es ihm passt« (ibid., 85).

Die Utopien zeigen, dass sich auch Wissenschaftler schon seit Jahrzehnten mit der Frage beschäftigen, wie die Menschen mit weniger Erwerbsarbeit auskommen können. Interessanterweise gehen die meisten der Utopien von einem Arbeitsvolumen von rund zwanzig Stunden pro Woche aus. Zum Teil verstanden sich die Entwürfe für ein anderes Arbeiten als Antwort auf steigende Arbeitslosigkeit, zum anderen waren sie aber auch der Versuch, ein anderes Lebensmodell zu skizzieren, in dem zwischen formeller Erwerbsarbeit und informeller Eigenarbeit eine größere Durchlässigkeit geschaffen wird. Während nämlich die Erwerbsarbeit in aller Regel fremdbestimmt ist, sollte gerade der andere Teil des Lebens eigenbestimmt verlaufen. Hierzu sollte die Erwerbsarbeit auf ein Maß beschränkt werden, das so gering wie nur möglich ist; formelle Arbeit wird in der utopischen Perspektive eher kritisch, oft sogar negativ betrachtet. Nicht so Arbeit an sich – sie sollte aber zum Teil eines ganzheitlichen Lebensentwurfes werden.

6 Von der Theorie der Utopie zur Praxis von Arbeit und alternativen Lebensformen

6.1 Zur Selbstorganisation im und gegen den Kapitalismus

Rolf Schwendter hat schon vor vielen Jahren darauf hingewiesen, dass »in allen langfristigen Wirtschaftsabschwüngen der letzten beiden Jahrhunderte (1823–1848, 1873–1896, 1918–1940, ab 1967) die Neigung zur Verstärkung von Selbstorganisation und Selbsthilfe angestiegen ist« (Schwendter 1984, 217). Die alternative Praxis individueller und gesellschaftlicher Arbeit entsteht häufig in einzelnen Projekten, die als Vorreiter angesehen werden können. Zum Teil bleiben diese Projekte singulär, zum Teil werden sie zu einer Art konsensfähigem Paradigma, zumindest im Bereich der alternativen Wirtschaft, wenn sie Nachahmer finden, die die Projektidee übernehmen und gegebenenfalls an jeweils spezifische Bedingungen anpassen. Ist dieser Prozess besonders erfolgreich, kann sich eine solche Idee auch langfristig etablieren und entsprechende Strukturen – etwa Dachverbände oder regelmäßige Vernetzungstreffen – ausbilden. Vernetzungen sind aber auch quer zu bestimmten Projekten und Tätigkeitsfeldern denkbar – dann nämlich, wenn an einem bestimmten Ort oder in einer Region verschiedene alternative Projekte oder Unternehmen auf die gleichen oder ähnliche strukturelle Widersprüche und Probleme stoßen. Schon vor knapp 20 Jahren war die kleine australische Stadt Maleny ein Paradebeispiel eines Gemeinwesens, in dem durch zwanzig Genossenschaften, eine komplementäre Währung und eine lokale Bank Synergieeffekte entstanden, die die lokale Ökonomie der Region spürbar verändert hatten (Douthwaite / Diefenbacher 1998, 327 ff.). Heute lassen sich in vielen Städten oder Regionen eine große Zahl der alltäglichen Bedürfnisse von Konsumentinnen und Konsumenten im »alternativen Sektor« der Ökonomie befriedigen. Dies ist jedoch keineswegs zwangsläufig mit einer anderen Form der Arbeitsorganisation generell oder auch nur in diesem Sektor verbunden. Das folgende Kapitel soll an verschiedenen Beispielen zeigen, wie sich praktische Formen einer Arbeitsorganisation darstellen. Die Auswahl der Beispiele versucht, charakteristische und vielleicht repräsentative Ansätze zu versammeln; sie ist in keiner Hinsicht erschöpfend oder vollständig.

6.2 Erste Ansätze

Im 19. Jahrhundert sind – ausgehend von zum Teil viel älteren Utopien und Gesellschaftstheorien – eine große Zahl unterschiedlicher Kommunen, Kommunitäten, Genossenschaften oder Gemeinden entstanden, in denen ihre Gründerinnen und Gründer nicht nur ihre jeweiligen ethischen oder philosophischen Grundüberzeugungen verwirklichen wollten, sondern die zum Teil auch als Zufluchtsort oder alternative ökonomische Basis dienen sollten. Einige davon scheiterten, kaum dass sie entstanden waren, so die rührend naive Gemeinschaft von Gustav Struve, der nach der niedergeschlagenen badischen Revolution zunächst, sozusagen als Zwischenstopp auf seinem Weg in ein neues Leben in den Vereinigten

Staaten, 1849 nach England geflohen war und dort versucht hatte, in York eine Art egalitärer Kolonie zu gründen – die nur einen kurzen Sommer hielt (Kunze 1990, 749 ff.). Auch die Kolonie von Aussteigern aus der Zivilisation in Ascona um die Wende vom 19. zum 20. Jahrhundert war zu individualistisch, um ein übertragbares allgemeines Modell entwickeln zu können (Mühsam 1905). Insbesondere in den Vereinigten Staaten von Amerika bestanden im 19. Jahrhundert jedoch einige hundert solcher Versuche über mehr oder minder lange Zeiträume nebeneinander (Etzler 1844, Gramatins / Reifsteck 1981). Manche existieren bis heute.

Ein Teil dieser Gruppen entstand aus religiösen Motiven; sie sonderten sich aus der Gesellschaft primär deswegen ab, um ihren Glauben frei leben und ausüben zu können. Häufig war ihr praktizierter Kommunismus im Grunde von sekundärer Bedeutung; diese Gruppen konnten durchaus auch Lohnarbeiterinnen und -arbeiter anstellen (Gramatins / Reifsteck 1981, 9). Andere hingegen – insbesondere die Amish – definierten sich aber auch über ihre Einstellung zur Arbeit und vor allem auch über ihre Haltung zur Technik, von der sie bis heute versuchen, nur die Teile zu übernehmen, die ihrer Ansicht nach weder ihre Gemeinschaft stören noch die Arbeit in der Gemeinschaft entfremden (Hostetler 2008, Petrovich 2014). Die einzelnen Gruppen der Amish unterscheiden sich zum Teil stark im Blick auf die Techniken, die sie im privaten Bereich und bei der gemeinschaftlichen Arbeit erlauben; unterschiedliche Haltungen haben hier schon häufig zur Spaltung von Gemeinschaften geführt (Nolt 2015, 47).

Andere Gruppen im 19. Jahrhundert waren direkt auf die Umsetzung von sozialen Theorien in Lebensgemeinschaften gerichtet, die auch eine kollektive Organisation der Arbeit und des Arbeitsentgelts mit umfasste. Robert Owen, Charles

Fourier und frühe anarchistische Theoretiker wie Anselme Bellegarrigue oder William Godwin dienten hier als verbreitete Inspirationsquellen (Diefenbacher 1996, 34 ff.). Auch die »Liga der Heimatlosen« von Gregor Gog gründete sich auf eine radikale Ablehnung der »nackten Ausbeutung« und forderte auf, »Kraft zu sammeln gegen die immergleiche Lüge, Verführung und Unterdrückung, Kraft von der vergewaltigten und geschändeten Erde« (Gog 1929, 91).

Gut erforscht ist das Experiment der Brook Farm, die von 1841 bis 1847 in der Nähe von Boston existierte und sich als fourieristische Gemeinde verstand (Delano 2004, Myerson 1978; 1987). Die wichtigste Zielrichtung der Brook Farm war – wie vieler anderer dieser Gemeinschaften auch – die (selbst-) erzieherische Vervollkommnung der Mitglieder der Gemeinschaft, über die man sich dann die Verbreitung der Gedanken erst in andere »Keimzellen«, sodann in die Gesellschaft insgesamt erhoffte. Hand- und Kopfarbeit wurden in Brook Farm als gleichwertig betrachtet; die Vergütung war egalitär. Dafür gab es eine Arbeitspflicht: im Sommer zehn Stunden, im Winter acht Stunden pro Tag, sechs Tage die Woche. Was die Mitglieder von Brook Farm arbeiteten, wurde in der Gemeinschaftsversammlung bestimmt, in der jeder seine Wünsche anmelden konnte. Die Gemeinschaft entstand auf dem Gelände zweier Farmen, die durch den Verkauf von Anteilsscheinen an die Mitglieder der Kommune erworben werden konnte; allerdings gab es auch Anteilseigner, die nicht in Brook Farm lebten und mitarbeiteten. Mit dem Bau eines zusätzlichen Gebäudes, einer Phalanstère nach dem Vorbild Fouriers, sollte sich das Projekt zunehmend nach dessen Theorien ausrichten, was aber nicht von allen Mitgliedern der Gemeinschaft gutgeheißen wurde. Zum Ende des Brook-Farm-Experiments, sechs Jahre nach dessen Gründung, haben viele Faktoren beigetragen, darunter sicher mangelnde landwirtschaftliche und betriebswirtschaftliche Kenntnisse, der schlechte Boden der Farm, Ausbruch von Krankheiten und schließlich ein Brand, dem mehrere Gebäude zum Opfer fielen.

6.3 Eden Gemeinnützige Obstbau-Siedlung

Die Eden Gemeinnützige Obstbau-Siedlung wurde 1893 von 18 Berliner Vegetariern gegründet, als erste Gemeinschaft in Deutschland dieser Art (Baumgärtner 2005, Grober 1998, 10 ff.). Adolf Damaschke fand in Eden seine Bodenreformtheorie in die Praxis umgesetzt und war ab 1911 bis zu seinem Tod 1935 Mitglied der Siedlung; Silvio Gesell lebte während zwei Phasen seines Lebens in Eden, von 1911 bis 1914 und von 1927 bis zu seinem Tod 1930.

Eden war gegründet worden, weil seine Erfinderinnen und Erfinder radikal neue Formen des individuellen Lebens gemeinschaftlich verwirklichen wollten. Die Satzung der Genossenschaft war von Franz Oppenheimer entworfen worden; das Gründungsprogramm verheißt »Sorgenlosigkeit als Folge unserer leicht befriedigten, weil geringen körperlichen Bedürfnisse und unserer gegenseitigen Unterstützung in allen Dingen« (Eden-Stiftung 1993), doch »fruchtbare Geistestätigkeit« und eine »Fülle der Bildungsmittel« sind das Gegenstück zur materiellen Anspruchslosigkeit. Ulrich Grober hat das Experiment als »Keimzelle einer alternativen Modernisierung« (Grober 1998, 10) bezeichnet, das viele Siedlungsideen Anfang des 20. Jahrhunderts, nicht zuletzt auch die Kibbuzbewegung, inspiriert hat. Zu Beginn wurde das Land in 85 sogenannte Heimstätten mit etwa 2800 Quadratmeter aufgeteilt und an die Mitglieder in Erbpacht vergeben, das

Land verblieb in unveräußerlichem Gemeinschaftseigentum der Genossenschaft. Sie richtete gemeinnützige Betriebe zur Organisation des Konsums, zur Weiterverarbeitung und zum Verkauf der angebauten landwirtschaftlichen Erzeugnisse ein; auch eine eigene Kreditgenossenschaft wurde gegründet, aus der 1898 die Eden-Bank entstand. Mit den sogenannten Edener Reformwaren – unter anderem Pflanzenbutter, Fruchtsäfte und Marmeladen – wurden die um die Jahrhundertwende neuentstandenen Reformhäuser beliefert (Baumgärtner 2005, 150). In den genossenschaftlichen Betrieben durfte das Verhältnis der Meistverdienenden zum Durchschnitt der Entlohnung der betrieblichen Genossen maximal 2:1 betragen. Schon im Jahre 1900 gab es in Eden etwa 15 000 Obstbäume, 50 000 Beerensträucher, 3000 Haselnusssträucher, 200 000 Erdbeerpflanzen und 20 000 Rhabarberstauden (Eden Gemeinnützige Obstbau-Siedlung 2005a). 1912 wurde die Obstverwertungsfabrik aufgebaut; die Balance zwischen Eigen- und Gemeinschaftsarbeit musste gerade in den Gründerjahren immer neu austariert werden.

Bis 1901 wurden nur Vegetarier in die Siedlungsgemeinschaft und in die genossenschaftlichen Betriebe aufgenommen; danach wurde diese Bedingung fallen gelassen und der Zusatz »vegetarisch« aus dem Namen gestrichen; Tierhaltung zum Zwecke der Schlachtung und Alkoholausschank im Gasthaus der Siedlung blieben allerdings weiterhin verboten. Und auch in der aktuellen Fassung der Satzung der Genossenschaft wird als Voraussetzung einer Mitgliedschaft festgehalten, »dass jeder Eintretende sich in beständiger Selbsterziehung einer gesunden Lebensführung befleißigt, die Grundsätze naturgemäßer Lebensführung zu befolgen bestrebt ist … sowie an der Verwirklichung der Eden-Idee … mitwirkt« (Eden Gemeinnützige Obstbau-Siedlung 2005c).

Eden hat eine problematische Geschichte zur Zeit des Dritten Reiches. Nach 1933 glaubten viele Genossenschaftsmitglieder, im Nationalsozialismus die Anerkennung des Genossenschaftsprinzips verwirklicht zu sehen, und schlossen sich der Parteiideologie der NSdAP an; gerade fünf Kilometer entfernt ist das Konzentrationslager Sachsenhausen, in dem auch Erich Mühsam ermordet wurde. Eden überstand dann die Jahrzehnte in der Deutschen Demokratischen Republik, in der es in das System der Planwirtschaft in der DDR eingebunden und ab 1972 als »Volkseigener Betrieb« fortgeführt werden musste; nach der Wende musste aber der genossenschaftliche Betrieb zunächst schließen, von dessen Überschüssen immer die Gemeinschaftsaufgaben der Genossenschaft finanziert worden waren. Zwischen 1992 und 1995 entstanden Arbeitsgruppen, die sich um die Wiederbelebung der Organisationsformen der Gründerzeit bemühten – diese Anstrengungen waren nicht in jeder Hinsicht erfolgreich. 2008 kam es zu einer »Edener Ideenkonferenz« der Bewohnerinnen und Bewohner, um die Genossenschaft neu auszurichten; ein Struktur- und Entwicklungsplan mit einer Perspektive bis zum Jahre 2015 wurde verabschiedet (Eden Gemeinnützige Obstbau-Siedlung 2015b).

Damit existiert die Genossenschaft bis heute, wenn auch in veränderter Form. Sie hat heute knapp 400 Mitglieder, 1200 Menschen leben auf ihrem Gebiet. Unter anderem betreibt sie einen Kindergarten und eine Schule, die nach Prinzipien der Reformpädagogik von Célestin Freinet arbeitet, sowie eine Musikwerkstatt und ein Café. Eine ständige Ausstellung informiert über die Geschichte Edens.

6.4 Die Kibbuzbewegung

Die Kibbuzbewegung entstand Anfang des 20. Jahrhunderts in Israel. Sie wuchs in mehreren Einwanderungswellen. Das Wort Kibbuz ist hebräisch und steht für Sammlung oder Versammlung. Die Grundideen, auf die sich die Entwicklung der Kibbuzim stützen, sind geprägt durch sozialistische und gleichzeitig zionistische Strömungen (Feingold-Studnik 2005, 9; siehe Kapitel 5.3). Aus dem Wunsch heraus, in gleichberechtigten, solidarischen Gemeinschaften zu leben, entstanden basisdemokratische Siedlungen, in denen es zu Beginn kein Privateigentum gab und die Bezahlung der Mitglieder vom Leistungsprinzip entkoppelt wurde (ibid. 20), gemäß dem kommunistischen Ideal, das Karl Marx (1875, 21) in seiner Kritik des Gothaer Programms formulierte: »Jeder nach seinen Leistungen, jeder nach seinen Bedürfnissen.« Auch hier lohnt es sich, nicht nur das berühmte Zitat, sondern auch den Kontext zur Kenntnis zu nehmen, in den Marx dieses Wort platziert hat – möglich wird nach ihm dieses Ideal nur dann, wenn die Entfremdung der Arbeit im Kommunismus beendet werden konnte (ibid.):

> »... nachdem die knechtende Unterordnung der Individuen unter die Teilung der Arbeit, damit auch der Gegensatz geistiger und körperlicher Arbeit verschwunden ist; nachdem die Arbeit nicht nur Mittel zum Leben, sondern selbst das erste Lebensbedürfnis geworden; nachdem mit der allseitigen Entwicklung der Individuen auch ihre Produktivkräfte gewachsen und alle Springquellen des genossenschaftlichen Reichtums voller fließen – erst dann kann ... die Gesellschaft auf ihre Fahnen schreiben: Jeder nach seinen Fähigkeiten, jeder nach seinen Bedürfnissen!«

In den Statuten der Vereinigten Kibbuzbewegung werden Kibbuzim definiert als »eine freie Vereinigung von Personen zum Zweck der Errichtung, Integration und Bewirtschaftung einer kollektiven Siedlung, die nach den Prinzipien von gemeinschaftlichem Eigentum an Grundbesitz, eigener Arbeit, Gleichheit und Zusammenarbeit organisiert ist« (Melzer / Buer 1991, 53). Das gesamte Eigentum des Kibbuz gehörte demnach allen Mitgliedern gemeinschaftlich; dies umfasste die Produktionsmittel, Häuser und Land, aber auch Konsumgüter wie Autos oder Sportanlagen (Feingold-Studnik 2002, 21).

In den Kibbuzim wurden nicht nur die Produktionstätigkeiten und die Arbeit in der vor allem zu Beginn hauptsächlich betriebenen Landwirtschaft in der Regel gemeinsam verrichtet, sondern auch die Hausarbeit und die Kindererziehung wurde gemeinschaftlich organisiert. So gab es kibbuzeigene kostenlose Wäschereien, Krippen, Kindergärten und Schulen sowie einen gemeinsamen Speisesaal und eine Großküche, in der täglich für die gesamte Gemeinschaft gekocht wurde. Für den größten Teil des 20. Jahrhunderts lebten die Mitglieder von Kibbuzim also in Gemeinschaften, denen das Land, die Häuser und die Produktionsmittel gemeinschaftlich gehörten. Es gab entweder einen Einheitslohn oder das Verhältnis von Arbeitseinsatz und Bezahlung wurde nach dem Grundsatz »jeder nach seinen Fähigkeiten, jeder nach seinen Bedürfnissen« geregelt. Verwaltung und Leitung rotierten zumeist nach festgelegten Zeitspannen. Die Arbeitswelt der Kibbuzim war, zumindest in den Anfängen, eine geschlossene Gemeinschaft. Kibbuzmitglieder arbeiteten ausschließlich in ihrer Gemeinschaft, und es wurden keine Arbeitskräfte von außerhalb beschäftigt. Das gesamte Leben wurde so im Kollektiv organisiert (Russell / Hanneman / Getz 2011, 109).

In den letzten beiden Jahrzehnten haben viele der 268 Kibbuzim, die im Jahr 2015 bestanden und in denen gut 122 000 Menschen lebten, aufgrund von äußerem wirtschaftlichem Druck und dem internen Wunsch nach mehr privatem Besitz und individuellem Konsum starke strukturelle Veränderungen vollzogen (Ben-Rafael 2013, 306); die Zahl der Kibbuzim stagniert seit längerer Zeit (Pavin 2007, 6), wobei ihr Bildungsstand deutlich höher ist als der Durchschnitt in Israel. Die Veränderungen lassen sich dabei in drei Dimensionen unterscheiden: Privatisierung, Organisation des Managements und die Außenbeziehungen der Kibbuzim zur restlichen israelischen Gesellschaft (Ben-Rafael 1997, 180). Zusätzlich gibt es einige Änderungen, die sich nicht in die drei genannten Kategorien einteilen lassen.

Im Bereich der Privatisierung ist der Transfer des Konsums von der kollektiven auf die individuelle Ebene zentral. Das wirkt sich wiederum auf die Besitzverhältnisse aus, denn wenn der Konsumbereich in die Privatsphäre überführt ist, steht dem Kauf eines eigenen Autos oder dem Ausbau eines Hauses mit privaten Mitteln der Bewohnerinnen und Bewohner nichts mehr im Wege. Auch andere Elemente des Gemeinschaftslebens wurden in vielen Kibbuzim zum Teil privatisiert, etwa durch die Einführung individueller Rechnungen für Strom, Mahlzeiten und Reisen, oder, wie schon erwähnt, durch die Erlaubnis des Privatbesitzes von Autos. Auch die Organisation des Managements der kibbuzeigenen Produktionen und Unternehmen erfuhr starke Veränderungen. Wurden hier die Entscheidungen ursprünglich in der Gemeindeversammlung kollektiv gefasst, so werden heute zum Teil externe Manager eingesetzt, die teilweise über weitreichende Befugnisse verfügen. Nach 1995 wurde in vielen Kibbuzim das Ideal des Einheitslohns zum Teil aufgehoben, und es wurden dort moderate Lohnunterschiede eingeführt.

Die letzte Dimension der Änderungen, die die Beziehungen des Kibbuz zur Gesellschaft umfasst, beschreibt das Aufbrechen der geschlossenen Arbeitswelt. Im Jahr 2004 arbeiteten etwa 35 Prozent der Bewohnerinnen und Bewohner eines Kibbuz außerhalb ihrer Gemeinde, während etwa 51 Prozent der Angestellten in Kibbuzbetrieben keine Mitglieder des Kibbuz waren (Russell / Hannemann / Getz 2011, 117). Zudem wurden viele der Leistungen eines Kibbuz, die vormals lediglich den Mitgliedern zugänglich waren, gegen Bezahlung nach außen geöffnet.

Die Kibbuzim unterliegen daher in ihrer Mehrheit einer moderaten bis deutlichen ökonomischen Transformation, die sie zu Anfang des 21. Jahrhunderts näher an die konventionellen Formen der Arbeitsgesellschaft herangebracht haben. Die Reformen, die hier vorgenommen wurden, spiegeln, wie schon gesagt, sowohl die Bedürfnisse der Bewohner nach mehr privatem Besitz und individuellem Konsum als auch das Empfinden wider, dass wirtschaftliche Reformen notwendig geworden waren. Gleichzeitig greifen sie jedoch die grundlegenden Prinzipien der Kibbuzim an. Durch die entstehenden Unterschiede in Einkommen und Konsum wird die Utopie einer egalitären Gesellschaft durch die allmähliche Herausbildung von unterschiedlichen sozialen Gruppen gefährdet (Ben-Rafael 2013, 317). Zudem haben die Reformen zu einer großen Heterogenität innerhalb der Kibbuzbewegung geführt, denn die Spannweite reicht von Gemeinden, die sich in allen drei Dimensionen starken Veränderungen unterzogen haben, bis hin zu Kollektiven, die die ursprüngliche Idee des Zusammenlebens weiterhin mehr oder minder unverändert praktizieren. Diese Entwicklung hat eine Debatte darüber angeregt, welche Mindestanforderungen gegeben sein müssen, damit eine Gemeinde als Kibbuz gelten kann; um die Identität der Bewegung nicht zu gefährden, müsse der Begriff, so die allgemein geteilte Auffassung, mit einem bestimmten Kerninhalt verbunden werden können.

Zur Klärung dieser Auseinandersetzung wurde im Jahr 2003 von der israelischen Regierung eine Kommission eingesetzt. Sie einigte sich auf die heute gebräuchlichen Begriffe des »Kollektiv-Kibbuz«, der jene Gemeinschaften umfasst, die sich keinen oder nur wenigen Veränderungen unterzogen haben, und des »erneuerten Kibbuz«, der jene Kibbuzim beschreibt, die verstärkt Reformen durchgeführt haben. Dabei müssen zwei Kriterien erfüllt sein, um noch der letzteren Form zugeordnet werden zu können: Erstens muss das Prinzip der »gegenseitigen und allseitigen Verantwortung« gewährleistet werden. Zweitens ist es erforderlich, dass Entscheidungen über weitreichende Veränderungen gemeinschaftlich, das heißt mit einer Zweidrittelmehrheit der Mitglieder beschlossen werden (ibid. 306 f.). 2010 waren etwa 75 Prozent der Kibbuzim diesem Typ zuzurechnen, 25 Prozent verblieben in der Organisationsstruktur der »Kollektiv-Kibbuzim« (Russell / Hanneman / Getz 2011, 113).

Die neue Einteilung lässt jedoch noch immer die Frage unbeantwortet, inwiefern die »erneuerten Kibbuzim« den ursprünglichen Grundprinzipien der Bewegung gerecht werden können. Shoshana Feingold-Studnik (2002) kommt diesbezüglich zu dem Schluss, dass sich diese Kibbuzim zwar verändert hätten, dies jedoch nicht zur Folge habe, dass sie keine Kibbuzim mehr wären. Vielmehr bestehe gerade darin die Einzigartigkeit der Kibbuzim, dass sie in der Lage wären, auf die veränderten Bedürfnisse ihrer Mitglieder zu reagieren (ibid. 138).

Eliezer Ben-Rafael (2013, 316/319) kommentiert die Entwicklung etwas skeptischer:

> »Der Kibbuz erscheint heute als die Verneinung eines Misserfolgs und als ein Kollektiv, dessen Hauptleistung darin besteht, dass es noch existiert – obwohl es etwas von seiner Beispielhaftigkeit eingebüßt hat … Nach dem literarischen Vorbild – dem Drama des Doktor Faust – könnte man folgern, dass der Kibbuz, der Wege zur Erneuerung beschritten und dadurch neue Vitalität erlangt hat, heute mehr denn je vor der Herausforderung steht, seine *Seele* zu retten«.

Ganz gleich, wie die Frage nach der Qualität der Veränderungen beantwortet wird, kann festgehalten werden, dass die Bewegung nach über einem Jahrhundert heute immer noch besteht und eine alternative Form des Zusammenlebens praktiziert, die gerade in letzter Zeit auch wieder vermehrt junge Menschen und Familien anzieht (Halser 2010).

6.5 Longo Maï

Die Longo-Maï-Kooperativen entstanden Anfang der 1970er Jahre, beeinflusst durch die 68er Bewegung, die in Deutschland einen ersten großen neuen Schub alternativer Gründungen nach der Zeit der Weimarer Republik auslöste. Rainer Wendt hat gezeigt, dass lediglich in den Vereinigten Staaten von Amerika dieser Auslöser gut zehn Jahre früher durch die Bürgerrechtsbewegung hervorgerufen wurde (Wendt 1983, 372 f.). Gegründet wurde Longo Maï durch den Zusammenschluss von Spartakus und Hydra, zwei Jugendorganisationen aus der Schweiz und Österreich. Spartakus verstand sich zunächst als eine Jugendorganisation der österreichischen

Kommunistischen Partei und machte mit einigen antikapitalistischen Kampagnen auf sich aufmerksam. Die erwünschte Mobilisierung einer breiteren Öffentlichkeit blieb jedoch aus, woraufhin Spartakus sich zum Ziel setzte, eine international vernetzte Jugendorganisation zu fördern, um Lehrlinge und junge Arbeiter zu mobilisieren, die sie durch die damals aktuellen Entwicklungen besonders gefährdet sah und an eine radikal andere Arbeitswelt heranführen wollte (Graf 2005, 15). In Österreich bekam die Gruppe jedoch zunehmend auch juristische Probleme, weshalb sie in die Schweiz zog und gemäß ihrem Vorsatz, internationale Verbindungen zu knüpfen, mit Hydra, einer Schweizer Lehrlingsgruppe, Kontakt aufnahm. Diese Verbindung führte zu ersten gemeinsamen Aktionen und einem Netzwerk, aus dem schließlich, verbunden mit dem Wunsch nach einer gemeinsamen Basis, die Gründung der ersten Longo-Maï-Kooperative in Frankreich hervorging. Am Gründungskongress in Basel 1972 nahmen Jugendliche aus 10 europäischen Ländern teil; sie beschlossen die Schaffung von vernetzten europäischen Jugendgemeinschaften, die in strukturschwachen Regionen ihrer jeweiligen Länder »experimentelle Zonen des freien menschlichen Lebens und Zusammenwirkens auf der sozialen Grundlage der Genossenschaft« bilden sollten (ibid. 25). Diese Kollektive sollten auf einer landwirtschaftlichen Basis aufbauen und selbstverwaltet und so weit wie möglich autark funktionieren. Von vornherein konnten Handwerker in die Arbeit der Kooperative integriert werden. Ziel war es, gemeinsam einen alternativen Lebensstil zu entwickeln und dem bestehenden System eine praktizierte Alternative sichtbar entgegenzustellen (ibid., 20 ff.).

1973 begann diese Utopie dann Gestalt anzunehmen. Die Gruppe fand Land in der Provence und begann, die erste Kooperative aufzubauen. Der Name der Bewegung Longo Maï ist denn auch aus dem Provenzalischen entnommen und bedeutet »Es möge lange dauern« (ibid. 31). Heute leben etwa 200 Mitglieder in neun Kooperativen in fünf europäischen Ländern (Pro Longo Maï 2016a).

Zwar wurde der Bewegung in den frühen 1980er Jahren vorgeworfen, autoritäre und sektenartige Strukturen aufgebaut zu haben und Spendengelder zu missbrauchen, um den führenden Mitgliedern ein privilegiertes Leben zu ermöglichen, während die restlichen Mitarbeiter ausgenutzt würden (o. Verf. 1980). Die Vorwürfe waren wohl nicht ganz aus der Luft gegriffen, jedoch sehr stark übertrieben. Den Kooperativen gelang es, aus eigener Kraft, allerdings auch mit finanzieller und öffentlicher Unterstützung vor allem aus der Schweiz, diese Phase zu überstehen (Walther 2014).

Das Eigentum wird in den Kollektiven – ähnlich wie in den Kibbuzim – als gemeinsamer Besitz angesehen. Es gibt keine Lohnarbeit. Das ursprüngliche Ziel, wirtschaftlich so autark zu sein wie möglich, wurde jedoch schnell aufgegeben und stattdessen ein reger Austausch mit der umliegenden Nachbarschaft begonnen. Das neue Ideal wird in einer regionalen Wirtschaft gesehen, die das zu nutzen weiß, was die unmittelbare Umgebung bietet, ergänzt durch »ein Schäufelchen moderner, angepasster Technologie« (Graf 2004, 39). Hier zeigt sich die Grundausrichtung der Bewegung, der es nach eigener Aussage nicht darum geht, auszusteigen und sich abzukapseln, sondern darum, eine Gegenkraft zu einer Gesellschaft zu bilden, in der »der grenzenlose Konsum und die Vereinzelung des Menschen immer weiter voranschreitet« (Braun 2009). Dieses gesellschaftspolitische Engagement zeigt sich in Kampagnen zum Schutz von Geflüchteten wie beispielsweise Schwarzarbeitern in der kommerziellen Produktion landwirtschaftlicher Erzeugnisse.

Ein Hauptfokus liegt auch heute noch auf der Landwirtschaft. Hier stehen vor allem die Vielfalt und Pflege von traditionellem Saatgut und die Verteidigung des Rechts, dieses eigenständig zu bewahren und weiterzuentwickeln, im Vordergrund (Pro Longo Maï 2016b).

6.6 Kommune Niederkaufungen

Die Geschichte der Kommune Niederkaufungen hat ihren Anfang gut zehn Jahre nach dem Beginn von Longo Maï; ihre Gründerinnen und Gründer waren bereits in der Protestbewegung der späten 1970er und 1980er Jahre »sozialisiert« und gewillt, eine alternative Gestaltung des Lebens- und Arbeitsalltags mit politischer Arbeit und Bildungsarbeit zu verbinden. »Selbstbestimmt und frei [sich] zum Wohl der Gemeinschaft zu entwickeln und einzusetzen« – dies, so die Vision, setze die Auflösung der Abhängigkeiten in der Kleinfamilie, das gemeinschaftliche Eigentum der Produktionsmittel und die Abwesenheit von Ausbeutung voraus (Auerswald 2007, 10; Grober 1998, 31 ff.). Die Basis der Kommune war ein Grundsatzpapier aus dem Jahr 1983, das als Plattform für das Gewinnen von Mitgliedern diente (Kommune Niederkaufungen 2007). Nach erfolgloser Suche im Raum Hamburg kauften 17 Erwachsene das Anwesen im oberhessischen Niederkaufungen und zogen mit 3 Kindern dort hin. Der Umbau und die Instandsetzung der Gebäude bildete in den ersten fünf Jahren einen wichtigen Schwerpunkt der Arbeit; daraus ist ein Arbeitsbereich der Kommune geworden, der fast von Beginn an auch Aufträge von außen annahm und heute Gebäudeplanung und Bauberatung mit dem Schwerpunkt auf ökologischem und energieeffizientem Bauen anbietet.

Die Kommune ist sich in ihren Grundsätzen bis heute treu geblieben. Entscheidungen fallen im Wesentlichen im Konsens; jede Woche findet an einem Abend ein Plenum statt. Effizienz und Wirtschaftlichkeit wird diesem Prinzip der Partizipation ohne Vorgesetzte untergeordnet. Zum Teil arbeiten Kleingruppen daran, die Entscheidungen des Plenums vorzubereiten; zuweilen wird Hilfe durch externe Supervision in Anspruch genommen. Die Leitung der Plenarversammlungen wechselt wöchentlich. Die Einnahmen aus allen Arbeitsbereichen gehen in einen »Topf«, auch die Einnahmen aus Arbeitsverhältnissen Einzelner außerhalb der Kommune, auch Schenkungen oder Erbschaften. Aus dem Topf werden auf der anderen Seite alle Ausgaben bestritten, auch im privaten Konsumbereich, etwa Kleidung oder Kinobesuche. Transparenz wird durch ein Aufschreibungssystem hergestellt. Privatentnahmen aus der Gemeinschaftskasse, die einen gewissen Betrag übersteigen, müssen auf einem Plenum angekündigt und können dort dann auch diskutiert werden.

Zurzeit leben etwa 80 Personen in der Kommune, in Wohngemeinschaften unterschiedlicher Größe. Es gibt viele Gemeinschaftsbereiche für die gesamte Kommune, zum Beispiel eine Waschküche, die Großküche mit Speise- und Plenumsraum. Die Organisation der Arbeitsbereiche erscheint als ein Verbund selbständig agierender Handwerks- und Dienstleistungsbetriebe, darunter eine Schreinerei mit Metallbau, eine Tagespflegeeinrichtung, eine »Obst-Manufaktur«, Biolandwirtschaft mit Hofladen, ein Catering-Service, ein Tagungshaus, eine Kindertagesstätte. Es ist nicht möglich, in der Kommune zu arbeiten ohne Mitglied zu werden; auf der anderen Seite gibt es aber Mitglieder der Kommune, die Arbeitsstellen außerhalb der Kommune haben.

In vielen Selbstdarstellungen der Kommunenmitglieder

wird der Wunsch nach einer einfachen Lebensweise, der Beachtung von Grenzen des Ressourcenkonsums und der Grenzen des Wachstums wie auch das Ziel einer gelassenen und achtsamen Arbeitsweise ausgedrückt (Kommune Niederkaufungen 2007, 22. ff.), dessen Verwirklichung man im Zusammenleben in Niederkaufungen nahekommen könne.

6.7. Lokale Ökonomie, Lokale Agenda 21 und Transition Towns

Die Transition-Town-Bewegung hatte ihren Ursprung Anfang der 2000er Jahre in mehreren kleinen Initiativen in Irland, ausgehend von theoretischen Überlegungen, die neben anderen vor allem Richard Douthwaite schon 1996 formuliert hatte. Überlegungen zur Re-Regionalisierung der Ökonomie und zum Ausbau lokaler Wirtschaftskreisläufe waren jedoch, wie bereits beschrieben, schon weit vorher Bestandteil von Überlegungen zur Gestaltung alternativer ökonomischer Wirtschaftsformen. In sozialer Perspektive versprach man sich durch die Wiedergewinnung der Nähe zwischen Produzenten und Konsumenten eine qualitative Verbesserung der Austauschbeziehungen; ökologisch betrachtet, können durch lokale Ökonomien sowie durch die Vermeidung von Ferntransporten Ressourcen eingespart werden. Außerdem erhoffte man sich durch enge räumliche Beziehungen, dass Produzenten einen sehr starken Anreiz bekommen, negative externe Umwelteffekte ihrer Produktionsprozesse zu vermeiden, da sie selbst ja in der Region beheimatet sind, in der die Produktion stattfindet und die Produkte abgesetzt werden sollen.

Ein starker Anstoß einer Wiedergewinnung der lokalen Perspektive erfolgte durch die sogenannte Lokale Agenda 21 der

UNCED-Konferenz von Rio de Janeiro im Jahre 1992. In Kapitel 28 der Agenda 21 von Rio war vorgesehen, dass sich bis 1996 die Mehrzahl der Kommunalverwaltungen der einzelnen Länder gemeinsam mit ihren Bürgerinnen und Bürgern einem Konsultationsprozess unterzogen und einen Konsens hinsichtlich einer »kommunalen Agenda 21« erzielt haben sollten (UNCED 1992, 231 ff.). Die Lokale Agenda 21 war vor allem als partizipativer Prozess gedacht, bei dem Stärken und Schwächen des lokalen Gemeinwesens identifiziert und Gestaltungs- und Handlungsspielräume am jeweiligen Ort wiederentdeckt und genutzt werden sollten. Ein solcher Prozess der Bewusstseinsbildung hatte in bestimmten Bereichen tatsächlich auch eine deutliche Stärkung der lokalen Orientierung wirtschaftlicher Aktivitäten zur Folge – wenngleich die »Lokale Agenda 21« nie die durchschlagende Wirkung entfaltet hat, die ihr 1992 bei der UNCED-Konferenz zugedacht worden war.

Die Transition-Town-Bewegung versucht hier einen Neuanfang. Ausgehend von der Frage, wie auf Herausforderungen, die durch den bevorstehenden Peak Oil und den Klimawandel entstehen, reagiert werden kann, entwickelten Studenten unter anderem ein Energiekonzept, das die Gemeinde Kinsale verwirklichen sollte (Hopkins 2005). Dieser Prototyp einer Transition Bewegung wurde 2005 von Rob Hopkins in die kleine englische Stadt Totnes exportiert, wo sie sich schnell etablierte und rasch weiter verbreitete (Brangwyn / Hopkins 2008, Connors / McDonald 2010, 561). In ihren Ursprüngen war die Transition-Town-Bewegung stark auf das Ziel der Erhöhung von lokaler Resilienz ausgerichtet. Hopkins (2012, 45) versteht dabei unter Resilienz »die Fähigkeit eines Systems, Störungen zu absorbieren und sich angesichts von Veränderungsdruck neu zu organisieren, wobei Funktion, Struktur, Identität und Rückkopplungsprozesse im Wesentlichen erhalten bleiben«. Aus diesem Ziel ergibt sich das Prinzip der Dezentralisierung: Um Bereiche wie Nahrungs- und Energiesicherheit resistenter gegen externe Einflüsse zu machen, müssen sie zunächst unabhängiger werden.

Die Transition-Town-Bewegung versucht nun, dieses Ziel lokal ganzheitlich umzusetzen. Neben Gemeinschaftsgärten und dezentraler Energiegewinnung werden Umsonst- und Leihläden aufgebaut sowie Regionalwährungen initiiert, die helfen sollen, die lokale Wirtschaft zu unterstützen. Durch diese Vorgehensweise werde nicht nur die Gemeinde widerstandsfähiger gegen Krisen, gleichzeitig führe dies auch zu einer Absenkung der CO_2-Emissionen (Brangwyn / Hopkins 2008). Viele der in Transition Towns verwirklichten Ideen und Konzepte sind nicht neu, sondern wurden von früheren Initiativen übernommen – teils am Ort selbst, teils aus anderen Regionen. Das innovative Element besteht jedoch in einem Versuch, die unterschiedlichen alternativen Projekte von vornherein als Gesamtansatz zu begreifen und miteinander zu vernetzen.

Das Transition-Town-Netzwerk stellt für interessierte Bürger und Bürgerinnen öffentlich zugängliche Materialien bereit, um die Gründung neuer lokaler Gruppen zu unterstützen. Zudem finden jährliche Netzwerktreffen statt und es werden Workshops angeboten, in denen schon gemachte Erfahrungen weitergegeben werden sollen. Wie die Initiativen vor Ort dann jedoch ausgestaltet werden, bleibt den lokalen Initiatoren überlassen (Transition Netzwerk 2016).

Die Bewegung hat sich so seit ihrer Gründung stetig vergrößert; dieser Prozess verlangsamt sich seit einigen Jahren vor allem in England, wo derzeit jedoch noch immer die größte

Anzahl beteiligter Gemeinden zu finden ist. In Deutschland hingegen wuchs die Anzahl der Transition-Gruppen von 29 im Jahr 2011 auf 77 im Jahr 2014 (Feola/Hirn 2016). Diese Zählung umfasst auch die Initiativen, die noch nicht als offizielle Transition Towns anerkannt sind oder sich im Gründungsprozess befinden. Nachstehend werden mit den Initiativen Freiburg und Witzenhausen zwei charakteristische Beispiele beschrieben.

In Freiburg gründete sich die Gruppe nach eigenen Angaben offiziell Anfang 2011. Der Fokus der etwa 600 Mitglieder liegt vor allem auf landwirtschaftlichen Projekten und dem Ziel, nachbarschaftliche Beziehungen zu stärken. In Freiburg und der Umgebung sind so mittlerweile etwa 13 Gemeinschaftsgärten entstanden, in denen nach den Grundsätzen der Permakultur angebaut und verarbeitet wird. In mehreren Repair-Cafés finden außerdem regelmäßig Aktionen statt, bei denen Alltagsgegenstände mit der Hilfe von Fachleuten wieder zum Funktionieren gebracht werden können. Ergänzt werden diese praktischen Initiativen von Informationsveranstaltungen, Seminaren und Filmvorführungen rund um die Themen, mit der sich die Initiative beschäftigt (Transition Town Freiburg 2016).

Die Initiative in Witzenhausen begann schon 2009 mit ihrer Arbeit, mit der ein Wandel in der Stadt, die stark vom demographischen Wandel betroffen ist, angeregt werden sollte. Mittlerweile ist die Gruppe nach eigenen Angaben zu einem anerkannten Akteur in Sachen Kultur und Nachhaltigkeit geworden. Sie verfügt mit einem Haus in der Stadtmitte über einen zentralen Anlaufpunkt, der von den rund 25 Kernmitgliedern, an die 100 Unterstützerinnen und Unterstützern und interessierten Menschen belebt wird. Der Fokus der Mitglieder liegt, wie in Freiburg, auf dem Aufbau einer gemeinschaftlich getragenen landwirtschaftlichen Struktur, die es ermöglichen soll, so viele Personen wie möglich mit regionalen und saisonalen Produkten zu versorgen und nachbarschaftliche Beziehungen zu fördern (Transition Town Witzenhausen 2016). In diesem Zusammenhang wurde eine landwirtschaftliche Initiative gegründet, eine Gemeinschaft, bei der die Mitglieder monatlich einen festen Betrag an die Gärtnerinnen und Gärtner überweisen und Gemüse und Obst abnehmen, was nicht ganz so aussieht, wie man es aus dem Supermarkt gewohnt ist. Dadurch tragen beide Seiten einen Teil des Risikos. Mittlerweile versorgen so fünf Witzenhausener 60 Mitglieder ganzjährig mit Obst und Gemüse (Vehreschild 2013).

In den Bereich Nachbarschaftspflege und Vernetzung fällt beispielhaft das Projekt »Straßen im Wandel«, in dem dazu angeregt wird, mit einer Gruppe von 6–8 Nachbarn, Freunden oder der Familie über Möglichkeiten nachzudenken, wie im alltäglichen Leben gemeinsam Ressourcen und Geld gespart sowie die CO_2-Emissionen reduziert werden können. Hierzu stellt die Initiative kostenlose Arbeitsmaterialien bereit, auf deren Basis man beginnen kann, und vernetzt schon bestehende »Straßen im Wandel«-Gruppen miteinander. Es werden aber auch Repair-Cafés organisiert, gemeinsam gekocht und Mehrgenerationen-Cafés initiiert.

Transition Town Witzenhausen ist außerdem an dem internationalen Postwachstumsprojekt Projekt »GROWL – living Degrowth« beteiligt, einem Bildungsprojekt zur Schaffung von alternativen Kreisläufen und zur Weiterbildung von Menschen zur Vermittlung von Konzepten eines gemeinschaftlichen Lebens mit Modellen der Postwachstumsökonomie.

Auch beim Aufbau von Strukturen, die sich in das Transition Town Konzept einbetten lassen, ist ein Minimum an

Kontinuität und Ressourcenausstattung erforderlich. Insofern wäre es besonders hilfreich, wenn sich hier breite Allianzen und Kooperationen zu bestehenden Strukturen der Lokalen Agenda 21 bilden würden. Dass beide Strömungen sehr ähnliche Zielsetzungen haben, ist ganz unbestreitbar. In beiden Prozessen werden neue Projekte angeregt und durchgeführt, darunter Projekte mit Modellcharakter. In beiden Prozessen scheint es nicht einfach, Akteure aus der Privatwirtschaft in nennenswertem Umfang zur Mitarbeit zu gewinnen. Eine Einordnung der Aktivitäten in ein Gesamtkonzept der nachhaltigen Entwicklung ist in jedem Fall ein Element, das zu einem längerfristigen Erfolg beitragen kann.

6.8 Die Mühen der Ebenen

Das Kapitel begann mit einem Hinweis auf eine Arbeit von Rolf Schwendter und soll mit einem Verweis auf ein anderes seiner Werke enden: Unter dem Titel *Die Mühen der Ebenen* hatte Schwendter schon 1986 eine Systematik alternativer Formen der Ökonomie vorgelegt, die im Grunde auch heute noch verwendet werden kann. Dabei zeigt sich, dass alternative Arbeitsformen sich aus ganz unterschiedlichen Schwerpunktsetzungen heraus entwickeln können, deren Gemeinsamkeit sich lediglich in ihrer Abgrenzung zur industriell-kapitalistischen Produktionsweise ergibt.

- Ein Teil der Alternativen ist aus der Kritik an bestimmten Formen der Produktion und ihrer gesellschaftlichen Organisation entstanden. Die Einhegung des Kapitalismus kann traditionell auf gewerkschaftlichen Wegen versucht werden, etwa durch politische Versuche der Ausweitung von Mitbestimmungsbefugnissen der Arbeitnehmerinnen und Arbeitnehmer. Der radikalere Weg ist aber die Schaffung neuer, selbstbestimmter Arbeitsplätze, die auf einem anderen Umgang mit dem Eigentum an den Produktionsmitteln beruhen. Diese »neue Form der Selbständigkeit« besteht häufig in einer genossenschaftlichen Organisation oder in partizipativen Strukturen, die über das etablierte Betriebsverfassungsrecht oder die Mitbestimmung hinausgehen. Auch frühe Formen der Vermögensbildung bei Arbeitnehmerinnen und Arbeitnehmern werden hier weit überschritten (Sozialreferat der Abendländischen Akademie 1954).

- Über die Eigentumsfrage hinaus machen sich alternative Betriebsformen an wesentlichen Dimensionen der Verteilung fest: Nach welchen Prinzipien werden Einkommen oder Gewinne verteilt, wie wird die anfallende Arbeit selbst verteilt? An welchen Kriterien bemisst sich die Arbeitsleistung im Verhältnis zum Einkommen?
- Von alternativen Arbeitsformen kann schließlich ein anderer Begriff der Arbeit selbst eingefordert werden – dies bezieht sich vor allem auf die Aufhebung der Trennung zwischen formeller und informeller Arbeit und damit wesentlich auf die Frage, welche Arbeitszeiten beziehungsweise Arbeitszeitmodelle in einer alternativen Gestaltung der Arbeitswelt zum Tragen kommen. Im Extremfall wird der Begriff der Arbeit an sich für gänzlich sinnlos erklärt, etwa bei Kommuja (2014), weil die gemeinsame Ökonomie in alternativen Arbeitsformen Freiräume zum solidarischen und emanzipierten Leben schaffe. Daher gehe es nicht mehr um Arbeit, sondern um von der Gemeinschaft »anerkannte Tätigkeiten« (ibid., 225).
- Einen ganz anderen Ursprung können alternative Arbeits-

formen dann haben, wenn sich die neuentstehenden Betriebe und Unternehmen nicht über einen anderen Umgang mit Eigentum, Partizipation oder Arbeitsgestaltung legitimieren, sondern primär über alternative Produkte oder Dienstleistungen und erst in zweiter Linie über deren Einbettung in die gesellschaftliche Entwicklung. Hier kann dann zum Beispiel die Produktion ökologischer, gesunder und unter Verwendung standortgerechter Anbaumethoden erzeugter Lebensmittel im Vordergrund stehen oder die Konstruktion von Fahrrädern als Teil eines bewussten, alternativen Mobilitätskonzepts; in letzter Zeit zählen hierzu vor allem auch Unternehmen oder Betriebe, die energieeffiziente Produkte herstellen oder umweltfreundlich Energie erzeugen. Die entsprechenden Beratungsdienstleistungen bilden ein weiteres Tätigkeitsfeld dieser eher produktorientierten Alternativen. Gerade hier kann Wachstumskritik und die bewusste Schaffung von alternativen Produkten und Dienstleistungen für eine Postwachstumsgesellschaft im Vordergrund stehen – während bei alternativen Unternehmen und Betrieben, deren Legitimation vor allem aus einer Veränderung der Eigentumsformen und der Produktionsweise besteht, sich eine Postwachstumsorientierung eher im Anschluss, sozusagen als Folge einer »ganzheitlichen« Orientierung an den Bedingungen einer zukunftsfähigen Gesellschaft, ergeben kann.

Teil II
Konkretionen –
Arbeit in einer Postwachstumsgesellschaft

7 Alles eine Frage des Eigentums?

7.1 Proudhon und Marx, Mehrwert und Akkumulation

Schon 1840 hat Pierre Joseph Proudhon eine Schrift über das Eigentum veröffentlicht, in der das am meisten zitierte seiner Worte steht: »La propriété, … c'est le vol« (Proudhon 1840, 17) – Eigentum ist Diebstahl. Bis heute wird die Interpretation des Textes meist in politisch beabsichtigter Weise verfälscht, indem sie radikalisiert wird, denn Proudhon spricht sich keineswegs gegen jegliches Privateigentum aus, sondern gegen Monopole und gegen das Eigentum, das aus Privilegien abgeleitet wird und zur Akkumulation von Kapital führt. Gerechtfertigt ist auch nach Proudhon jedoch der Besitz an den Arbeitsmitteln, mit denen die Menschen selbst produktiv tätig sind. Legitim ist nach Proudhon weiterhin der Besitz jener Güter, die mit eigener Arbeit oder im Kollektiv hergestellt wurden, sowie der Güter, die im Tausch gegen selbsterstellte Produkte erworben wurden.

Karl Marx, Kontrahent von Proudhon in vielen Fragen, hat im *Kapital* gezeigt, dass die Akkumulation des Kapitals die Produktion von Mehrwert voraussetzt, der in der kapitalistischen Produktionsweise von den Kapitalbesitzern angeeignet wird (Marx 1867, 192 ff.). Dem kapitalistischen Akkumulationsprozess geht die sogenannte ursprüngliche Akkumulation voraus, die nach Marx »nichts anderes [ist] als der historische Scheidungsprozeß von Produzent und Produktionsmittel« (ibid., 742). Als »ursprünglich« wird diese Akkumulation bezeichnet, weil sie die Vorgeschichte des Kapitalismus darstellt, die mit dem Übergang der feudalen Gesellschaft in die kapitalistische Gesellschaft ihren Abschluss findet. Das Entstehen des Kapitalismus zeigt sich einerseits so als »Frucht eines siegreichen Kampfes gegen die Feudalmacht und ihrer empörenden Vorrechte sowie gegen die Zünfte« (ibid., 743 f.) – ein Sieg für die neuentstehende Klasse der Kapitaleigner; für die Arbeitenden, andererseits, jedoch nur ein »Formwechsel der Knechtung, in der Verwandlung der feudalen in kapitalistische Exploitation« (ibid.). In beiden Systemen war »die Arbeitskraft der Armen die Goldgrube für die Reichen« (Polanyi 1944, 150) – was durchaus bereits in der Zeit des Merkantilismus klar erkannt wurde, wenn etwa Charles Townshend in seinen *National Thoughts* 1767 schreibt: »Die Armen sind in jedem Land die wichtigste Klasse der Bevölkerung. Ihr Fleiß ist die einzige Quelle des Reichtums in jedem Land« (Townshend 1751, 1).[14]

7.2 Zur Fremdbestimmung über die »Ware Arbeitskraft« und mögliche Alternativen

Wer die Produktionsmittel besitzt, hat also in der Regel das Eigentum an den Ergebnissen der Produktion, die mit ihrer Hilfe zustande kommt; Arbeit ist im Kapitalismus zur Ware geworden, die gekauft und über deren Einsatz in jedem Detail vom Käufer entschieden werden kann. Mit der Kritik an dieser Verfügungsgewalt wird nun nicht nur – wie von Proudhon –

14 Zit. auch bei Furniss (1920, 22); zur merkantilistischen Doktrin vgl. ausführlich Diefenbacher / Ratsch (1992, 85 ff).

ein fundamentaler Gegensatz zu Freiheitsrechten gesehen, ein Gegensatz, der allein schon zum Widerstand gegen dieses System legitimieren würde (Proudhon 1841). Ein wesentliches Übel besteht außerdem darin, dass dem Arbeitenden nicht nur Produktionsmengen vorgegeben werden können, sondern dass auch die Art und Weise, wie er arbeiten soll, welche Handgriffe er in welcher Reihenfolge auszuüben hat, bis ins kleinste vorgeschrieben werden kann; schon lange vor der Einführung von tayloristischen und fordistischen Prinzipien der Arbeitsorganisation waren hier Versuche der Steigerung des Arbeitsertrages durch Verschärfung der Arbeitsteilung und des Arbeitstempos und durch erste Ansätze der Akkordentlohnung weit verbreitet; Manufakturen und Industriebetriebe funktionierten gerade bei der Durchsetzung dieser Art der Arbeitsverdichtung teilweise mit quasi-militärischen Befehlsstrukturen (Stearns 1975). Die Entfremdung ist also im Verkauf der Arbeitskraft als »Ware« an sich begründet, durch die der Besitzer dieser »Ware« sein Eigentum daran verliert und damit einer Fremdbestimmung über Arbeitsinhalte und Arbeitsorganisation ausgesetzt ist.

Sicher gab es auch in der Anfangszeit des industriellen Kapitalismus andere, humanere Systeme der Betriebsführung (vgl. Post 1889). Ausbeuterische Arbeitsbeziehungen und entfremdete Arbeit konnten – und können – sich jedoch in dieser Dominanz nur auf der Grundlage von Eigentumsstrukturen ergeben, die den Arbeitenden ein Mitbestimmungs- oder Entscheidungsrecht über die wesentlichen Aspekte der Gestaltung ihres Arbeitslebens weitgehend vorenthalten.

Wie könnten Alternativen dazu aussehen, die an der Eigentumsfrage selbst ansetzen? Im Grunde gibt es nur wenige Möglichkeiten:

- die Abschwächung der durch Eigentum an Produktionsmitteln begründeten Verfügungsgewalt durch weitgehende Mitbestimmungs- oder Partizipationsrechte, die gesetzlich über die Betriebsverfassung oder über Arbeitsverträge verankert werden;
- die Übertragung des Eigentums an Produktionsmitteln an einen »ideellen Eigentümer«, also Verstaatlichung oder eine andere Form der Vergesellschaftung;
- Aufbau eigenen oder kollektiven Eigentums an Produktionsmitteln, etwa in Form von Genossenschaften oder Kooperativen.

Dabei sind auch andere als traditionell kapitalistische Eigentumsformen nicht notwendigerweise von Wachstumszielen frei. Wenn beides – andere Formen des Eigentums und eine Postwachstumsorientierung – zusammenkommen soll, müssen weitere Kriterien erfüllt sein. Das könnte zum einen ein postmaterieller Lebensstil sein, bei dem die Beteiligten an der Akkumulation von Besitz nicht wirklich interessiert sind. Oder es könnte eine Orientierung der ökonomischen Aktivitäten der Wohlfahrt und der Lebensqualität des Gemeinwesens sein, in dem die Beteiligten leben.

7.3 Industriekapitalistisches versus gemeinwesenorientiertes Wirtschaften

Die industriekapitalistische Wirtschaftsweise heute ist nach wie vor weitestgehend identisch mit einem System, in dem wirtschaftliche Aktivitäten unternommen werden, um Gewinne für die Besitzer der Produktionsmittel zu erwirtschaften. In diesem System bringen einzelne oder Gruppen von

Menschen als Investoren Kapital auf, um Angestellte und Arbeiter beziehungsweise Arbeiterinnen zu beschäftigen, die ihre Unternehmensideen dann ausführen und dafür Löhne oder Gehälter bekommen. Entscheidend ist die Perspektive auf diesen Vorgang: Löhne und Gehälter werden von den Investoren als Kosten betrachtet, die es zu minimieren gilt. Jedenfalls zählt die Steigerung der Lohnsumme in aller Regel – und in allen Standardlehrbüchern der Betriebswirtschaftslehre – nicht zu den Zielen eines Unternehmens, wie sie von den Anteilseignern oder dem Vorstand eines Unternehmens formuliert werden.

Die obengenannten Alternativen sind jedoch keineswegs neu. Praktisch parallel zur Kritik an der Entstehung und den Auswirkungen der kapitalistischen Produktionsweise sind kooperative oder genossenschaftliche Organisationsformen beschrieben und praktiziert worden (vgl. hierzu Kapitel 5 und 6). Als »kleinster gemeinsamer Nenner« kann auch hier ein Idealtypus im Kontrast zur kapitalistischen Produktionsweise beschrieben werden. Unter einer »gemeinwesenorientierten« Wirtschaftsweise verstehen wir ein System, in dem die meisten Menschen oder Familien die Produktionsmittel besitzen, die sie benötigen, um ihren Lebensunterhalt zu verdienen, oder in der sich diese Menschen oder Familien mit anderen zusammenschließen und ihre Produktionsmittel – etwa in Form einer Genossenschaft – gemeinschaftlich bewirtschaften (Douthwaite / Diefenbacher 1998, 53 ff.):[15] eine Werkstatt, ein Einzelhandelsgeschäft, eine Praxis, ein Bauernhof mit landwirtschaftlich nutzbarem Boden, ein Fischerboot. Hier

15 Die folgenden Absätze nehmen den Argumentationsgang und Teile des Textes von Douthwaite / Diefenbacher (1998, 53 ff.) auf.

ist die Perspektive eine gänzlich andere: Ein ganz zentrales Ziel dieser wirtschaftlichen Aktivitäten ist der Lohn oder das Gehalt, das sich diese Menschen aufgrund ihrer Arbeit selbst auszahlen können. Wenn in einem gemeinwirtschaftlichen System Menschen das für ihre geplanten wirtschaftlichen Aktivitäten nötige Kapital fehlt, verschulden sie sich, quasi um sich selbst anstellen zu können.

Auch in einem gemeinwesenorientierten System können Einzelne oder Gemeinschaften andere temporär anstellen, etwa um bestimmte Tätigkeiten durchführen zu lassen, die sie selbst nicht leisten können. Wenn man die kapitalistische und die gemeinwesenorientierte Wirtschaftsweise als Idealtypen betrachtet, so sind sie auch von einem Größenunterschied des durchschnittlichen Einzelunternehmens gekennzeichnet; der Unterschied besteht nicht nur darin, dass im kapitalistischen System die Lohnsumme minimiert und die Kapitalerträge maximiert werden sollen, während im gemeinwesenorientierten System die Fremdkapitalkosten minimiert und dagegen eine breite Palette von Leistungen optimiert werden soll, die jenen zugute kommen, die an der wirtschaftlichen Aktivität direkt partizipieren – darunter auch das Geldeinkommen, aber auch die Arbeitsqualität und viele Faktoren, die das Leben im Gemeinwesen beeinflussen.

7.4 Neue Wege

Würde man politische Mehrheiten dafür bekommen, wäre es möglich, das Wirtschaftssystem insgesamt in Richtung eines anderen Verhältnisses zwischen dem kapitalistischen und dem gemeinwesenorientierten System zu verändern

(Douthwaite / Diefenbacher 1998, 54 f.). Der Gedanke, die Unternehmen, die sich im Besitz von Investoren befinden, auf eine Maximalgröße zu beschränken und größere Unternehmen aufzuteilen, wäre erneut eine Überlegung wert. Diese Unternehmen könnten dann nur noch bis zu einer bestimmten Größe wachsen. Ähnlich könnte eine maximale Fläche für landwirtschaftliche Unternehmen festgesetzt werden. Die Überlegung, eine Mindestzahl von Angestellten pro Summe eingesetzten Kapitals gesetzlich festzulegen, ist bislang noch nicht einmal ansatzweise diskutiert worden. Natürlich kann man zunächst einwenden, dass der technologische Fortschritt nahezu zwangsläufig zu anderen Relationen zwischen »Kapital« und Arbeit« führt. Aber um so wichtiger erscheint dann die Frage, wie die Eigentumsverhältnisse der neuen, kapitalintensiven Produktionsmittel gestaltet sind.

Natürlich repräsentieren die Idealtypen der kapitalistischen und der gemeinwesenorientierten Wirtschaftsweise die Eckpunkte einer großen Vielfalt von Mischformen, die in den letzten Jahrzehnten als Ordnungsmodelle differenziert ausgearbeitet wurden. Partizipation und Mitbestimmung von Arbeitnehmerinnen und Arbeitnehmern ist hier – wie oben bereits gesagt – ein Leitbild, dessen Bedeutung bei der Gestaltung der Arbeitswelt ganz verschieden ausgeprägt neben die Verwertungsinteressen des Kapitals treten kann (Huber 1978, Šik 1979).

7.5 »Eigentum und Vermögen in Arbeiterhand«

Eine eher »systemkonforme« Variante der Ausrichtung von Mitbestimmungsbefugnissen auf den Bereich der Eigentumsbeziehungsweise Vermögensbildung bei Arbeiterinnen und

Arbeitern – oder, allgemeiner, bei Arbeitnehmerinnen und Arbeitnehmern – waren Vorstöße, diesem Personenkreis durch betriebsverfassungsrechtliche oder gesetzliche Bestimmungen entweder direkt die Eigentumsbildung am Unternehmen zu erleichtern oder generell die Vermögensbildung zu fördern. Hier gab es schon in den 1950er Jahren Modelle, entweder durch privates Miteigentum oder die Schaffung überbetrieblicher Eigentumsformen die Identifikation der Arbeitenden mit »ihrem« Unternehmen zu erhöhen. Dabei waren Formen der Kapital- und Vermögensbeteiligung an einzelnen Unternehmen ebenso in der Diskussion wie die Schaffung spezieller Investmentgesellschaften, in die Arbeitnehmerinnen und Arbeitnehmer einzahlen sollten und damit Anteile an einem »virtuellen Gesamtvermögen« der Unternehmen erwerben würden (Fischer 1954, 125 ff.).

Weit über die Grenzen Deutschlands bekannt wurde in den 1960er Jahren der Unternehmer Phillip Rosenthal, der 1963 ein Beteiligungssystem für die Arbeitnehmer seiner Betriebe einführte, das unter dem Motto »Sagen und Haben« auf erweiterten Mitbestimmungsrechten und einer Bildung von Vermögen beruhte, das im Produktivkapital der Rosenthal AG angelegt werden konnte. 1986 vermachte Phillip Rosenthal sein Vermögen per Testament einer Stiftung, die die Weiterbildung von Arbeitern zu Führungskräften zur Zielsetzung hatte (Siemen 2005).

Die gewerkschaftliche Sicht zur Mitarbeiterkapitalbeteiligung war jedoch durchweg kritisch. Überspitzt formuliert, bestand die Befürchtung, dass am Ende die Arbeitnehmerinnen und Arbeitnehmer sich zu sehr an die Logik des Kapitals anpassen könnten, sie am Ende denken könnten wie kleine Unternehmer: Kapitalbeteiligung ziehe unweigerlich die Profitorientierung nach sich. Dadurch verliere der Arbeitnehmer seinen Halt in den Gewerkschaften, ohne dafür aufseiten der Kapitaleigner ein entsprechendes Äquivalent zu erhalten (Kratz 1954, 229).

7.6 Das jugoslawische Modell

Einer der konsequentesten Versuche, die Partizipation von Arbeitnehmerinnen und Arbeitnehmern zum Gestaltungsprinzip der Wirtschaftsordnung zu machen, der die Eigentumsfrage mit einschloss, war das System der Arbeiterselbstverwaltung im ehemaligen Jugoslawien, das am Vorbild einer rätedemokratischen Struktur orientiert war (Horvat 1972, Lemân 1976, Gramatzki / Lemân 1977). Das Eigentum an den Produktionsmitteln wurde nach dem Sieg der Partisanenarmee Titos vergesellschaftet; der Staat sollte »von unten nach oben« aufgebaut werden; alle übergeordneten Gremien, auch in den Unternehmen, wurden von ihrer Basis gewählt und waren dieser verantwortlich; Abberufung der Gewählten durch die Wähler war möglich. Außerdem herrschte ein striktes Prinzip der Ämterrotation: Alle Selbstverwaltungsfunktionen, mit denen keine materiellen Privilegien verbunden sein durften, wurden in regelmäßigen Zeitabständen durch Wahlen mit anderen Personen besetzt (Lemân 1976, 12). Die Wirtschaftsverfassung der Sowjetunion diente bei der Entwicklung des jugoslawischen Systems als Negativfolie, von der man sich abzugrenzen bemühte.

Die Vergesellschaftung des Eigentums an Produktionsmitteln war im jugoslawischen Modell aber explizit keine Verstaatlichung, sondern eine Übergabe der Grundstücke, der Immobilien und der Einrichtungen an die Selbstverwalter, die selbständig waren in Bezug auf die innere Organisation des

Unternehmens, in Bezug auf ihre Geschäftsführung, die Aufteilung der Einkünfte und in Bezug auf den Abschluss von Verträgen und die Bildung wirtschaftlicher Zusammenschlüsse. Privateigentum an Produktionsmitteln von einzelnen Personen wurde dann als zulässig angesehen, wenn der Eigentümer der Produktionsmittel im Betrieb selbst mitarbeitete; die Zahl der Arbeitenden in solchen Betrieben durfte nicht höher als fünf sein. Oberhalb dieser Grenze ging das Eigentum an den Produktionsmitteln rechtlich auf den Betrieb insgesamt über. In landwirtschaftlichen Betrieben gab es eine Höchstgrenze der Zahl der bewirtschafteten Hektar, in Unternehmen generell eine Höchstzahl der Mitarbeiterinnen und Mitarbeiter des Kollektivs; sollten diese Höchstgrenzen überschritten werden, musste sich der Betrieb oder das Unternehmen teilen.

Mit diesen zum Teil rigiden Bestimmungen sollte der Erkenntnis Rechnung getragen werden, dass »entfremdete Arbeit nicht allein Folge kapitalistischer Eigentums- und Warenbeziehungen [ist] … die Ursachen der Entfremdung liegen auch in den Merkmalen der Industriegesellschaft« (ibid., 21). Eine Veränderung der Situation und die Möglichkeit der Aufhebung der Entfremdung ereignet sich erst dann, wenn die Arbeitenden nicht mehr das Gefühl der Einfluss- und Bedeutungslosigkeit haben – und wenn sich ihre Arbeitsinhalte so ändern, dass eine unmittelbare Befriedigung durch die Arbeit selbst, zumindest in weiten Teilen des Arbeitsalltags, möglich werden.

Die jugoslawische Betriebsverfassung bestand, als Prototyp einer partizipatorischen Variante einer an sozialistischen Überlegungen orientierten Marktwirtschaft, bis Ende der 1980er Jahre. Negative ökonomische Entwicklungen in den 1980er Jahren wie eine sehr hohe Inflationsrate von zumeist über 40 Prozent pro Jahr, hohe Leistungsbilanzdefizite und eine hohe Auslandsverschuldung wurden auch der Betriebsverfassung zugeschrieben. Sie war zudem mitverantwortlich für eine weitgehend unbewegliche Wirtschaftspolitik, da nach dem partizipativen Leitbild, das auch hier gültig war, neben staatlichen Instanzen auch alle unmittelbar von Veränderungen Betroffenen gehört werden mussten. Ein ordnungspolitischer Systemwandel begann 1988 mit einem neuen Unternehmensgesetz, das rein privatwirtschaftliche Unternehmensformen zuließ und den neugegründeten privaten Personen- und Kapitalgesellschaften Gleichberechtigung zu sozialistischen Unternehmen zusicherte. Das Privatisierungsgesetz von 1989 sah schließlich die Umwandlung der Selbstverwaltungsunternehmen in private Kapitalgesellschaften vor (Brkic 2001, 63 ff.).

7.7 Die Eigentumsfrage in einer Postwachstumsgesellschaft

Im Jahr 2016 gilt für die Verwirklichung einer gemeinwesenorientierten Ökonomie umso mehr, was schon 1998 im bereits zitierten *Handbuch für eine lokale Ökonomie* konstatiert werden musste: »Es steht völlig außer Zweifel, dass Gesellschaftsmodelle mit dieser Zielsetzung, wenn sie ›von oben nach unten‹, also durch Gesetze und Verordnungen realisiert werden sollen, bei dem derzeitigen politischen Klima nur als Luftschlösser bezeichnet werden können.« (Douthwaite / Diefenbacher 1998, 55) Daher wird es, wenn sich Menschen finden, die eine gemeinwesenorientierte Ökonomie für sich verwirklichen wollen – in ihrer Arbeitswelt oder als Beitrag zur Ökonomie des Ortes oder der Region, in der sie leben – kaum einen anderen Weg geben als einen mühevollen Aufbau »von unten nach oben«.

8 Einkommen, Entlohnung, Anerkennung

8.1 Zum Spannungsfeld zwischen monetärer und nichtmonetärer Entlohnung

Wie schon in vorherigen Kapiteln angesprochen, gibt es einen direkten Zusammenhang zwischen der Qualität der Arbeit und der intrinsischen Arbeitszufriedenheit, also der Arbeitszufriedenheit, die die Menschen aus der Arbeitstätigkeit an sich beziehen. Je »entfremdeter« eine Arbeitstätigkeit ist, desto weniger ist es möglich, intrinsische Arbeitszufriedenheit zu erhalten – und desto höher werden die Ansprüche an andere, »extrinsische« Formen der Vergütung sein, damit auch eine solche Arbeit insgesamt noch zufriedenstellen kann; in der Regel wird dies ein hoher monetärer Lohn sein, der auch bei einer im Grunde unbefriedigenden Arbeitssituation zu einer höheren Zufriedenheit führen kann. Damit ist das Spannungsfeld zwischen monetären und nichtmonetären Formen der »Entlohnung« angesprochen: finanzielle Vergütung versus interessante und in sich lohnende Arbeit beziehungsweise Anerkennung des sozialen Umfelds oder der Familie, die sich im Bewusstsein niederschlagen, mit seiner Arbeit zum Wohl des Ganzen sinnvoll beizutragen.

Sinnvolle Arbeit mit einem hohen Potential an intrinsischer Zufriedenheit muss nun nicht notwendigerweise nur im formellen Sektor stattfinden – wobei auch der informelle Sektor keineswegs ein Garant für hohe intrinsische Zufriedenheit ist. Dennoch ist die Möglichkeit, im informellen Sektor zu arbeiten, Eigenarbeit und ehrenamtliche Arbeit zu leisten, oftmals dadurch beschränkt, dass Menschen zunächst einem Gelderwerb nachgehen müssen, um für ihren Lebensunterhalt zu sorgen – zumindest für den Teil, der nicht durch Leistungen aus der informellen Ökonomie abgedeckt werden kann.

Ein Übergang in ein System, in dem Arbeitszeitverkürzungen in der formellen Ökonomie genutzt werden, um die informelle Ökonomie auszubauen, kann ein wichtiger Weg des Übergangs in eine Postwachstumsgesellschaft sein. Er ist notwendig darauf angewiesen, dass die Menschen über eine monetäre Grundsicherung verfügen. In diesem Sinne könnte man geldliche Unterstützungssysteme als »Subventionierung« der informellen Arbeit begreifen, deren Aufwertung auf diese Weise befördert werden kann. In der wissenschaftlichen Literatur und der politischen Öffentlichkeit werden seit längerem verschiedene Modelle diskutiert. Sie reichen von der bedarfsorientierten Grundsicherung über die negative Einkommensteuer und das garantierte Grundeinkommen bis hin zu lebensphasenspezifischen Einkommensentwürfen, wie etwa dem Erziehungsgehalt oder verschiedenen Grundrentenmodellen. Ebenso könnte durch den Aufbau von geldwerten Systemen das informelle Arbeiten unterstützt werden, indem der Austausch von Leistungen zwischen den privaten Haushalten neu geregelt wird, etwa durch Tauschringe, Freiwilligenagenturen und Dienstleistungskonten. Zusätzlich könnten die infrastrukturellen Voraussetzungen für das informelle Arbeiten verbessert werden, etwa durch Gemeinschaftswerkstätten, Reparatur-Cafés oder Nachbarschaftsläden.

8.2 Bedarfsorientierte Grundsicherung

Der Grundgedanke bei der bedarfsorientierten Grundsicherung liegt in der bedürftigkeitsabhängigen Sockelung von Sozialversicherungsleistungen. Im Falle fehlender oder zu geringer Versicherungsansprüche werden die Zahlungen des betreffenden Leistungssystems wie Arbeitslosen- oder Rentenversicherung automatisch auf die Höhe des Existenzminimums angehoben. Das Konzept der bedarfsorientierten Mindest- oder Grundsicherung wurde in Deutschland gegen Mitte der 1980er Jahre entwickelt. Damals hatten vor allem die SPD, Bündnis 90/Die Grünen und der Deutsche Paritätische Wohlfahrtsverband entsprechende Konzepte vorgelegt.

Seit 2003 wird Personen, die das 65. Lebensjahr vollendet haben, eine bedarfsorientierte Grundsicherung gewährt. Das gilt auch für Menschen, die das 18. Lebensjahr vollendet haben und unabhängig von der jeweiligen Arbeitsmarktlage aus medizinischen Gründen dauerhaft voll erwerbsgemindert sind – zum Beispiel Beschäftigte in einer Werkstatt für behinderte Menschen – und bei denen es unwahrscheinlich ist, dass die volle Erwerbsminderung behoben werden kann. Ende 2013 betrug die Zahl von Leistungsempfängern der Grundsicherung rund 962 000. Im Vergleich zum Jahr 2003 hat sich ihre Zahl mehr als verdoppelt. Rund die Hälfte der Bezieherinnen und Bezieher war 2013 65 Jahre und älter. 2005 wurden für die Grundsicherung 2,9 Mrd. € ausgegeben, bis 2013 sind die Ausgaben auf 5,4 Mrd. € angestiegen. Dies entspricht – nach eigenen Berechnungen – etwa 20 Prozent der Sozialhilfeausgaben.

Die Grundsicherung wird nur gezahlt, wenn der Bedarf nicht durch anderweitiges Einkommen oder durch Vermögen gedeckt werden kann. Das Leistungsniveau soll dem materiellen und kulturellen Entwicklungsniveau der Gesellschaft entsprechen und diesem stetig angepasst werden. Die Berechnung der Leistung soll möglichst stark pauschaliert werden, wobei Differenzierungen, wie etwa die Zahl der Kinder oder die Wohnungskosten, durchaus vorgesehen sind. Falls erforderlich, sollen auch Beiträge zur Renten- und Krankenversicherung gezahlt werden. Organisatorisch gesehen ist die soziale Grundsicherung eine eigenständige steuerfinanzierte Sozialleistung. Der Bund hat die Kosten zu tragen; der Bewilligungszeitraum beträgt ein Jahr.

Die bedarfsorientierte Grundsicherung bleibt systemimmanent, denn Erwerbsarbeit wird nach wie vor als »Normalfall« angesehen. Das Konzept ist erwerbszentriert und sieht Erwerbslosigkeit als Ausnahmefall, den es sozialpolitisch abzufedern und möglichst zeitnah zu beenden gilt.

8.3 Negative Einkommensteuer und Bürgergeld

Die Idee der negativen Einkommensteuer geht auf Rhys-Williams (1953) zurück. Zu einer Umsetzung ihrer Idee kam es jedoch nicht; erst 1962 griff Friedman (1962) den Gedanken wieder auf und versuchte mit seinem Konzept, die absolute Armut in Amerika zu lindern. Das Modell der negativen Einkommensteuer (als Überblick vgl. Kress 1996) ist bisher noch nicht verwirklicht worden.

Mitschke (1985; 1994; 1995; 1999) hat in Anlehnung an das Modell der negativen Einkommensteuer den Vorschlag für ein Bürgergeld entwickelt. Er beinhaltet, dass die Einkommensbesteuerung durch eine persönliche periodische Konsumsteuer und eine Reinvermögenszuwachssteuer am Lebensende mit konstanten Grenzsteuersätzen ersetzt wird. In diese Steuer soll – quasi als »negativer Ast« – das Bürgergeld mit einer konstanten Transferentzugsrate integriert werden. Die Finanzierung ist so konzipiert, dass sie sich haushaltsneutral verhalten würde. Die Einkommens-, Vermögens-, Schenkungs- und Erbschaftssteuer sollen ebenso wie alle Transfers von Sozialbehörden, die redistributiven Geldleistungen der Sozialversicherung und die zahlreichen Objektförderungen durch die Konsumbesteuerung und das Bürgergeld ersetzt werden.

Der Personenkreis, für den dieses Bürgergeld Anwendung finden soll, erstreckt sich auf alle Personen mit Wohnsitz oder gewöhnlichem Aufenthalt im Inland. Bei Zuzug soll eine Wartefrist gelten, die aber nicht für politisch Verfolgte oder Asylbewerber gelten soll. Zu einem Veranlagungssubjekt werden hierbei nicht dauernd getrennt lebende Ehegatten und unverheiratete minderjährige im Haushalt lebende Kinder zusammengefasst. Für die Bedarfsbemessung soll nur das Individuum maßgeblich sein. Der Bedarf richtet sich nach einem Grundbedarf und Mehrbedarfszuschlägen. Der Grundbedarf setzt sich aus einem Grundbetrag, welcher nach dem Alter differenziert ist, und dem Wohnbedarf zusammen, der sich nach der Haushaltsgröße und der Einwohnerzahl der Gemeinde staffelt.

Die FDP hatte das Bürgergeld 1994 in ihr Wahlprogramm übernommen. Laut aktuellen Berechnungen der FDP würde der Bürgergeldanspruch für einen Alleinstehenden ohne Kinder bei durchschnittlich 662,– € liegen. Damit wären alle Bereiche abgedeckt. Für eine erwerbslose verheiratete Person mit einer/einem nicht erwerbstätigen Partner/in und drei Kindern würde sich ein Bürgergeldanspruch von 1919,– € ergeben (Pinkwart 2005, 21 f.).

Ein weiterer, in diesem Zusammenhang immer wieder

diskutierter Effekt ist die positive Beeinflussung der Arbeitsnachfrage durch das Bürgergeld, das gewissermaßen als Lohnsubvention wirken würde. Die Nachfrage nach geringqualifizierter Arbeit würde steigen, da kostendeckend niedrigere Löhne gezahlt werden könnten, die durch die Aufstockung durch das Bürgergeld auch für Arbeitsuchende attraktiv wären.

Ein weiterer Vorschlag wurde von Spermann (1996) vorgelegt, der mit einem »Einstiegsgeld« die sogenannte Armutsfalle beseitigen will. Zielgruppe seines Modells sind arbeitsfähige Langzeitarbeitslose, die Arbeitslosenhilfe oder ergänzende Sozialhilfe erhalten. Das Einstiegsgeld soll diese beiden Sozialleistungen ersetzen und über die Arbeitsämter ausbezahlt werden. Ziel ist es, den Einstieg in den regulären Arbeitsmarkt zu erleichtern. Das Einstiegsgeld soll sowohl Teilzeitbeschäftigungen als auch untertarifliche Entlohnungen zu sogenannten Einstiegstarifen für Hilfeempfänger attraktiv machen. Wie beim Bürgergeld sollen Zusatzverdienste nur zu 50 Prozent angerechnet werden.

8.4 Bedingungsloses Grundeinkommen

Der erstmalige Vorschlag für ein Grundeinkommen geht auf das Jahr 1516 zurück, als Thomas Morus sein Werk *Utopia* veröffentlichte (Vanderborght / van Parijs 2005, 15). Er empfahl damals eine staatliche Einkommensgarantie zur Bekämpfung von Kriminalität anstelle der Todesstrafe. Ein weiterer Vordenker der Idee war Thomas Paine (1737–1809), der ein Naturrecht auf soziale Sicherheit proklamierte (Blaschke 2010a, 25). Paines Vorschlag sah vor (1796):

> »... allen Bürgern mit ihrem 21. Geburtstag aus einem nationalen Fonds einen Beitrag von 15 Pfund Sterling als Entschädigung für die naturrechtlichen Ansprüche, die ihnen durch das System des Grundeigentums verloren gegangen sind, auszuzahlen. Darüber hinaus sollen alle Bürger, die bereits ihr 50. Lebensjahr erreicht haben, und all jene, die es noch erreichen werden, bis an ihr Lebensende jährlich eine Summe von zehn Pfund Sterling erhalten.«

Im 19. Jahrhundert gab es weitere Bestrebungen in Richtung Grundeinkommen: So forderte Charles Fourier (1772–1837) ein Grundeinkommen, da immer mehr Menschen keinen Grund und Boden besäßen, um sich selbst durch Jagen und Sammeln zu versorgen (Fourier 1836, 491):

> »Das allererste Recht, das Recht, die Früchte der Natur zu ernten, die Gaben der Natur zu nutzen, die Freiheit zu jagen, zu sammeln, das Weideland zu nutzen, entspricht einem Recht auf Nahrung, dem Recht zu essen, wenn man hungrig ist. In den zivilisierten Gesellschaften stellen die Philosophen dieses Recht in Abrede, Jesus Christus jedoch gewährt es mit folgenden Worten: ... Damit bekräftigt Jesus das Recht, sich das Notwendige zu besorgen, wenn man hungrig ist. Und dieses Recht verpflichtet die Gesellschaft dazu, die Grundversorgung des Volkes zu gewährleisten: Da dieses erste Naturrecht – das Recht des Jagens, des Fischens, des Sammelns, des Weidens – in der Zivilisation verloren gegangen ist, muss diese für eine Entschädigung sorgen.«

Der erste Ökonom, der sich offen für eine Grundversorgung einsetzte, war John Stuart Mill (1806–1873). Er war es auch, der den englischen Begriff »basic income« prägte, der sich international für das Grundeinkommen durchsetzen sollte. Das Wort »Sozialdividende« wurde dann erstmals vom englischen

Ökonomen George Douglas Howard Cole (1889–1959) erwähnt (Vanderborght/van Parijs 2005, 27). Das Grundeinkommen ist ein Rechtsanspruch in Form einer finanziellen, regelmäßigen Zuwendung, die jedem Bürger und jeder Bürgerin zusteht und eine angemessene Lebensführung ermöglicht ohne sonstiges (Erwerbs-)Einkommen (Wohlgenannt/Büchele 1990, 28).

Ein bedeutender Vorteil des Grundeinkommens, der in allen Konzepten einen besonderen Stellenwert genießt, ist die Vereinfachung und Verschlankung der sozialen Leistungen. In Deutschland beispielsweise gibt es insgesamt 155 unterschiedliche Sozialleistungen, welche von 38 unterschiedlichen Behörden verwaltet werden (Schramm 2010, 91). Diese würden, abhängig vom einzelnen Modell, aufgehoben werden. Hierdurch würden einerseits Kosten gespart, da die Sozialleistungen nicht mehr nötig wären – etwa Arbeitslosengeld, Kindergeld –, und andererseits würde Bürokratie abgebaut werden, was noch einmal Kosten einspart. Dies würde sowohl für die Betroffenen als auch den Staat eine bedeutende Vereinfachung darstellen. Der Staat braucht keine Bedürftigkeitsprüfungen mehr vorzunehmen (Vanderborght/van Parijs 2005, 69), und der Betroffene ist nicht mehr darauf angewiesen, von einem Amt zum nächsten zu laufen, um Leistungen des Staates zu erhalten.

Die jährlichen Sozialleistungen beliefen sich 2014 auf 849,2 Mrd. €; von dieser Summe entfielen allein für die Verwaltung der Sozialleistungen ca. 32 Mrd. €. Eine große Bandbreite liegt bei den Modellen vor, wie der Staat verschlankt werden könnte. Während beim Solidarischen Bürgergeld in der Version von 2006[16] mehr als 100 der 155 unterschied-

16 Dieses Modell sah im Wesentlichen ein großes Bürgergeld (600,– € + 200,– € Gesundheitsprämie) bis zu einem Bruttoeinkommen von 1600,– € bzw. ein kleines

lichen Sozialleistungen wegfallen sollen (Althaus 2006, 726), werden beim Existenzgeld lediglich Sozialhilfe, Grundsicherung im Alter für Arbeitsuchende und bei Erwerbsminderung sowie Kinder-, Erziehungs- und Wohngeld sowie BAföG zusammengefasst (Blaschke 2010b, 358).

Ein weiterer positiver Effekt des Grundeinkommens wäre die Tatsache, dass es keinen expliziten Arbeitszwang mehr gäbe. Dies wäre insofern positiv, als sich diejenigen, die heutzutage kaum mehr einen Job finden wie die Langzeitarbeitslosen, nicht mehr ständig bewerben und zu Bewerbungsgesprächen antreten müssten, obgleich ihre Erfolgschancen minimal sind. Das Problem bei diesen Langzeitarbeitslosen ist oftmals ihre mangelnde oder eine am Markt nicht mehr nachgefragte Qualifizierung.

Weiter kann lang anhaltende Arbeitslosigkeit zu sozialen und gesundheitsrelevanten Folgen führen – wie sich bereits in der im Jahre 1933 veröffentlichten Studie *Die Arbeitslosen von Marienthal* (Jahoda / Lazarsfeld / Zeisel 1933) zeigte. Empirisch gut belegt ist mittlerweile auch, dass niedriges Einkommen und reduzierter Lebensstandard mit eingeschränkter psychischer Gesundheit korrelieren (Paul et al. 2006). Im Hinblick auf eine Schädigung der sozialen Gesundheit durch Arbeitslosigkeit können als wesentliche soziopathogene Faktoren finanzielle Defizite, Stigmatisierung, Rollenveränderungen, soziale Isolation und Zeitstrukturierung angeführt werden (Egger et al. 2006). Dazu schreiben Vanderborght / van Parijs (2005, 76):

Bürgergeld (200,– € + 200,– € Gesundheitsprämie) bei einem Bruttoeinkommen von über 1600,– € vor. Unterhalb der Transfergrenze von 1600,– € lag der Steuersatz bei 50 Prozent und oberhalb dieser Grenze bei 25 Prozent (vgl. Blaschke 2010b, 343f).

»Da das Grundeinkommen unabhängig von einer Arbeitstätigkeit in voller Höhe behalten werden kann, verbessert sich die finanzielle Situation beim Antritt einer Beschäftigung. Arbeit ›lohnt sich‹, und da hier das Grundeinkommen an die Stelle einer bedingten Sozialleistung tritt, verschwindet die Falle von Abhängigkeit, Arbeitslosigkeit und gesellschaftlicher Ausgrenzung.«

Die Freiheit, die daraus resultiert, nicht mehr auf der ständigen Suche nach einem Job zu sein, könnte neue Kräfte freisetzen. So wäre es Betroffenen möglich, sich stärker ehrenamtlich zu engagieren oder sich weiterzubilden. Arbeitnehmer bekämen darüber hinaus eine größere Macht, da sie nicht mehr verpflichtet wären, zu schlechten finanziellen Konditionen zu arbeiten. Stattdessen müssten die Arbeitgeber unliebsame Berufe besser bezahlen oder versuchen, diese Arbeit zu automatisieren (Werner / Goehler 2010, 73). Außerdem bietet das Grundeinkommen eine entgeltliche Honorierung von Arbeit insgesamt. Schließlich arbeiten Menschen auch außerhalb der Zeit, in der sie einer Erwerbsarbeit nachgehen. Sowohl die ehrenamtliche Arbeit als auch die Hausarbeit würden durch ein Grundeinkommen stärker anerkannt werden (Werner / Presse 2010, 313).

Ein Grundeinkommen versetzt die Bürger in eine Situation, in der sie nicht mehr abhängig sind von der Lohnarbeit. Des Weiteren würden die einzelnen Familienmitglieder unabhängiger voneinander werden. So wären Frauen, die keinem Beruf nachgehen, weniger abhängig vom Einkommen ihrer Männer (Blaschke 2010a, 145). Auch junge Erwachsene wären nicht auf die finanzielle Unterstützung ihrer Eltern angewiesen. Diese Unabhängigkeit könnte der aktuellen und zukünftigen Gesellschaft eher angemessen sein als das heutige

System, da es beispielsweise immer mehr Singlehaushalte gibt, weniger geheiratet wird und Ehen tendenziell öfter geschieden werden. Auch für berufstätige Personen würde es so deutlich einfacher werden, für einen gewissen Zeitraum aus dem Erwerbsleben auszuscheiden und ein Sabbatical einzulegen, wie es heutzutage schon für Beamte möglich ist – also ein Langzeiturlaub, der normalerweise für private Zwecke oder zur Weiterbildung verwendet wird. Nach einer Studie könnten sich 36 Prozent der abhängig Beschäftigten vorstellen, ein Sabbatical zu nehmen, wenn es einen angemessenen Lohnausgleich – etwa durch ein Grundeinkommen – gäbe (Bielinski et al. 2002, 122).

Was die Finanzierbarkeit eines Grundeinkommens angeht, sind zunächst zwei Aspekte voneinander zu trennen: Auf der einen Seite muss untersucht werden, wie hoch die Ausgaben durch ein Grundeinkommen wären und wie sich die Ausgabenseite des Staates dann zusammensetzt. Andererseits geht es um die Einnahmenseite des Staates. Hier liegen unterschiedliche Konzepte vor, wie sich die Einnahmenseite des Staates gestalten oder verändern ließe, also zum Beispiel durch eine Umstellung von einem Besteuerungssystem, welches die Lohnarbeit besteuert, zu einem, welches den Konsum stärker besteuert (vgl. Presse 2009). Bei den meisten Grundeinkommenskonzepten, die detaillierter ausgearbeitet worden sind, liegen auch Vorschläge für die Finanzierbarkeit vor. Allerdings gibt es über diese Finanzierungsmöglichkeiten eine große Ungewissheit, da sich durch deren Einführung viele Parameter wie das Arbeitsangebot ändern würden. Wie stark die Veränderungen wären und welche Wechselwirkungen bestehen, ist jedoch schwer abzuschätzen.

Umstritten ist auch, mit welchem Betrag monatlich die Teilhabe an der Gesellschaft gewährleistet ist. Der Regelbedarf beim Arbeitslosengeld II beträgt 404,– € für eine erwachsene alleinstehende Person gemäß § 20 Abs. 2 bis 4 SGB II und § 23 SGB II. Dazu kommen die tatsächlichen Kosten der Unterkunft und Heizung nach § 22 Abs. 1 SGB II, soweit sie angemessen sind.

Daneben gäbe es weitere Möglichkeiten, den Betrag für ein existenzsicherndes Einkommen zu ermitteln. Beispielsweise könnte man sich an der Armutsrisikoquote der Europäischen Union orientieren, die besagt, dass ein Mindesteinkommen bei mindestens 60 Prozent des Medianeinkommens des jeweiligen Landes liegen muss; ansonsten liegt eine Armutsgefährdung vor. Im Jahr 2013 lag dieser Wert in Deutschland bei 1060,– €. Bei der Bestimmung des Grundeinkommens könnte man sich aber auch an der Pfändungsfreigrenze orientieren, die zurzeit 1079,99 € netto pro Monat beträgt; die Pfändungsfreigrenze ist die Freigrenze für Nettoeinkommen, die bei Pfändungen von Schuldner/innen nicht unterschritten werden darf, um die Betroffenen nicht von der Sozialhilfe abhängig zu machen (vgl. Blaschke 2010b, 314). Ein anderer Ansatzpunkt wären die Selbstbehalte für Unterhaltsverpflichtete, die aktuell bei 880,– € für Nichterwerbstätige mit minderjährigem Kind und bei 1080,– € für Erwerbstätige mit einem minderjährigen Kind liegen. Dieser Selbstbehalt sichert den notwendigen Nettoeinkommensbedarf der Unterhaltsverpflichteten für deren Lebensunterhalt ab (vgl. Blaschke 2010b, 315).

Letztlich hängt es davon ab, wie hoch der Grundbedarfsanspruch jedes einzelnen Grundeinkommensmodells ist. Des Weiteren bestehen große Unterschiede bei der Einschätzung, wie viel Geld pro Monat zur Verfügung stehen muss, um von »Teilhabe an der Gesellschaft« zu sprechen. Teilweise werden selbst 1000,– € pro Monat als zu gering für den großstädtischen Raum bezeichnet (Behrend et al. 2010, 238). Im Gegensatz dazu sahen im Jahr 2010 die Verfechter des Solidarischen Bürgergeldes 400,– € pro Monat als ausreichend an, da es etwa 10 Prozent über dem damals aktuellen ALG-II-Satz liege (Althaus / Binkert 2010, 48).

Auf internationale Erfahrungen kann bisher nur in wenigen Fällen zurückgegriffen werden: In Namibia wurde in einem Dorf namens Otjivero-Omitara, 100 km östlich von Windhoek, über zwei Jahre ein Grundeinkommen gezahlt. Unterstützt wurde dieses Projekt von vielen Organisationen aus Deutschland, der Schweiz und Südafrika. Bewertet wurde es unterschiedlich: Während sich die Initiatoren in ihren Berichten sehr positiv äußerten und beispielsweise die Verringerung der Arbeitslosenquote erwähnten, monierten die Kritiker vor allem, dass es effektivere Wege gäbe, das Geld zu investieren, etwa in Bildungsmaßnahmen. In Finnland lässt die Mitte-Rechts-Regierung zurzeit die Möglichkeiten eines bedingungslosen Grundeinkommens in einer wissenschaftlichen Studie erforschen – ein weltweit einmaliges Experiment. Die Finnen befürworten die Idee: In einer Umfrage sind fast 70 Prozent für die Einführung eines Grundeinkommens. Im Schnitt solle es bei 1000,– € liegen. Wie viel Geld es in dem Experiment tatsächlich geben wird, ist bislang noch offen, es sollte allerdings über dem bisherigen Arbeitslosengeld liegen. Dieses beträgt zurzeit rund 550,– € im Monat. Zum Vergleich: Das Durchschnittseinkommen in Finnland liegt bei etwa 2500,– €.

Infokasten 14: Das Projekt »Mincome« in Kanada

Von 1974 bis 1979 wurde in Kanada in den Städten Dauphin (10 000 Einwohner) und Winnipeg (450 000 Einwohner) das Projekt »Mincome« durchgeführt. Die Familien erhielten ein Grundeinkommen, da ihre Einkünfte unter der Armutsgrenze lagen. Im Vordergrund des Projektes sollte die Frage stehen, wie sich Mincome auf den Arbeitswillen, die Familienbildung und den kommunalen Zusammenhalt auswirkt. Viermal im Jahr wurden deshalb über die Projektlaufzeit Umfragen über Arbeitszeiten, Lohn und Familienverhältnisse gemacht. Ebenfalls wurde damals eine Kontrollgruppe befragt. Zur Auswertung der Daten kam es dann aber nicht, da die Projektfinanzen aufgebraucht waren. Jahrzehnte später wurden die diversen Daten und Dossiers im Canadian Archives Building in Winnipeg wieder aufgefunden und ausgewertet (Forget 2011; Haffner 2016). Nachträglich wurden noch ergänzende Interviews mit einzelnen der damaligen Teilnehmer des Programms vorgenommen.

Diese retrospektive Auswertung kam zu dem Ergebnis, dass sich für Familien, die bisher Sozialhilfe erhielten, nur wenig geändert hatte, denn ein Zusatzverdienst wurde so hoch besteuert, dass es sich nicht lohnte zu arbeiten. Für jene allerdings, die bisher kein Anrecht auf Sozialhilfe hatten, bedeutete Mincome eine deutliche Einkommenssicherheit. Im Unterschied zur Sozialhilfe wurden den Mincome-Beziehern lediglich von jedem Dollar Zusatzverdienst nur 50 Cent abgezogen. Außerdem ermöglichte Mincome mehr Zeit bei der Jobsuche; die Arbeitsuchenden waren nämlich nicht gezwungen, jede ihnen angebotene Arbeit anzunehmen. Heranwachsende gingen länger zur Schule. Im Vergleich zur Kontrollgruppe war der Anteil der Jugendlichen mit einem Highschool-Abschluss höher, die ein Mincome bezogen hatten.

Was die Arbeitsmotivation der Mincome-Bezieher angeht, so

arbeitete nur ein Prozent der Männer weniger als zuvor. Bei den verheirateten und unverheirateten Frauen lag der Prozentsatz etwas höher; sie nutzten das Grundeinkommen, um länger zu Hause zu bleiben oder sich beruflich weiterzubilden. Wie das kanadische Beispiel zeigt, lassen sich die bisher laut werdenden Vorbehalte gegen ein Grundeinkommen auf Grundlage der wissenschaftlichen Erhebungen durchaus anzweifeln.

Angesichts der weiteren Digitalisierung der Arbeitswelt, verbunden mit dem Stichwort Industrie 4.0, wird auch von einzelnen Industrievertretern (Höttges, Telekom; Leukert, SAP) die Idee des Grundeinkommens für notwendig angesehen (Höttges 2015, 14):

> »Es könnte eine Lösung sein – nicht heute, nicht morgen, aber in einer Gesellschaft, die sich durch die Digitalisierung grundlegend verändert hat. Ich versuche, nicht in starren Strukturen zu denken, sondern zu sehen, was sich in der Welt verändert und wie wir darauf reagieren könnten, wenn die Dinge so eintreffen, wie wir sie erwarten. Wir müssen unsere Gesellschaft absichern. Deswegen die Idee des Grundeinkommens. Wir dürfen solche Ideen nicht allein deshalb ablehnen, weil sie uns aus heutiger Sicht unbrauchbar scheinen.«

Finanziert werden könnte nach Ansicht von Höttges (2015) das Grundeinkommen durch die Besteuerung der Gewinne großer Internetkonzerne.

Die bisher vorliegenden Simulationsmodelle kommen zu dem Ergebnis, dass ein Grundeinkommen zwar prinzipiell finanzierbar sei, aber in den meisten Fällen rechnen die Modelle auf einem Niveau unterhalb von 1000,– € (Althammer et al. 2012, 56 ff.; Hohenleitner / Straubhaar 2008, 28 ff.). Der wesentliche Vorteil eines Grundeinkommens würde daher in der nicht mehr anfallenden Bedürftigkeitsprüfung bei Empfängern von Sozialleistungen und bei Geringverdienern mit niedrigen Qualifikationsanforderungen liegen.

Um den Wechsel zwischen formeller und informeller Ökonomie zu erleichtern, plädieren wir im Folgenden für lebensphasenspezifische Finanzierungssysteme.

8.5 Erziehungsgehalt und Familienversicherung als Modelle zur Aufwertung von Erziehungsarbeit

Das Familienleben hat sich in den zurückliegenden Jahrzehnten relativ einschneidend verändert: Zum einen ist die Erwerbstätigkeit von verheirateten Frauen ständig gestiegen, zum anderen ist aber parallel dazu keine höhere Beteiligung der Männer am Familienleben zu beobachten: Die Haus- und Sorgearbeit bleibt überwiegend Frauensache (Koppetsch / Speck 2015, 17 f.):

> »Viele Paare begründen die Rückkehr zu traditionellen Mustern der Arbeitsteilung auch damit, dass in ihrer Beziehung eben *zufällig* der Mann mehr verdiene, weshalb die Frau nun ihre Berufstätigkeit reduziere, um mehr Zeit für die Familie zu haben. Die Frage ist dann aber, was hier ›zufällig‹ bedeutet. Zwar hat sich die weibliche Erwerbsbeteiligung seit den siebziger Jahren deutlich erhöht – allerdings arbeiten Frauen nach wie vor überwiegend in Teilzeit. Das typische Geschlechterarrangement in westdeutschen Haushalten ist das Eineinhalb-Verdiener-Modell: Den Familienunterhalt verdient der Mann, und die Frau erwirbt einen Zuverdienst.«

Neben diesen »äußeren« Vorgaben haben sich aber auch die »inneren Leitbilder« von Frauen verändert. Die Familie spielt zwar weiter eine wichtige Rolle, aber gleichzeitig – und das ist das Neue – werden weit stärker als früher Werte betont, die auf Selbständigkeit, Unabhängigkeit und persönlichen Freiraum verweisen. Den Gleichheitserwartungen sind in der Praxis aber nur wenige Taten gefolgt. Um die vielfältigen Anforderungen aus der Erwerbstätigkeit auf der einen Seite und der Haus- und Erziehungsarbeit auf der anderen Seite besser miteinander vereinbaren zu können, sind die erwerbstätigen Mütter in ihrer Mehrzahl hauptsächlich Teilzeit oder geringfügig beschäftigt.

Schon Leipert / Opielka (1998) haben ein Modell eines Erziehungsgehalts vorgelegt, mit dem sie die Erziehung von Kindern aufwerten wollen. Das Modell soll in drei Stufen verwirklicht werden: In einer ersten Phase sollen vor allem Familien mit Kindern im Alter von bis zu drei Jahren in den Genuss eines einkommensunabhängigen Erziehungsgehaltes kommen. Für die zweite Phase des Erziehungsgehalts ist vorgesehen, dass Familien mit Kindern von vier bis sieben Jahren einen sogenannten Erziehungsgutschein in Anspruch nehmen können. Dieser soll die durchschnittlichen Kosten einer qualifizierten Halbtagsbetreuung – etwa fünf bis sechs Stunden – decken und kann nur bei anerkannten Kinderbetreuungseinrichtungen oder Tageseltern eingelöst werden (vgl. Leipert / Opielka 1998, 45 f.; Opielka 1998, 103 ff.).

Darüber hinaus wurde von den Autoren noch die Option eines erwerbszeitabhängigen Erziehungsgehalts diskutiert. Anders als bei der erwerbszeitunabhängigen Variante, bei dem der Anspruch und die Höhe des Erziehungsgehalts in keinem Verhältnis zur Erwerbstätigkeit der Erziehungspersonen stehen, sieht die erwerbszeitabhängige Variante vor, das Niveau des Erziehungsgehalts degressiv abzustufen. In einer dritten Phase soll nach Ansicht von Leipert / Opielka (1998, 38 ff.) das Erziehungsgehalt II für Eltern mit Kindern im Alter von über sieben Jahren eingeführt werden. Mit dem Erziehungsgehalt sollen die Existenz- und Arbeitsmarktrisiken übernommener Elternverantwortung finanziell abgefedert werden.

Mit dem Modell des Erziehungsgehalts werden die Erziehung von Kindern und die damit verbundene Hausarbeit gesellschaftlich anerkannt, indem jeder erwerbstätige Bürger mit dem Familienzuschlag für die Erziehung und Betreuung von Kindern bezahlt. Damit würde sich sicherlich das Verhältnis zwischen Erwerbsarbeit und informell erbrachter Erziehungs- und Hausarbeit ändern. Außerdem würde mit diesem Konzept den gesellschaftlichen Veränderungen entsprochen, nach denen Frauen immer häufiger Erwerbsarbeit und Familie miteinander vereinbaren wollen.

Der Ausbau der bestehenden Elternzeit ist sicherlich eine Antwort hierauf, doch angesichts der finanziellen Bedingungen reicht diese Lösung nicht aus. Außerdem zeigen die neuesten Zahlen, dass von der Möglichkeit der Elternzeit nach der Geburt eines Kindes fast ausschließlich die Mütter Gebrauch machen. Zwar nehmen immer mehr Väter das staatliche Elterngeld in Anspruch – allerdings nur für kurze Zeit. Nach Angaben des Statistischen Bundesamts (2015) stieg ihr Anteil auf einen neuen Höchststand von knapp einem Drittel (32 Prozent), der Anteil bei Müttern lag bei 96 Prozent. Veränderungen bei der Dauer der Inanspruchnahme gab es kaum: Nach wie vor bezogen 79 Prozent der Väter das Elterngeld für maximal zwei Monate.

Wirksame Entlastung ist nur dann möglich, wenn Männer ihre Erwerbsarbeit ohne wirtschaftliche und persönliche Probleme einschränken können. Derzeit sehen sich selbst die engagiertesten Männer großen Schwierigkeiten gegenüber bei dem Vorhaben, für einen kurzen Zeitraum aus der formellen Erwerbsarbeit auszuscheiden, weil dies häufig mit Verschlechterungen an ihrem Arbeitsplatz im Blick auf Qualifikation, Einkommen und beruflichen Status verbunden ist. In diesem Falle besteht für die Frauen und Männer gegenwärtig nur die Option, entweder zu Hause zu bleiben oder ihr Kind fremd betreuen zu lassen.

Nach einer Forsa-Umfrage für die Zeitschrift *Eltern* (Willers 2016, 63 f.) ist für 60 Prozent der Befragten die Idealvorstellung, dass beide Partner Zeit für die Betreuung ihrer Kinder haben, aber weiterhin auch ihrem Beruf nachgehen. Das würde Arbeit in Teilzeit voraussetzen, denn nur acht Prozent befürworten, dass beide Partner in Vollzeit arbeiten und die Erziehung weitgehend an Kindertagesstätten und Schulen delegieren. Auffällig ist die Diskrepanz zwischen Wunsch und Erwartung, denn 46 Prozent vermuten, das häufigste Modell werde sein, dass beide Eltern voll arbeiten und Bildung und Erziehung der Kindertagesstätte und der Schule überlassen – aber nur acht Prozent wünschen sich das. 38 Prozent wünschen sich vom Staat großzügigere Regelungen für Elternzeit beziehungsweise Pflegezeit. Fast gleich viele wünschen sich umfangreiche Betreuungs- und Bildungsangebote für Kinder nach dem Vorbild von Frankreich oder Schweden.

Eine weitere Alternative könnte die Einführung einer Familienversicherung (vgl. Teichert 1994) sein, um zu verhindern, dass sich die Lebensentwürfe von Männern und Frauen diametral auseinanderentwickeln. Mit der Geburt des ersten Kindes wird nämlich nach wie vor von den Müttern der Wunsch nach Erwerbstätigkeit erst einmal hintangestellt. Sie übernehmen die Aufgaben in Haushalt und Familie, die Väter sind für die finanzielle Absicherung der Familie verantwortlich. Für Männer ist eine Familiengründung kaum mit einer beruflichen Veränderung verbunden. Nach Berechnungen von Klammer et al. (2012, 43) lebten 2007 zwar in Deutschland 28 Prozent der Familien in einer sogenannten modernisierten Ernährerehe mit einem Vollzeit arbeitenden Mann und einer Teilzeit arbeitenden Frau, doch in 64 Prozent der Familien findet sich nach wie vor ein männlicher Alleinernährer, in etwa acht Prozent eine weibliche Alleinernährerin. Zwischen West- und Ostdeutschland gibt es auffällige Unterschiede: Zwar ist mit 45 Prozent auch in den meisten ostdeutschen Paarhaushalten der Mann der Familienernährer, doch Haushalte mit männlichen Familienernährern liegen in Ostdeutschland deutlich – um 19 Prozentpunkte – unter dem Durchschnitt für Deutschland. Auffallend ist, dass in 44 Prozent der Paarhaushalte in Ostdeutschland beide Partner einen vergleichbar großen Anteil zum Haushaltseinkommen beitragen. Hier ist weder die Frau vom Mann, noch der Mann von der Frau einseitig finanziell abhängig.

Um die Männer stärker in die Erziehungs- und Hausarbeit einzubeziehen, wären mehrere Schritte notwendig:

- Zunächst sollte – wie bereits in Schweden mit zehn Tagen ansatzweise eingeführt und auch nachhaltig in Anspruch genommen – für alle Väter ein obligatorisch bezahlter Vaterschaftsurlaub von acht Wochen nach Geburt des Kindes vorgesehen werden, damit die Männer schon frühzeitig mit den wachsenden Aufgaben in der Familie vertraut gemacht werden. So lernen sie, den Hausarbeits- und Familienalltag wahrzunehmen und zu respektieren.
- Den achtwöchigen Schutzfristen für beide Elternteile sollte sich sodann ein Recht auf geschützte Teilzeitarbeit für Mütter und Väter anschließen, bis das Kind das dritte Le-

bensjahr vollendet hat. Konkret sollte es so gestaltet sein, dass im ersten Lebensjahr des Kindes – im Anschluss an die Schutzfristen – die Arbeitszeit für die Eltern bei jeweils acht bezahlten Stunden pro Woche liegt. Anschließend sollte die Arbeitszeit zum dritten Lebensjahr sukzessiv pro Jahr um sechs Stunden angehoben werden, also im zweiten Lebensjahr des Kindes wöchentlich vierzehn Stunden sowie im dritten Lebensjahr auf zwanzig Stunden. Während der drei Jahre muss ein Kündigungsschutz vorliegen, der in einem Arbeitszeitgesetz oder in Tarifvereinbarungen verankert werden sollte.

Was die Finanzierung der Familienversicherung angeht, so sollten in den drei ersten Lebensjahren eines Kindes grundsätzlich für beide Elternteile 30 Stunden durch Erwerbs- und Ersatzeinkommen finanziell abgedeckt werden. Entsprechend dem Alter der Kinder reduziert sich die subventionierte Familienarbeit. Das Ersatzeinkommen könnte aus einer Familienversicherung finanziert werden, in die jeder Erwerbstätige einzuzahlen hätte. Nach Berechnungen des Bundesministeriums des Innern müssten die Erwerbstätigen etwa ein bis zwei Prozent der Sozialversicherung monatlich zusätzlich bezahlen – vergleichbar der heutigen Pflegeversicherung. Aus der Familienversicherung würde dann ein Elterngeld in Höhe von 73 Prozent des Bruttoeinkommens – wie für Teilnehmer mit Kindern an Maßnahmen zur beruflichen Fortbildung und Umschulung – gewährt werden. Das Elterngeld könnte sowohl von verheirateten und unverheirateten Paaren als auch von alleinerziehenden Müttern und Vätern beantragt werden. Die Familienversicherung sollte am ehesten an die Arbeitslosenversicherung angeschlossen werden, da hier auf Bundesebene ein einziger Versicherungsträger gegeben ist.

Ein ähnliches Konzept vertreten Müller et al. (2013) mit ihrer Familienarbeitszeit. Grundidee hinter dieser Lohnersatzleistung ist es, Eltern oder Alleinerziehende mit Kindern ab einem Alter von fünfzehn Monaten zu motivieren, ihre Vollzeitbeschäftigung auf rund 80 Prozent der regulären Vollzeittätigkeit zu reduzieren. Die Differenz zum Vollzeiteinkommen wird durch staatliche Leistungen partiell ausgeglichen. Damit soll ein Abrutschen auf eine Teilzeitstelle verhindert werden, gleichzeitig aber sollen Zeitressourcen für die Betreuung des Kindes und Hausarbeit vorhanden sein. Wichtig ist, dass Paare dieses Arbeitszeitarrangement gemeinsam eingehen müssen.

Die Höhe der Lohnersatzleistung wird durch die Differenz zwischen dem Netto-Arbeitsentgelt bei Vollzeit und einer 80-Prozent-Erwerbstätigkeit berechnet. Bei einem Nettoeinkommen in der Höhe von 1600,– bis 1750,– € pro Monat beträgt die Ersatzrate 50 Prozent. Dieser Prozentsatz wird, je nach Höhe des Einkommens, flexibel angepasst. Nach unten steigt die Ersatzrate mit jedem Euro um 0,05 Prozentpunkte. So steigt die Ersatzrate bei Vollzeit-Netto-Arbeitsentgelten von 950,– € auf rund 80 Prozent, während bei einem Vollzeit-Netto-Entgelt von 2200,– € die Ersatzrate weniger als 30 Prozent beträgt. Ab einem Netto-Arbeitsentgelt von 2750,– € pro Monat besteht kein Anspruch mehr auf die Lohnersatzleistung.

8.6 Grundrente

Angesichts von Massenarbeitslosigkeit, der Diskontinuität von Erwerbsbiographien und der demographischen Veränderungen wird die bisherige Form der Altersversorgung vor wachsende Probleme gestellt werden. Die Abgabenbelastung der Arbeitnehmer wird in den kommenden vier Jahrzehnten deutlich steigen: Prognos sieht in einem Gutachten voraus, dass sich die Abgabenquote der gesetzlichen Rentenversicherung von 19,1 Prozent im Jahre 2000 auf 22,2 Prozent im Jahre 2020 erhöhen wird (Eitenmüller 2001, 42). Wegen der sich dann drastisch verschlechternden Altersstruktur der Bevölkerung fällt die Zunahme des Beitragssatzes in den darauf folgenden zehn Jahren besonders deutlich aus. Nach 25,3 Prozent im Jahre 2030 flacht der Anstieg des Beitragssatzes leicht ab. Bis 2040 steigt er auf 26,5 Prozent und stabilisiert sich langfristig bei 27,0 Prozent nach 2050. Vor diesem Hintergrund werden verschiedene Rentenreformvorschläge zur Grundrente diskutiert, bei der das bisherige Versicherungsprinzip der gesetzlichen Rentenversicherung durch ein »finalorientiertes« Versorgungsprinzip ersetzt werden soll.

Bei den Modellen einer beitragsfinanzierten Grundrente kann man zwischen rein beitragsfinanzierten Grundsicherungen mit Einheitsbeiträgen – »Kopfbeiträgen« – und einkommensbezogenen Alterssicherungen mit Mindestbeiträgen – einem »integrierten Mindestbeitragssystem« – unterscheiden. Beim Ersteren wird das gegenwärtige einkommensbezogene Rentenversicherungssystem zugunsten einer, nur aus einheitlich hohen Beiträgen finanzierten, bedarfsorientierten Mindestsicherung abgelöst (vgl. Kirner 1988; Opielka / Zander 1988, 27 ff.; Neumann / Schaper 2008, 206 f.; Opielka 2004). Eine weitergehende Altersversorgung bleibt der freiwilligen privaten Initiative überlassen. Auch hier ist, wie im jetzigen Rentenversicherungssystem, eine Mindestversicherungsdauer notwendig. Beim integrierten Mindestbeitragssystem ist vorgesehen, in das jetzige Rentenversicherungssystem Mindestbeiträge zu integrieren. Diese Mindestbeiträge liegen im Niveau höher als beim Einheitsbeitragssystem.

Eine individuelle, Armut vermeidende Alterssicherung würde – außer bei außergewöhnlich hohem Bedarf – auch ohne langjährige Vollzeitbeschäftigung sichergestellt. Die Bedarfsprüfung wie bei der Sozialhilfe würde entfallen, es gäbe also keine verschämte Altersarmut mehr. Die Sozialleistungsquote würde, abhängig von der Grundrentenhöhe, auf längere Sicht hin gesenkt. Allerdings ist beim Übergang von der einkommensabhängigen Alterssicherung auf eine einkommensunabhängige Grundsicherung mit fiskalischen und distributiven Zusatzbelastungen über einen langen Zeitraum zu rechnen.

Das zweite Grundmodell zur Grundrente ist die steuerfinanzierte Staatsbürger-Grundrente, die unabhängig von früheren Beiträgen für alle Staatsbürger oder Einwohner ab dem Erreichen einer Altersgrenze in einheitlicher Höhe gezahlt werden soll (vgl. Bundesarbeitsgemeinschaft der Senioren-Organisationen 1997). Die Altersgrenze sollte etwa bei 65 Jahren liegen, und es werden 25 Jahre Steuerpflicht vorausgesetzt. Im Alter sollen dann 55 Prozent des durchschnittlichen Volkseinkommens pro Kopf der Bevölkerung einschließlich Wohngeld gezahlt werden, was nur wenig über dem gegenwärtigen Sozialhilfesatz liegt. Dieses Modell wird seit etwa 20 Jahren diskutiert und hat – nicht zuletzt aufgrund der Finanzierungsprobleme in der gesetzlichen Rentenversicherung – große öffentliche Resonanz gefunden.

8.7 ... oder tauschen? Zeiteinheiten, Ressourcen, Komplementärwährungen

Das informelle System könnte auch durch den Aufbau von geldwerten Systemen unterstützt werden, indem der Austausch von Leistungen zwischen Haushalten außerhalb der traditionellen Marktbeziehungen geregelt wird. So erlauben beispielsweise Tauschringe ihren Mitgliedern eine eigene »Geldschöpfung« in Form einer sogenannten Tauschring-Währung und etablieren so einen separaten kleinen lokalen Wertschöpfungskreislauf. In einigen hundert Gemeinden – vielleicht ist die Tausendergrenze schon überschritten – wurde ein Tauschring zu diesem Zweck schon aufgebaut. Allein in Deutschland gibt es über 220 Tauschringe (Wünstel 2005). Diese Tauschringe verwenden meist eigene Währungen oder Verrechnungseinheiten – in Deutschland häufig als »Talent« bezeichnet; es gibt aber auch zum Beispiel »Alztaler« in Trostberg oder den »Bumerang« in Schwäbisch Gmünd. Manchmal wird auch die Zeit als Maßeinheit benutzt – so entsprechen etwa 4 Glemstaler im Ditzinger Tauschring einer Stunde, während wieder andere Systeme mit Produkteinheiten arbeiten – so zum Beispiel einem Liter Milch oder einem Klafter Brennholz: In einigen Gegenden Kanadas und den USA kann mehr oder weniger jeder Holz schlagen, und auf diesem Wege wird die Zeit zu einem sofort messbaren Beitrag zur Heizung im Winter.

Ende der 1990er Jahre waren Tauschringe mit 750 Mitgliedern keine Seltenheit. Heute hat ein großer Tauschring, etwa in München, über 600 Mitglieder, in Kleinstädten wie Königsbrunn umfasst der Tauschring häufig auch 200 Mitglieder und mehr, was in etwa der Durchschnittszahl der Mitglieder entspricht. Zwischen 50 und 70 Prozent der Mitglieder werden in der Regel als aktiv eingeschätzt. Ein Tauschring hat bei etwa 200 Mitgliedern einen Monatsumsatz zwischen 10 000 und 15 000 Talenten, also im Schnitt von 50 bis 75 Talenten pro Mitglied; die »Kaufkraft« eines Talentes kann in diesem Tauschring etwa einem Euro gleichgesetzt werden.

Ein Beispiel für ein etwas anders strukturiertes geldwertes Unterstützungssystem stellt die Seniorengenossenschaft in Riedlingen dar. Riedlingen ist eine Kleinstadt in Oberschwaben, etwa 80 km nördlich vom Bodensee, und hat rund 10 000 Einwohner. Anlass für die Gründung der Seniorengenossenschaft war der steigende Altersdurchschnitt der innerstädtischen Bevölkerung, denn Ende der 1980er Jahre war knapp ein Viertel der Einwohnerinnen und Einwohner älter als 60 Jahre. Nach zweijährigen Vorgesprächen wurde 1991 die Seniorengenossenschaft gegründet. Die Mitgliederzahl wird seit Jahren mit rund 650 angegeben (Heinze 2015, 453). Zum betreuten Wohnen zählen alle erforderlichen Hilfen im Haushalt wie etwa Reinigungsarbeiten, Einkaufen, Essenszubereitung, Gartenarbeiten, Schneeräumen und andere Arbeiten, die nicht mehr selbst geleistet werden können. Die Seniorinnen und Senioren können Art und Umfang der Leistungen frei wählen, wobei die beanspruchten Leistungen im betreuten Wohnen gegenwärtig mit einem Stundensatz von 8,20 € abgerechnet werden; davon erhält die helfende Person einen Betrag von 6,80 €. Wer in der Seniorengenossenschaft mitarbeitet, kann entscheiden, ob er sich Geld auszahlen lässt oder Zeit anspart. Es gilt der Grundsatz: Wer heute 100 Stunden anspart, kann später diese Stundenzahl auch wieder abrufen.

Ergänzt wird das betreute Wohnen durch den Essensdienst, den Fahrdienst und den handwerklichen Hilfsdienst. Sämtliche dieser Dienste werden ausschließlich von ehrenamtlichen Helfern erbracht, die hierfür eine anteilige Entschädigung erhalten. Die erbrachten Leistungen können aber auch bei der Seniorengenossenschaft erspart werden und dann später, bei eigener Hilfsbedürftigkeit, wieder abgerufen werden. Darüber hinaus bieten einzelne Rentnerinnen und Rentner auch Unterstützung und Erledigung von Behördengängen an und helfen in Steuerfragen sowie bei anderen rechtlichen Problemen. Für diese Beratungsleistungen werden ausschließlich Zeitgutschriften gewährt.

Denkbar wäre auch die lokale Gründung von Gemeinschaftswerkstätten oder Reparatur-Cafés, die den ortsansässigen Bürgern erlauben, Artikel für den Eigenbedarf herzustellen, Reparaturen durchzuführen und Weiterbildungskurse in Elektronik, Computerwissen und anderes mehr zu besuchen. Ansätze sind hierzu mit dem Haus der Eigenarbeit München bereits gegeben.[17] Sie werden mittlerweile in verschiedenen Regionen Deutschlands kopiert und ausgebaut. Ebenso gibt es Informations- und Kontaktstellen wie etwa Freiwilligenagenturen und/oder Seniorenbüros, die in sehr vielen größeren Gemeinden eingerichtet wurden, damit die Selbsthilfevereinigungen und ehrenamtlich Tätigen gezielt durch Informationen unterstützt und in vielfältigen Fragen beraten werden können.

8.8 Einkommensungleichheit

> »Wachstum ist eine Ersatzdroge für Einkommensungleichheit. ... Je mehr Einkommensgleichheit, umso weniger brauchen wir die Ersatzdroge. Mehr Gleichheit ist Voraussetzung für eine Wirtschaft ohne Wachstum.«
>
> *Wilkinson/Pickett 2009, 253*

Die Frage der Einkommens- und Vermögensverteilung hat einen zentralen Stellenwert in der Postwachstumsdebatte. Ein »Mehr für alle« ist bei ausbleibenden gesamtwirtschaft-

17 Siehe als Übersicht für Gemeinschaftswerkstätten www.offene-werkstaetten.org/werkstaetten und für Repair-Cafés www.repaircafe.org/de/.

lichen Wachstumsraten im klassischen, konsumbasierten Sinne nicht mehr möglich, weswegen die Verteilung des Vorhandenen an Bedeutung gewinnt. Wie bereits in Kapitel 3 dargestellt, hat sich die Einkommensverteilung in den letzten Jahrzehnten in Deutschland in Richtung einer höheren Ungleichheit entwickelt. Dies stellt beispielweise auch Marcel Fratzscher (2016), Ökonom und Präsident des Deutschen Instituts für Wirtschaftsforschung (DIW Berlin), in seinem im Frühjahr 2016 erschienenen Buch »Verteilungskampf« fest. Hinzu kommt, dass in Deutschland eine international betrachtet außergewöhnlich hohe positive Korrelation zwischen Einkommen und Vermögen herrscht: »Wer hat, dem wird gegeben«, fasst Fratzscher (2016, 12) diesen Zusammenhang polemisch zusammen.

Dass eine hohe Einkommens- und Vermögensungleichheit negative Auswirkungen auf eine Gesellschaft haben kann, haben beispielsweise Richard G. Wilkinson und Kate Pickett (2009) in dem bereits erwähnten Werk *Gleichheit ist Glück*, ebenso wie Marcel Fratzscher (2016) in seinem gerade zitiertem Werk *Verteilungskampf*, ausführlich dargestellt. Fällt nun in Zukunft die »Ersatzdroge« Wachstum – wie sie Wilkinson und Pickett in dem obenstehenden Zitat bezeichnen – aus, so stellt sich die Frage einer Verringerung der Einkommensgleichheit umso dringlicher. Wilkinson und Pickett sehen eine größere Einkommensgleichheit dabei aufgrund ihrer positiven Effekte auf die Gesellschaft als Voraussetzung für eine Wirtschaft ohne Wachstum an, da dadurch der Konsumdruck und die Statuskonkurrenz verringert würden und deswegen weniger ressourcenintensive Konsumgüter produziert werden müssten. Im folgenden Abschnitt wird deswegen zunächst noch einmal kurz auf die Entwicklung der Einkommensverteilung in Deutschland eingegangen, sodann auf die Gründe für diese Entwicklung; schließlich werden einige Maßnahmen zu deren Reduzierung vorgestellt.

Entwicklung der Einkommensverteilung

Die bessere Datenlage lässt ab etwa den 1980er Jahren die Berechnung verschiedener Ungleichheitsmaße zu, um ein differenzierteres Bild der Einkommensverteilung zu zeichnen: So zeigt beispielsweise der Gini-Koeffizient, dass sich die Einkommensverteilung von Mitte der 1980er bis zum Jahr 2000 in Deutschland kaum verändert hat; der Gini-Koeffizient, bei dem auf einer Skala von 0 bis 1 der Wert Null der absoluten Gleichverteilung und der Wert 1 der völligen Ungleichverteilung entspricht, lag konstant bei etwa 0,25. Danach stieg er – und damit die Ungleichheit – von 2000 bis 2006 auf 0,29 und damit auf ein deutliches höheres Niveau an. Auf diesem Plateau verharrt die Einkommensungleichheit seitdem (SOEP Group 2015, 83).

Vergleichbares zeigt sich bei der Einkommensspreizung: So betrug die 90:10-Relation, also das Verhältnis der aggregierten Einkommen der einkommensstärksten zehn Prozent zu den einkommensschwächsten zehn Prozent, im Jahr 2000 noch 3,0. Im Jahr 2013 lag sie mit 3,5 deutlich höher (ibid., 79).

Zudem ist eine Verschiebung von Lohneinkommen zu Vermögenseinkommen feststellbar. Dies zeigt beispielsweise die Lohnquote, also der Anteil der Löhne und Gehälter am Volkseinkommen, die von knapp 73 Prozent im Jahr 2000 auf 69 Prozent im Jahr 2014 gefallen ist (Spannagel 2015, 7). Dementsprechend sind die Unternehmens- und Vermögenseinkommen, der andere Teil des Volkseinkommens, in gleichem Umfang gewachsen.

Gründe für den Anstieg der Einkommensungleichheit

Grundsätzlich können als Auslöser und Gründe für diese Auseinanderentwicklung unter anderem der technische Fortschritt und die Globalisierung ausgemacht werden. Aufgrund des technischen Fortschritts werden viele einfache Tätigkeiten nun von Maschinen übernommen. Dies sorgt dafür, dass gerade im geringqualifizierten Bereich ein Überangebot von Arbeitskräften vorliegt. Es tritt das auf, was Keynes als technologische Arbeitslosigkeit bezeichnete (Keynes 1930). Dieses Überangebot an Arbeitskräften führt wiederum zu sinkenden Löhnen in den betroffenen Bereichen. Hinzu kommt, dass durch die Globalisierung weiterer Druck auf die Löhne in Deutschland, zumindest in einigen Branchen, ausgeübt wurde und wird. Denn aufgrund dieser Entwicklung will Deutschland seine Wettbewerbsfähigkeit auf dem Weltmarkt behaupten und muss dabei mit Ländern mit sehr viel niedrigerem Lohnniveau konkurrieren. Wieder trifft dies vor allem Bereiche im unteren Lohnsegment. Für Arbeitnehmer, deren Fähigkeiten gefragt sind, stellt die Globalisierung hingegen eine Chance dar, potentiell höhere Löhne zu erzielen, da sich der relevante Arbeitsmarkt von der nationalen auf die internationale Ebene ausgeweitet hat.

Die konkrete Vergrößerung der Einkommensungleichheit in Deutschland seit Beginn des neuen Millenniums lässt sich nach Analysen des Instituts für Makroökonomie und Konjunkturforschung (IMK) auf drei Faktoren zurückführen (Schmid/Stein 2013). Erstens sind dies strukturelle Änderungen des Arbeitsmarktes, insbesondere die Zunahme atypischer Beschäftigung, welche mit geringeren Löhnen verbunden ist. Zweitens spielt der steigende Anteil von Kapitaleinkommen eine Rolle. Wie schon im Abschnitt zuvor erwähnt, hat sich der Anteil der Vermögenseinkommen erhöht. Laut den Auswertungen des IMK ist der Kapitaleinkommensanteil am Markteinkommen von 2000 bis 2007 zunächst um 30 Prozent gestiegen. Im Zuge der Finanzmarktkrise fiel dieser Anteil wieder recht deutlich ab, lag aber im Jahr 2010 immer noch um 10 Prozent höher als im Jahr 2000. Schließlich ist drittens der Rückgang staatlicher Umverteilung von Bedeutung. So wurde im Jahr 2010 ein geringerer Teil der Markteinkommen umverteilt als Ende der 1990er Jahre. Ausgelöst wurde dies beispielsweise durch das Absenken des Spitzensteuersatzes von 53 Prozent im Jahr 1998 auf 42 Prozent heute – 45 Prozent ab 250 000 Euro – sowie durch die Einführung der Abgeltungssteuer, aufgrund derer nun Kapitalerträge nur noch mit maximal 25 Prozent und nicht wie früher entsprechend des Einkommensteuersatzes besteuert werden.

Instrumente zur Verringerung der Einkommensungleichheit

Ein Mittel, mit dem eine Verringerung der Einkommensungleichheit erreicht werden könnte, wäre beispielsweise die Wiederanhebung des Spitzensteuersatzes, etwa auf die 53 Prozent, die er im Jahr 1998 betrug. Denkbar wäre es auch, die Abgeltungssteuer auf Vermögenseinkommen, die momentan 25 Prozent beträgt, entweder auf beispielsweise 30 Prozent zu erhöhen oder aber abzuschaffen und die Vermögenseinkommen stattdessen wieder verpflichtend entsprechend des Einkommensteuersatzes zu besteuern. Denkbar wäre auch die Einführung einer Einkommensobergrenze. In der Bevölkerung erfreut sich diese Maßnahme einiger Popularität: In einer repräsentativen Befragung von 3000 Menschen in Deutschland, die die Wochenzeitung *Die Zeit* gemeinsam mit dem Wissenschaftszentrum Berlin für Sozialforschung (WZB) und dem Bonner Sozialforschungsinstitut infas Ende 2015 durchgeführt hat, stimmten 44 Prozent der Befragten der Aussage »Ich wünsche mir, dass in Deutschland eine Obergrenze für die Einkommenshöhe festgesetzt wird« zu, nur 26 Prozent waren dagegen (Rudzio 2016).

Je nach Höhe und konkreter Ausgestaltung würden auch die zuvor vorgestellten Instrumente der geldlichen Unterstützungssysteme wie Grundeinkommen, Grundrente, Erziehungsgehalt oder Familienversicherung zu einer Verringerung der Einkommensungleichheit beitragen. Außerdem sollte überlegt werden, die Abgabenbelastung des Faktors Arbeit im Niedriglohnbereich zu senken, um damit Arbeitnehmer und Arbeitsplätze in diesem Bereich zu fördern. Dies könnte beispielsweise über ein Absenken des Eingangssteuersatzes geschehen. Auch die Anhebung des Mindestlohnes wäre ein mögliches Mittel. Dabei sollte allerdings schrittweise vorgegangen werden, um möglicherweise ab einer gewissen Höhe auftretende negative Wirkungen auf den Arbeitsmarkt erkennen und analysieren zu können.

Auch die Wiedereinführung einer Vermögenssteuer, wie es beispielsweise Piketty (2016) fordert, könnte einen Beitrag zur Verringerung der Einkommensungleichheit leisten. Neben der Verringerung der Vermögensungleichheit hätte dies auch den überaus erfreulichen Nebeneffekt, dass überhaupt wieder umfangreiche Daten über die tatsächliche Vermögensverteilung vorlägen. Nachgedacht werden sollte auch über eine Reform und Anhebung der Erbschaftssteuer. Denn wie die Vermögenseinkommen tragen Erbschaften zu einer Erhöhung und Verfestigung von Vermögens- und Einkommensungleichheiten bei. Gerade bei ausbleibendem Wirtschaftswachstum hat dies eine besondere Relevanz, da ohne

Wirtschaftswachstum die aktuelle Verteilung zusätzlich an Bedeutung gewinnt.

Ohne derartige Maßnahmen besteht die Gefahr, dass die soziale Durchlässigkeit der Gesellschaft sinkt und jeder soziale Aufstieg erschwert wird. Denn bislang wurden soziale Aufstiege durch wirtschaftliches Wachstum »erleichtert« beziehungsweise durch Wachstum »die Konflikthaftigkeit des Aufstiegsstrebens Vieler moderiert« (Voswinkel 2013, 1). Fällt das Wachstum nun aus, so könnten sich diese Konflikte verschärfen. Dabei befindet sich die soziale Mobilität in Deutschland bereits heute auf einem relativ niedrigen Niveau: So hängen in Deutschland 40 Prozent der Unterschiede in den individuellen Arbeitseinkommen allein vom Familienhintergrund ab; beim Bildungserfolg sind es sogar 50 Prozent (Schnitzlein 2013). Das entspricht etwa dem Niveau der USA und liegt international betrachtet am unteren Ende der Chancengerechtigkeitsskala. Deutlich besser schneidet beispielsweise Dänemark ab. Zum einen sollte deswegen das klassische Bild des sozialen Aufstiegs, der Anerkennung nur dem sozial Aufsteigenden verspricht, überprüft und so angepasst werden, dass Anerkennung auch ohne sozialen Aufstieg erreicht werden kann (vgl. Kapitel 8.10). Zum anderen könnte eine höhere Besteuerung der in gewisser Weise leistungslosen Einkommen aus Vermögen und Erbschaften zu einer Erhöhung der Chancengleichheit beitragen, die Gesellschaft durchlässiger machen und damit den Grad der sozialen Mobilität potentiell vergrößern, insbesondere dann, wenn die Einnahmen dafür eingesetzt würden, für eine höhere Chancengerechtigkeit – zum Beispiel im Bildungsbereich – zu sorgen.

8.9 Staatsfinanzierung – ›tax bads, not goods‹

Auch oder vielleicht sogar gerade in einer Postwachstumsgesellschaft wird der Staat eine tragende Rolle beim Setzen von Rahmenbedingungen für die wirtschaftliche Entwicklung spielen. Wichtige Aufgaben sind beispielsweise die Bereitstellung öffentlicher Infrastruktur wie Bildung, Gesundheitswesen oder Verkehr, stabile soziale Sicherungssysteme und eine gerechte Umverteilung. All diese Dinge müssen jedoch über Staatseinnahmen finanziert werden. Im Abschnitt zur Einkommensungleichheit wurden dafür bereits einige, die Besteuerung von Einkommen und Vermögen betreffende Instrumente genannt. In den Abschnitten zu geldlichen Unterstützungssystemen und lebensphasenspezifischen Finanzierungssystemen wurden außerdem – mit dem bedingungslosen Grundeinkommen, einer Familienversicherung und einer Grundrente – bereits Konzepte der sozialen Sicherung und deren Finanzierung diskutiert. Auf dem Weg zu einer ökologisch-sozial nachhaltigen Gesellschaft sollte aber auch grundsätzlich darüber nachgedacht werden, auf welchem Wege sich der Staat finanziert und welche Anreize er mit den dafür erhobenen Steuern und Abgaben setzt.

Derzeitige Staatsfinanzierung

Momentan wird im Zuge der Finanzierung der Ausgaben des Staates vor allem der Faktor Arbeit belastet: Ein Blick auf die Einnahmesituation zeigt, dass im Jahr 2014 der deutsche Staat nach den Analysen des Forums Ökologisch-Soziale Marktwirtschaft (FÖS) seine Einnahmen aus Steuern und Abgaben zu über 63 Prozent über Belastungen des Faktors Arbeit erzielte (Ludewig et al. 2015). Dahingegen waren Steuern auf den Faktor Umweltbelastung nur für fünf Prozent der Einnahmen verantwortlich. Dabei ist der Anteil der Umweltsteuern im Vergleich zum Höchststand von 6,5 Prozent im Jahr 2003 wieder deutlich gefallen. Verantwortlich dafür ist, dass es sich bei den Umweltsteuern um Mengensteuern handelt, die im Gegensatz zu den Wertsteuern auf Arbeit und Kapital durch Inflation an Bedeutung verlieren. Deswegen liegt der Anteil der Umweltsteuern nun sogar niedriger als vor der ökologischen Steuerreform, die von 1999 bis 2003 umgesetzt wurde. Werden keine Maßnahmen ergriffen, so wird sich der Anteil der Umweltsteuern auch in Zukunft weiter vermindern und laut den Schätzungen des FÖS schon bald bei nur noch gut vier Prozent liegen.

Neben dem vor allem aus ökologischen Gründen problematischen geringen Umweltsteueranteil fällt auch der relativ geringe Anteil des Faktors Kapital ins Auge, der im Jahr 2014 bei 12,4 Prozent lag. Dieser Anteil ist damit im Vergleich zum Jahr 1960 um zehn Prozentpunkte gefallen, hat sich also fast halbiert.

Gründe für eine ökologisch-soziale Finanzreform

Diese hohe Belastung des Faktors Arbeit und die vergleichsweise niedrige Belastung des Faktors Umwelt erscheint vor dem Hintergrund der vorherrschenden Arbeitslosigkeit und der ökologischen Probleme geradezu absurd. Statt des *good* Arbeit, sollte das *bad* Umweltverbrauch stärker besteuert werden. Neben einer möglichen Entlastung des Faktors Arbeit, die, wie bereits ausgeführt, im Niedrigeinkommensbereich durchaus sinnvoll sein könnte, würde dies auch eine erwünschte ökologische Lenkungswirkung entfalten, externe Kosten internalisieren und damit klare Anreize zur Steige-

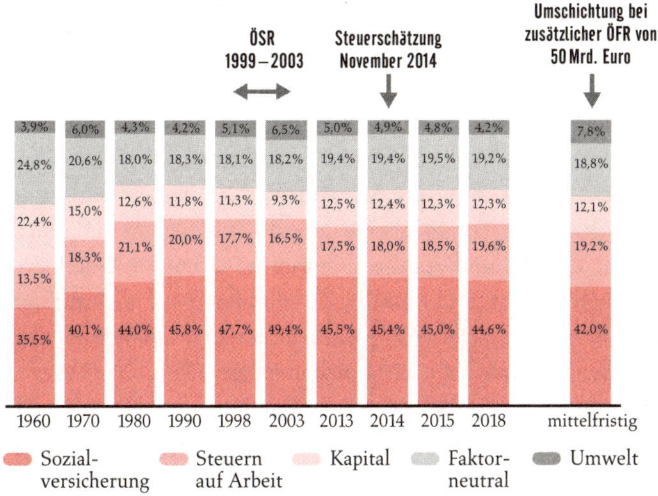

Abb. 5: Faktorenanalyse-Entwicklung des Aufkommens an Steuern und Abgaben seit 1960. *Quelle: Ludewig et al. 2015, 4*

rung der Ressourceneffizienz liefern. Neben Gründen der Effizienz sollte das sich in der Internalisierung externer Effekte widerspiegelnde Verursacherprinzip auch aus Gerechtigkeitsgesichtspunkten umgesetzt werden: Wer die Umweltverschmutzung verursacht, sollte auch Verantwortung dafür übernehmen und gegebenenfalls bezahlen müssen. Das ersetzt natürlich nicht die ebenfalls notwendigen Instrumente der Ordnungspolitik, zum Beispiel Ökodesignrichtlinien, sowie anderer die ökologische Nachhaltigkeit fördernde Maßnahmen und Überlegungen, zum Beispiel im Bereich Suffizienz. Diese Maßnahmen sollten parallel ebenfalls umgesetzt werden. Unabhängig zur eigenen Position mit Blick auf »Grünes Wachstum« stellt die Internalisierung externer Effekte deswegen ein sinnvolles Instrument dar.

Es muss natürlich berücksichtigt werden, dass sich Deutschland zumindest in manchen Branchen im internationalen Wettbewerb befindet und deswegen nicht ohne Konsequenzen die Ressourcennutzung verteuern kann. Allerdings zeigen zum einen Auswertungen des Europäischen Amts für Statistik (Eurostat), dass der Anteil der Umweltsteuern in Deutschland unterhalb des EU-Durchschnitts liegt und in der EU nur Belgien und Frankreich einen niedrigeren Anteil aufweisen (Eurostat 25.11.2015). Zum anderen würden auf den Konsumenten ausgerichtete Umweltsteuern inländische und ausländische Produzenten gleichermaßen treffen. Als Argument gegen die Erhöhung von Umweltsteuern wird auch oft deren mangelnde soziale Verträglichkeit vorgebracht: Arme Haushalte würden dadurch stärker belastet als reiche. Doch dieses Argument ist nicht stichhaltig. Auswertungen zeigen, dass sowohl beim Stromverbrauch als auch beim Heizenergie- und beim Kraftstoffverbrauch ein mit der Einkommenshöhe steigender Verbrauch vorliegt (Held 2016). Fasst man alle drei zusammen zum direkten Energieverbrauch, so zeigt sich für das Jahr 2008, dass die einkommensstärksten zehn Prozent der Bevölkerung etwa zweieinhalbmal mehr verbrauchten als die einkommensschwächsten zehn Prozent der Bevölkerung. Dabei steigt der Energieverbrauch kontinuierlich über die Einkommensdezile hinweg an. Würden die Umweltsteuern auf diesen Verbrauch erhöht, würde dies Reiche, absolut betrachtet, also deutlich stärker treffen als Arme. Es stimmt allerdings, dass arme Haushalte einen größeren Teil ihres Einkommens für Energieausgaben aufbringen müssen, relativ betrachtet also stärker belastet würden als Reiche. Es sollte deswegen überlegt werden, eine Erhöhung der Umweltsteuern mit dem Konzept des ökologischen Grundeinkommens zu verbinden.

Eine höhere Belastung des Faktors Kapital wäre zum einen, wie im Abschnitt zuvor bereits ausgeführt, aufgrund einer dadurch ausgelösten Verringerung der Ungleichheit sinnvoll. Zum anderen würden durch die relative Besserstellung des Faktors Arbeit möglicherweise auch Arbeitsplätze geschaffen beziehungsweise gesichert. Dass für eine Erhöhung der Steuern auf den Faktor Umwelt- und Ressourcenverbrauch Spielraum vorliegt, zeigt sich beispielsweise darin, dass, wie bereits ausgeführt, deren Anteil an den Steuereinnahmen in Deutschland deutlich unter dem europäischen Schnitt liegt (Eurostat Pressestelle 16.06.2014).

Ausgestaltung einer ökologischen Finanzreform

Um den Faktor Arbeit zu entlasten sowie die Faktoren Umwelt- und Ressourcenverbrauch stärker zu belasten und damit eine ökologische Lenkungswirkung zu erzeugen, schlagen Ludewig et al. (2015) mittelfristig eine Erhöhung der Umweltsteuern im Volumen von etwa 50 Milliarden Euro vor. Mögliche konkrete Instrumente wären dabei der Abbau von umweltschädlichen Subventionen und Steuervergünstigungen – beispielsweise eine Reform der Dienstwagenbesteuerung – und die Erhöhung von Umweltsteuern – beispielsweise Anhebung der LKW-Maut, der Kraftstoffsteuer und Energiesteuer (Ludewig et al. 2015). Dadurch und durch die gleichzeitige Entlastung des Faktors Arbeit um 25 Milliarden Euro würde der Anteil der Umweltsteuern auf knapp 8 Prozent erhöht, was immer noch deutlich unter dem von der EU in der Europa-2020-Leitinitiative »Ressourcenschonendes Europa« angestrebten Umweltsteueranteils von 10 Prozent im Jahr 2020 liegt.

Für eine stärkere Belastung des Faktors Kapital kommen die bereits im Abschnitt zuvor erwähnten Instrumente einer

Erhöhung der Abgeltungs- und Erbschaftssteuer sowie die Wiedereinführung einer Vermögenssteuer in Frage. Ein weiteres Instrument stellt die Einführung einer Finanztransaktionssteuer dar, die auf europäischer Ebene momentan intensiv diskutiert wird.

Einstieg in ein »ökologisches Grundeinkommen«

Eine Verknüpfung der zuvor geschilderten stärkeren Besteuerung des Umweltverbrauchs mit dem Konzept des Grundeinkommens stellt das sogenannte ökologische Grundeinkommen dar, das auch als »Ökobonus« bezeichnet wird. Die Grundidee ist simpel: Die Einnahmen aus der Besteuerung des Umweltverbrauchs werden in Form einer Pauschale, dem ökologischen Grundeinkommen, an die Bürger zurückgezahlt. Da der Umweltverbrauch mit dem Einkommen ansteigt, würde das ökologische Grundeinkommen insgesamt zu einer Umverteilung von oben nach unten führen: Reiche wären also Nettozahler, Ärmere würden hingegen davon profitieren. Diesen Umverteilungseffekt bestätigen auch ökonometrische Analysen des Infras-Instituts Zürich (Iten et al. 1999). Ulrich Schachtschneider, ein entschiedener Verfechter dieses Konzepts (Schachtschneider 2014), sieht im ökologischen Grundeinkommen einen Lösungsansatz für vier grundlegende Probleme der bisherigen Umweltpolitik. Erstens führe es »aus dem Dilemma ökonomischer Instrumente der Umweltpolitik ohne Sozialausgleich« (ibid., 3): Wenn die entsprechenden Steuern und Abgaben zu niedrig sind, wirken sie nicht genug, sind sie allerdings zu hoch, werden Arme, relativ gesehen, zu stark belastet. Durch das ökologische Grundeinkommen wird also die soziale Verträglichkeit sichergestellt und im Schnitt sogar für eine Umverteilung von oben nach unten gesorgt.

Zweitens fördere es »ökologische Genügsamkeit, ohne bestimmte Lebensstile zur Norm zu erheben«. Denn die grundsätzliche Handlungsfreiheit und damit die Pluralität an möglichen Lebensstilen wird beim ökologischen Grundeinkommen im Vergleich zu ordnungspolitischen Instrumenten deutlich weniger eingeschränkt. Es werden allein die »wahren« Kosten der Konsumentscheidungen sichtbar und im Sinne des Verursacherprinzips gerechter zugeteilt. Drittens ermögliche es »ökonomische Sicherheit im ökologischen Umbau der Wirtschaft«, da durch das Konzept eines Grundeinkommens eine soziale Sicherheit garantiert werde, die auch unabhängig von Wirtschaftswachstum sei. Viertens schließlich würde es »einen ökologisch-kulturellen Wandel auch für breitere Schichten attraktiv machen«, da das sichere Grundeinkommen die individuellen Freiräume vergrößere und den Konsum- und Erwerbsdruck vermindere. Außerdem würden umweltschädliche Güter im Vergleich zu umweltfreundlicheren teurer, was zu einer Verschiebung der Konsumstrukturen in Richtung der umweltfreundlicheren Alternativen führen würde.

Nun könnte bei einer ersten Einführung ein ökologisches Grundeinkommen höchstwahrscheinlich nicht in einer solchen Höhe erhoben werden, dass es alleine das Existenzminimum garantieren, geschweige denn die Teilhabe an der Gesellschaft sicherstellen könnte. Es könnte aber einen Einstieg in ein umfassendes Grundeinkommensmodell darstellen, welches dann gegebenenfalls erweitert und auch andere Finanzierungsquellen wie beispielsweise die angesprochenen Kapitalsteuererhöhungen mit einschließen könnte. Es eröffnet also einen Weg zu einem fließenden Systemwechsel vom heutigen System der sozialen Sicherung über Hartz IV und Sozialhilfe zu einem Grundeinkommen und trägt dabei durch die Internalisierung von externen Umwelteffekten auch noch zur ökologischen Nachhaltigkeit unserer Gesellschaft bei.

8.10 Anerkennung und Resonanz

»Wenn Beschleunigung das Problem ist, dann ist Resonanz vielleicht die Lösung.«
Hartmut Rosa 2016, 13

Der zentrale Stellenwert der Anerkennung

Wie schon an verschiedenen Stellen dieses Buches angeklungen ist, ist die Frage, wie und für was in einer Gesellschaft Anerkennung vermittelt und erreicht werden kann, von entscheidender Bedeutung, gerade auch für eine Postwachstumsgesellschaft. Dahinter steckt die These, dass letztlich nicht die Erwerbsarbeit, das Einkommen und der Konsum an sich für die Menschen relevant sind, zumindest nach Befriedigung der Grundbedürfnisse, sondern die über sie vermittelte Anerkennung.

Den zentralen Stellenwert der Anerkennung hat unter anderem Axel Honneth in seiner Theorie der Anerkennung überzeugend dargestellt. So lässt sich nach Honneth – mit Verweis auf Talcott Parsons – »die Etablierung moderner Gesellschaften als ein Prozess der Ausdifferenzierung von verschiedenen Sphären der wechselseitigen Anerkennung« (Honneth 2011, 1) beschreiben. Und Barbara Muraca und Tanja von Egan-Krieger stellen fest, dass »gesellschaftliche Anerkennung eine unentbehrliche Bedingung für die Verwirklichung eines guten Lebens ...« darstellt (Muraca / Egan-Krieger 2011, 53).

In der heutigen Arbeits- und Konsumgesellschaft sind Erwerbsarbeit, Einkommen und auch der darüber ermöglichte Statuskonsum wichtige Quellen der Anerkennung. Aus Sicht der Postwachstumstheorie sind diese Quellen der Anerkennung aber auf zweierlei Weise problematisch: Zum einen könnten bei ausbleibendem Wachstum die Möglichkeiten der Gewinnung von Anerkennung in diesen Bereichen zurückgehen und dadurch eine »Anerkennungslücke« entstehen. Muraca/Egan-Krieger (ibid., 53) fordern deswegen, dass »in einer nicht wachsenden Wirtschaft … alternative Modelle eines gesellschaftlichen Tätigseins entwickelt werden [sollen], die andere Zugänge zur sozialen Anerkennung, zum Gefühl der eigenen Würde und Wirksamkeit und zur sozialen Partizipation ermöglichen«. Zum anderen steht einer ökologisch nachhaltigen Gesellschaft möglicherweise genau diese Fixierung der Anerkennung auf Erwerbsarbeit, Einkommen und Konsum im Wege. Um eine ökologisch nachhaltige Postwachstumsgesellschaft überhaupt erst zu ermöglichen, müsste also eine deutliche Verschiebung der Anerkennungsmechanismen und der sich in diesen widerspiegelnden gesellschaftlichen Wertemuster stattfinden. Teil dieser Verschiebung könnte beispielsweise die größere Wertschätzung von informellen Tätigkeiten sein (siehe Kapitel 11).

Aber auch innerhalb des Bereichs der Erwerbsarbeit – der sicher auch in Zukunft eine bedeutende Rolle bezüglich der gesellschaftlichen Anerkennung spielen wird – sollte überprüft werden, nach welchen Kriterien Anerkennung vermittelt wird. So kritisiert Axel Honneth, dass das für die Anerkennung im Arbeitsbereich maßgebliche Leistungsprinzip »mittels ideologischer Kampagnen so uminterpretiert worden [ist], dass es nicht mehr Fähigkeiten und tatsächlichen Aufwand, sondern nur noch den monetären Berufserfolg und die faktische Einkommenshöhe zu honorieren scheint« (Honneth

2011, 16f). Auch Stephan Voswinkel verweist in diesem Zusammenhang auf das Problem, »dass viele Missachtungserfahrungen durch die Entwertung gebrauchswertbezogener Beruflichkeit zu registrieren sind, die verstärkt unter den Vorbehalt ökonomischer Verwertbarkeit gestellt wird« (Voswinkel 2013, 33). Damit der Erfolgsdruck vermindert werde, schlägt Voswinkel eine Aufwertung einer von ihm als »Würdigung« bezeichneten Form der Anerkennung vor. Diese grenzt er von der Anerkennungsform der »Bewunderung« folgendermaßen ab: »Während die Bewunderung der herausragenden Arbeit und dem besonderen beruflichen Erfolg gilt, ähnelt die Würdigung der Dankbarkeit … einer Gegengabe für einen erbrachten Beitrag und kann als Wertschätzung auch normaler Arbeit verstanden werden« (ibid., 35). Dadurch würde die der »Bewunderung« innewohnende Entwertung der »normalen Arbeit« verhindert und eine dadurch ausgelöste Anerkennungslücke vermieden.

Resonanz und Postwachstum

Noch weiter als die Theorie der Anerkennung greift die von Hartmut Rosa (2016) entworfene »Resonanztheorie«. Resonanz ist nach Rosa »eine durch Affizierung und Emotion, intrinsisches Interesse und Selbstwirksamkeitserwartung gebildete Form der Weltbeziehung, in der sich Subjekt und Welt gegenseitig berühren und zugleich transformieren« (ibid., 298). Über die Anerkennungstheorie geht die Resonanztheorie unter anderem insofern hinaus, »weil sie auch diejenigen Hoffnungen, Bedürfnisse und Sehnsüchte, aber auch die Entfremdungs- und Frustrationserfahrungen zu erfassen und erklären vermag, die Menschen jenseits der Sozialsphäre haben oder machen« (ibid., 333).

Rosa versteht Resonanz sowohl als deskriptives als auch normatives Konzept. Deskriptiv betrachtet sieht er Resonanz als ein Grundbedürfnis und eine Grundfähigkeit des Menschen an; normativ gewendet, sieht er in ihr einen Maßstab für ein gelingendes Leben (ibid., 293 f).

Resonanz steht dabei in einem dialektischen Verhältnis zur Entfremdung: »Entfremdung definiert … einen Zustand, in dem die ›Weltanverwandlung‹ misslingt, so dass die Welt stets kalt, starr, abweisend und nicht responsiv erscheint. Resonanz bildet … ›das Andere‹ der Entfremdung – ihren Gegenbegriff« (ibid., 316). Aufbauend auf diesen beiden Basiskategorien und deren dialektischem Verhältnis analysiert Rosa die Weltverhältnisse der Moderne bezüglich ihrer »entfremdeten wie resonanzverheißenden Qualitäten« (ibid., 316). Das umfasst verschiedenste Lebensbereiche, beispielsweise die Familie, die Freundschaft, die Politik, die Arbeit, die Schule, den Sport und den Konsum, aber auch die Religion, die Natur, die Kunst und die Geschichte.

Von diesen Lebensbereichen soll beispielhaft – weil er für dieses Buch von besonderer Relevanz ist – der Bereich der »Arbeit« etwas genauer betrachtet werden. Für Rosa besteht das »Problem, ja die Pathologie des Kapitalismus … darin, dass er mit der Verdinglichung der Arbeit einen zentralen Resonanzgrund menschlichen Lebens austrocknet« (ibid., 397). Dass Erwerbsarbeit trotzdem immer noch einen solch hohen Stellenwert im Leben vieler Menschen einnimmt, lässt Rosa zu dem Schluss gelangen, dass die »arbeitsvermittelte Resonanzbeziehung so elementar ist, dass sie sich selbst durch den Kapitalismus nicht einfach zum Verstummen bringen lässt« (ibid., 398). Die benannte Verdinglichung und Entfremdung der Arbeit führe aber dazu, dass die Resonanzbeziehungen der Arbeit verstummen, was zur »Einnahme einer zynischen

Arbeitshaltung« führen könne, »welche wiederum sehr häufig einem Burnout vorangeht« (ibid., 399).

Auf Basis dieser und weiterer Analysen verschiedenster Lebensbereiche stellt Rosa die Diagnose, dass die Resonanzverhältnisse der Moderne gestört seien (ibid., 739). Hauptsächlich verantwortlich für diese »Verstimmung der Moderne« sei die Beschleunigung der Gesellschaft, wobei er Beschleunigung als »Mengenwachstum pro Zeiteinheit« definiert. Der mit der Beschleunigung einhergehende »ziellose und unabschließbare Steigerungszwang führt am Ende zu einer problematischen, ja gestörten oder pathologischen Weltbeziehung der Subjekte und der Gesellschaft als ganzer« (ibid., 14). Dabei ist diese Störung nicht nur Folge der Beschleunigung, sondern wird gleichzeitig von dieser verursacht. Es handelt sich nach Rosa also um einen »sich selbst verstärkenden Problemzirkel« (ibid., 14). Dabei sei dieser Problemzirkel ein wichtiges, ja geradezu konstituierendes Merkmal moderner Gesellschaften: In struktureller Hinsicht sei eine Gesellschaft dann modern, »wenn sie sich nur (noch) dynamisch zu stabilisieren vermag, wenn sie also systematisch auf Wachstum, Innovationsverdichtung und Beschleunigung angewiesen ist, um ihre Struktur zu erhalten und zu reproduzieren« (ibid., 673). Dieser Prozess, den er mit dem Begriff der »dynamischen Stabilisierung« überschreibt, stoße nun zum einen, institutionell betrachtet, an seine »psychischen, politischen und planetaren Grenzen«, zum anderen erweise sich die dadurch entstandene Krise, kulturell betrachtet, »als eine umfassende Krise der Resonanzverhältnisse, als ein strukturell verursachtes Weltverstummen« (ibid., 707). Maßgeblich verantwortlich für den Steigerungszwang der Moderne ist für Rosa das kapitalistische Wirtschaftssystem, aus dem zum einen der kapitalgetriebene ökonomische Wachstumszwang, zum anderen aber auch eine fortwährende technische Beschleunigung sowie ein Zwang zu stetiger sozialer Innovation folge (ibid., 680). Dieser Steigerungszwang stehe nun aber in zunehmendem Widerspruch zum Resonanzverlangen und -versprechen der Moderne.

Auf Basis dieser Analyse zieht Rosa den Schluss, dass die »Überwindung der Steigerungslogik und die Veränderung der Weltbeziehung ... sich damit als die zentrale Herausforderung [ergeben], vor der die Moderne heute steht« (ibid., 722 f). Als Ziel setzt er deswegen den Übergang in eine Postwachstumsgesellschaft. Dafür müsse das Marktgeschehen wieder eingebettet werden in das soziokulturelle Leben der Gesellschaft, was nur durch die Einführung wirtschaftsdemokratischer Institutionen gelingen könne. Dadurch könnten Produktionsentscheidungen anstatt auf Basis der blindlaufenden kapitalistischen Verwertungsmaschinerie nun beruhend auf Maßstäben eines gelingenden Lebens getroffen werden (ibid., 726).

Als konkrete Maßnahmen schlägt Rosa zum einen vor, dass zentrale infrastrukturelle Einrichtungen wie Verkehr, Energie, Banken oder Gesundheitswesen der kapitalistischen Verwertungslogik entzogen werden sollten (ibid., 726 f). Besonders hebt er zudem das große Potential eines garantierten, voraussetzungslosen Grundeinkommens hervor, das ihm »als das plausibelste sozialstaatliche Korrelat zu einer ökonomischen Postwachstumsgesellschaft« erscheint und eine »Pazifizierung der Existenz unter spätmodernen Bedingungen denkbar werden« lasse (ibid., 729). Bezüglich der Finanzierung eines solchen Grundeinkommens führt er die von Thomas Piketty formulierte globale Erbschaftssteuer an (ibid., 731).

Bezieht man diese Thesen auf die zentralen Fragestellungen des vorliegenden Kapitels, lässt sich aus den Überlegungen

Rosas zu Resonanz und Entfremdung festhalten, dass für ein gelingendes Leben in einer postmodernen Gesellschaft nicht in erster Linie das durch Erwerbsarbeit erzielte Einkommen, sondern vielmehr intakte, vielfältige und stabile Resonanzbeziehungen von ausschlaggebender Bedeutung sind. Auch wenn das Erwerbseinkommen in einer Postwachstumsgesellschaft also möglicherweise geringer ausfällt, muss das keine negativen Auswirkungen auf die Lebenszufriedenheit haben. Im Gegenteil, die Abkehr vom Wachstumszwang kann den Menschen sogar erst wieder den Aufbau von Resonanzerfahrungen – gerade in der Arbeitssphäre – ermöglichen, welche maßgeblich zu einem gelingenden Leben beitragen.

9 Arbeitsteilung

> »Ein Arbeiter, der noch niemals Stecknadeln gemacht hat und auch nicht dazu angelernt ist …, könnte, selbst wenn er sehr fleißig ist, täglich höchstens eine, sicherlich aber keine zwanzig Nadeln herstellen. Aber so, wie die Herstellung von Stecknadeln heute betrieben wird, ist sie nicht nur als Ganzes ein selbständiges Gewerbe. Sie zerfällt vielmehr in eine Reihe getrennter Arbeitsgänge, die zumeist zur fachlichen Spezialisierung geführt haben. … so waren die 10 Arbeiter imstande, täglich etwa 48 000 Nadeln herzustellen, jeder also ungefähr 4800 Stück.« *Adam Smith, 1776, Bd. 1, 6 f.*

Die Welt ist heute ganz ohne Zweifel von Arbeitsteilung geprägt. Dabei hat die Diskussion über die Gestalt und das Ausmaß der Arbeitsteilung eine lange Tradition. Bereits bei Platon bildet die gesellschaftliche Arbeitsteilung die Basis des Gemeinwesens (Platon 397e). Allerdings betrachtet Platon die Arbeitsteilung aus einer rein statischen Perspektive. Er geht von naturgegebenen, festen Begabungen aus: Manche taugen zum Handwerker, manche zum Krieger und manche zum Philosophen. In einem idealen Staate solle nun jeder das tun, was er natürlicherweise am besten könne. So würde das Gemeinwohl vollkommen.

Adam Smith betrachtet den Begriff und seine Auswirkungen hingegen vor allem von einer anderen Seite. In dem oben wiedergegebenen Stecknadelbeispiel beschreibt er die enormen Produktivitätsfortschritte, die durch Arbeitsteilung ermöglicht würden. Statt höchstens einer würden durch die

Aufteilung der Arbeitsschritte pro Arbeiter 4800 Stecknadeln hergestellt. Dabei erhöht sich die Produktivität durch Arbeitsteilung nach Smith aus drei Gründen: Erstens wird durch die Wiederholung eines isolierten Arbeitsschritts die Geschicklichkeit des Arbeiters erhöht, zweitens geht keine Zeit durch das Wechseln des Arbeitsschritts verloren und drittens erleichtert und fördert die Aufteilung in einzelne Arbeitsschritte die Entwicklung und den Einsatz von Hilfswerkzeugen und Maschinen, also den technischen Fortschritt. Dabei entstehe die Arbeitsteilung nicht bewusst gesteuert, sondern vielmehr aus einer dem Menschen innewohnende »Neigung zum Tausch« (Smith 1776, Bd. 1, 19). Der Grad der Arbeitsteilung sei überdies maßgeblich vom Ausmaß des Marktes begrenzt und abhängig (ibid., 22). Interessant ist, dass Smith – ganz im Gegensatz zu Platon – annahm, dass der »Unterschied in den Begabungen der einzelnen Menschen in Wirklichkeit weit geringer [ist], als uns bewusst ist, und die verschiedenen Talente, welche erwachsene Menschen unterschiedlichster Berufe auszuzeichnen scheinen, … meist mehr Folge als Ursache der Arbeitsteilung [sind]« (ibid., 20). Wie bereits in Kapitel 4 im Rahmen der Beschreibung von Veränderungen der Arbeitsorganisation beschrieben, sah Smith aber auch die Gefahren einer stark arbeitsteiligen Arbeitsweise: Die Monotonie der Arbeit führe zu einer Unterforderung und daraus folgenden Abstumpfung der Arbeiter (Smith 1776, Bd. 3, 123 f.). Auch Marx sah die Arbeitsteilung kritisch, da sie Merkmal und Voraussetzung der kapitalistischen Warenproduktion sei und dadurch zu einer »Entfremdung« führe (vgl. Kapitel 4). Im Gegensatz dazu sieht Émile Durkheim in der Arbeitsteilung die Basis der sozialen Solidarität in modernen Gesellschaften (Durkheim / Luhmann 1992, 82).

Diese sehr kurze Gegenüberstellung verschiedener Positionen zur Arbeitsteilung verdeutlicht bereits deren Ambivalenz. Es erscheint unmöglich, einen allgemeingültigen optimalen Grad der Arbeitsteilung festzulegen. Vielmehr müsste vor dem Hintergrund der aktuellen Zustände und Herausforderungen ein kontinuierlicher gesellschaftlicher Austausch und Aushandlungsprozess darüber stattfinden, wie weit die Arbeitsteilung jeweils gehen soll. Dabei lassen sich auf dem Weg des Übergangs zu einer Postwachstumsgesellschaft drei grundsätzliche Spannungsfelder identifizieren:

- Arbeitsteilung und Qualität der Arbeit,
- Arbeitsteilung und ökologische Nachhaltigkeit und
- Arbeitsteilung und Gerechtigkeit.

Auf diese drei Spannungsfelder wird im Folgenden näher eingegangen. Dabei muss der Begriff der Arbeitsteilung aber weiter ausdifferenziert werden, um eine fruchtbare Analyse durchführen zu können. Sinnvolle Kategorien sind hier zum Beispiel

- die technische Arbeitsteilung, die sich auf die Zerlegung von Arbeitsschritten und damit auf die Teilung von Produktionsprozessen bezieht,
- die regionale Arbeitsteilung,
- die berufliche Arbeitsteilung, die für die Aufspaltung von Berufen und damit in die Unterteilung von Berufsbildungsprozessen verantwortlich ist, sowie
- die Arbeitsteilung zwischen Männern und Frauen.

9.1 Arbeitsteilung und Qualität der Arbeit

Das »Job Characteristics Model«

Wie bereits in den Kapiteln 3 und 4 dargestellt wurde, konnten durch Arbeitsteilung und Spezialisierung seit der Industriellen Revolution enorme Produktivitätsfortschritte erreicht werden, die sich im langfristigen Vergleich sehr positiv auf die Lebens- und Arbeitsbedingungen der Menschen in den frühindustrialisierten Ländern ausgewirkt haben. Doch kann sich eine solche stark arbeitsteilige Produktionsweise auch nachteilig auf die Qualität der Arbeit auswirken. Stupide, repetitive Arbeitsabläufe und ein fehlender Bezug zum Endprodukt und damit zur Sinnhaftigkeit der Arbeit vermindern die Arbeitszufriedenheit zum Teil ganz erheblich. Dabei ist Arbeitszufriedenheit ein schwer zu messendes und fassendes Konstrukt, welches von vielen Faktoren abhängt. Einen Versuch, sie theoretisch zu fassen, wird mit dem sogenannten *Job Characteristics Model* von Hackman und Oldham (1980) unternommen. Danach muss Arbeit drei psychologische Grundbedingungen erfüllen, um Menschen zufriedenzustellen:

- Die Tätigkeit muss als bedeutsam erlebt werden,
- die Arbeitenden müssen sich für die Ergebnisse ihrer Arbeit verantwortlich fühlen und
- sie müssen die Tätigkeitsresultate und die Qualität ihrer Arbeit kennen.

Zur Erfüllung dieser Grundbedingungen tragen laut dem *Job Characteristics Model* fünf Tätigkeitsmerkmale bei (Nerdinger 2011, 398 f.):

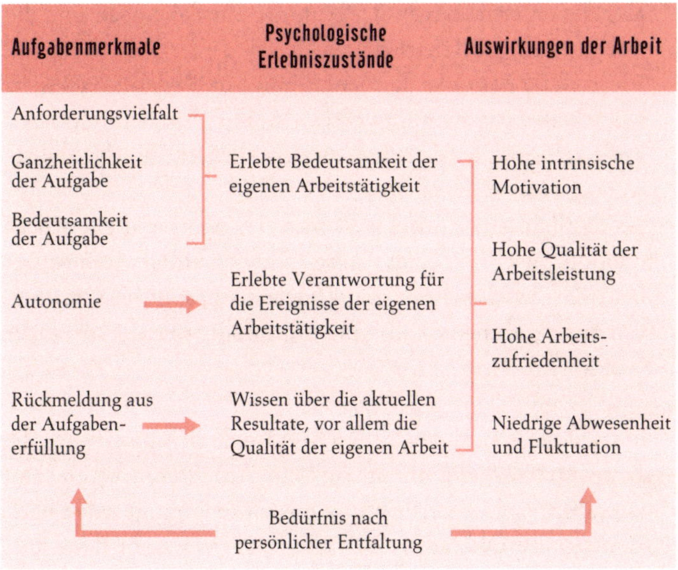

Abb. 6: Das »Job Characteristics Model« nach Hackman und Oldham, 1980.
Quelle: Hackman / Oldham (1980)

- Das erste Merkmal stellt die Anforderungsvielfalt dar, das heißt, die Arbeitsaufgabe sollte nicht nur eine Fähigkeit, sondern möglichst viele motorische, intellektuelle und soziale Fähigkeiten beanspruchen.
- Zweitens trägt das Merkmal der Ganzheitlichkeit zur Arbeitszufriedenheit bei. Hat eine Mitarbeiterin oder ein Mitarbeiter einen hohen Anteil am letztlich produzierten Gut oder der angebotenen Dienstleistung, so vermittelt sich ihr beziehungsweise ihm dadurch ein größerer Stellenwert seiner Tätigkeit.
- Drittens wird das Merkmal der Bedeutsamkeit genannt,

also die Auswirkungen der Aufgabe für das Leben und die Arbeit anderer Menschen.
- Viertens ist der Grad der Autonomie von Bedeutung. Wenn Mitarbeiter eigenverantwortlich Arbeitsmittel wählen und Ziele selbständig festlegen können, fördert dies ihr Selbstwertgefühl.
- Schließlich ist – fünftens – auch das Merkmal der Rückmeldung wichtig für die Arbeitszufriedenheit. Sie ermöglicht den Mitarbeitern, die Zielerreichung zu überprüfen, um dann gegebenenfalls eine selbständige Fehlerkorrektur vorzunehmen.

Wie stark diese fünf genannten Merkmale sich positiv auf die Arbeitszufriedenheit, die intrinsische Arbeitsmotivation und die Qualität der Arbeitsleistung auswirken, hängt dabei nach Hackman und Oldham (1980) aber auch von dem Bedürfnis des jeweiligen Arbeitenden nach persönlicher Entfaltung ab.

Die Aussagekraft des *Job Characteristics Model* wurde in verschiedenen empirischen Studien bis zu einem gewissen Grad bestätigt (vgl. Judge 2001). Dabei zeigt sich auch indirekt immer wieder, »dass von allen wichtigen Merkmalen der Arbeit – Bezahlung, Aufstiegsmöglichkeiten, Beziehung zu Kollegen und Vorgesetzten sowie die Arbeit selbst – die Zufriedenheit mit dem Inhalt der Arbeit am höchsten mit der Gesamtarbeitszufriedenheit korreliert« (Nerdinger 2011, 339).

Technische Arbeitsteilung und Arbeitszufriedenheit

Beim Vergleich der im *Job Characteristics Model* aufgestellten Aufgabenmerkmale mit den Arbeitsabläufen im Taylorismus wird deutlich, dass diese Form der Arbeitsorganisation viele der Anforderungen, die zu Arbeitszufriedenheit führen, bereits vom Prinzip her nicht erfüllt: Weder herrscht eine hohe Anforderungsvielfalt noch ein hoher Grad an Ganzheitlichkeit, Autonomie oder Bedeutsamkeit. Um die Arbeitszufriedenheit zu erhöhen, sollten also andere Formen der Arbeitsorganisation eingesetzt werden, die auf eine niedrigere technische Arbeitsteilung setzen. Wie bereits in Kapitel 4 beschrieben, wurden solche anderen Formen unter den Stichworten des »Toyotismus«, »Volvoismus« und »Postfordismus« bereits seit Ende der 1960er Jahre umgesetzt. In neuerer Zeit hat sich dieser Trend in einigen Branchen und Arbeitsfeldern durch die sogenannte organisatorische Revolution fortgesetzt (siehe Kapitel 4). Diese Entwicklungen können im Rahmen einer Postwachstumsgesellschaft vor dem Hintergrund einer möglichst hohen Qualität der Arbeit prinzipiell sehr positiv bewertet werden, allerdings mit der Einschränkung, dass die ebenfalls beschriebenen, mit der »Subjektivierung« und »Entgrenzung« der Arbeit einhergehenden Gefahren soweit möglich vermieden werden sollten. Dafür sollten auch traditionelle Unternehmen und Gewerkschaftsvertretungen ihren Beitrag leisten, etwa indem sie beispielsweise entsprechende Schulungen und Weiterbildungen anbieten.

Eine Re-Taylorisierung sollte möglichst vermieden beziehungsweise erneut rückgängig gemacht werden. Stattdessen sollten auch in traditionellen Unternehmen Konzepte zur Humanisierung der Arbeit aufgegriffen und auf die jeweiligen Bedingungen des Unternehmens zugeschnitten werden. Solche Konzepte sind in zahlreichen Varianten bereits erprobt:

- Mit Arbeitserweiterungen wird der Tätigkeitsbereich der Mitarbeitenden diversifiziert, so dass die Arbeit vielfältiger wird;

- über das Instrument des Arbeitsplatzwechsels tauscht eine bestimmte Zahl von Mitarbeiterinnen ihre Tätigkeiten in regelmäßigen Abständen untereinander;
- (teil)autonome Arbeitsgruppen können gebildet werden, um eine Diversifizierung von Arbeitstätigkeiten mit anderen Formen der Entscheidungsfindung und einer Enthierarchisierung der Abläufe zu verbinden.

In manchen Branchen könnte es im Zuge einer Umsetzung solcher humaneren Arbeitsbedingungen zu Produktivitätseinbußen kommen, die aber, bis zu einem gewissen Grad, in Kauf genommen werden sollten. Denn diese Produktivitätseinbußen würden durch eine steigende Arbeitszufriedenheit gerechtfertigt. Die genaue Höhe zu berechnen, bis zu der möglicherweise auftretende Produktivitätseinbußen akzeptiert werden sollten, ist nicht möglich, sondern muss Ergebnis eines gesellschaftlichen Aushandlungsprozesses sein. Wie in Kapitel 3 gezeigt wurde, haben steigende Konsumausgaben in Deutschland, gesamtgesellschaftlich betrachtet, seit geraumer Zeit keinen positiven Einfluss mehr auf die Lebenszufriedenheit. Bei der Arbeitszufriedenheit verhält sich das jedoch anders: Für sie lässt sich ein solcher positiver Einfluss auf die allgemeine Lebenszufriedenheit nachweisen (Heidl 2012, 46). Dieser Zusammenhang ist auch unmittelbar plausibel, wenn man sich vor Augen führt, dass im Durchschnitt jeder Einwohner über zwölf Jahren in Deutschland in der Woche über 20 Stunden mit Erwerbsarbeit verbringt (Statistisches Bundesamt 2015a). Darauf aufbauend kann angenommen werden, dass in der gegenwärtigen Situation die Durchsetzung humanerer Arbeitsbedingungen einen positiven Nettoeffekt auf die Lebenszufriedenheit hätte.

Wie umsetzen?

Nun stellt sich natürlich die Frage, wie solche humaneren, die Arbeitszufriedenheit fördernden Formen der Arbeitsorganisation in der Praxis umgesetzt werden können, insbesondere dann, wenn sie tatsächlich mit Produktivitätseinbußen verbunden wären. Denkbar wäre hier beispielsweise, ein Verbot von monotonen Arbeitsformen oder, positiv formuliert, eine Mindestnorm für abwechslungsreiche Arbeit in das Arbeitsschutzgesetz aufzunehmen. Psychische Belastungen sind bereits Teil der Gefährdungsbeurteilung. Da monotone Arbeit immer auch psychisch belastend ist, wäre ein solcher Schritt sogar naheliegend und im bestehenden Gesetz bereits angelegt. Für eine explizite Aufnahme in das Arbeitsschutzgesetz sollten sich insbesondere die Gewerkschaften einsetzen. Damit ließe sich die gewerkschaftliche Forderung nach einer »guten Arbeit« weiter mit konkreten Inhalten füllen.

Natürlich lassen sich aber die Rahmenbedingungen für gute, abwechslungsreiche Arbeit nicht vollständig gesetzlich regeln. Zum Glück ist aber in sehr vielen Bereichen eine Verbesserung der Qualität der Arbeit auch mit einer Verbesserung der Qualität der Arbeitsleistung verbunden; sie läge somit im Eigeninteresse der Arbeitgeber. Sind die Arbeitenden motivierter, so nimmt beispielsweise die Anzahl der Fehltage ab (Mertel 2006, 34 f.).

Schwieriger zu bewältigen sind in der Tat die Fälle, in denen durch die Einführung einer abwechslungsreicheren humaneren Arbeitsorganisation tatsächlich Produktivitätseinbußen auftreten. Damit die Renditeerwartung der Unternehmenseigner die Einführung nicht verhindern, wäre es möglich, neben einer – wie oben bereits ausgeführt – gesetzlichen Regelung auf dem Weg in eine Postwachstumsgesellschaft über wesentlich weitergehende Veränderungen nachzudenken – beispielsweise über andere Formen der Eigentumsverhältnisse (siehe Kapitel 7), etwa durch den Aufbau von Unternehmen, die sich im Besitz der Arbeitnehmerinnen und Arbeitnehmer befinden, zum Beispiel von Genossenschaften. Zur Schaffung besserer Arbeitsbedingungen, gerade im Niedriglohnbereich, könnte auch die Einführung eines Grundeinkommens beitragen (siehe Kapitel 8), da so der Arbeitszwang abgemildert würde und die Arbeitgeber deswegen potentiellen Mitarbeiterinnen und Mitarbeitern bessere Arbeitsbedingungen bieten müssten.

9.2 Arbeitsteilung und ökologische Nachhaltigkeit

Globalisierte Arbeitsteilung als struktureller Wachstumstreiber

Das zweite Spannungsfeld besteht zwischen der Arbeitsteilung und der ökologischen Nachhaltigkeit und betrifft damit einen der Kernaspekte einer Postwachstumsökonomie. Wie in Kapitel 3 angesprochen, ist die Überwindung der ökologischen Krise eines der wichtigsten Ziele einer Postwachstumsgesellschaft. Das Ausmaß der Arbeitsteilung ist dabei auf vielfältige und durchaus ambivalente Weise mit diesem Ziel verwoben.

Zum einen hat die Arbeitsteilung und der durch sie ermöglichte Produktivitätsfortschritt erst die sichere und gute Bedürfnisbefriedigung einer großen Zahl der heute auf der Erde lebenden Menschen ermöglicht. Zum anderen ging dieser Produktivitätsfortschritt auch mit einer enormen Ausweitung der Produktion und damit auch mit der drastischen

Steigerung der durch die Produktion verursachten Umweltauswirkungen einher.

In Kapitel 3 wurde auch gezeigt, dass Statuskonsum und kompensatorischer Konsum gerade in den frühindustrialisierten Ländern und auch bei den Wohlhabenden mögliche Sättigungsgrenzen immer weiter hinausgeschoben haben. Effizienzsteigerungen haben zwar dazu beigetragen, den Ressourceneinsatz relativ zur monetären Wertschöpfung zu senken, absolut ist der Ressourcenverbrauch in den meisten Ländern jedoch weiter gestiegen. Die Verheißungen, durch »grünes Wachstum« quasi nebenbei auch das Umweltproblem zu lösen, ohne das Wachstumsziel generell aufgeben zu müssen, hat sich bislang nicht erfüllt, und die Postwachstumstheorie geht davon aus, das sich diese Verheißungen auch prinzipiell nicht werden erfüllen lassen. Auch das Ziel eines qualitativen, entmaterialisierten und dekarbonisierten Wachstums wird hier zur »Schimäre«, die es zu entlarven gilt; Niko Paech spricht in diesem Zusammenhang von einem »Entkopplungsmythos« (Paech 2011, 31 f.).

Die Verhinderung einer ökologischen Katastrophe ist in dieser Betrachtungsweise nur durch eine Beseitigung der strukturellen Wachstumsabhängigkeiten unserer Gesellschaft möglich – und genau an dieser Stelle spielt die Arbeitsteilung eine besonders tragische Rolle, denn eine strukturelle Wachstumsabhängigkeit resultiere »aus einer perfekten Verzahnung von industrieller Arbeitsteilung auf der Angebotsseite und vollständiger Fremdversorgung auf Seiten der Haushalte«. Durch sie sei »die Existenzsicherung schicksalshaft einer geldspeienden Wachstumsmaschine ausgeliefert« (Paech 2011, 35). Das Fremdversorgungssystem lässt dabei eine Vergrößerung der Distanz zwischen Verbrauch und Produktion zu und ermöglicht so, die quantitativen und qualitativen Steigerungspotentiale einer globalisierten Arbeitsteilung zu nutzen und für eine weitere Erhöhung der Produktion einzusetzen. Da jedoch auf jeder Spezialisierungsstufe sowohl für das eingesetzte Fremdkapital Zinsen erwartet werden und außerdem das Eigenkapital eine hinreichende Rendite abwerfen soll, muss auf jeder Spezialisierungsstufe ein Überschuss erzielt werden. Damit steige das »zur Stabilisierung des Gesamtprozesses erforderliche Wachstum also mit zunehmender Spezialisierung« (Paech 2011, 36). Auf dem Weg zu einer Postwachstumsökonomie sollten deswegen nach Paech weniger Spezialisierungsstufen – also ein geringerer Grad an Arbeitsteilung – angestrebt werden. Dies reduziere zwar möglicherweise die ökonomische Effizienz, vermindere aber eben auch den Wachstumszwang, da die Kapitalzinszahlungen und damit die Gewinne nicht mehr derart hoch ausfallen müssten.

Verringerung der strukturellen Wachstumsabhängigkeit

Aus dieser Perspektive entwickelt Paech sein Modell einer Postwachstumsgesellschaft (siehe Abb. 7). Um dem Wachstumszwang und seinen negativen Umweltwirkungen zu entfliehen, soll hier ein größerer Teil der Zeit und der produktiven Kraft der Menschen statt in Erwerbsarbeit in Aktivitäten der Selbstversorgung – also in informelle Tätigkeiten (siehe Kapitel 11) – verlagert werden. Dieser Bereich soll entkommerzialisiert und von deutlich kürzeren regionalen Wertschöpfungsketten geprägt sein und wäre deswegen weniger oder gar nicht dem skizzierten kapitalistischen Wachstumszwang unterworfen. Der entkommerzialisierte Bereich soll mit 20 Stunden pro Woche etwa die Hälfte der heutigen Vollerwerbszeit ausmachen. Dabei könne und solle ein Teil der Arbeitszeit auch komplett durch Suffizienz, also durch Verzicht auf bestimmte Güter und Dienstleistungen, eingespart werden.

Nur die zweite Hälfte des jetzigen, für Erwerbsarbeit eingesetzten Arbeitsvolumens soll im Modell von Paech im monetären Bereich verbleiben. Und von dieser Hälfte soll noch ein guter Teil in eine regionalisierte Ökonomie übergehen, die von entglobalisierten und damit mindestens räumlich, teilweise aber auch insgesamt von kürzeren Wertschöpfungsketten gekennzeichnet ist. Um regionale Ökonomien zu fördern, sind beispielsweise Regionalwährungen ein möglicher Weg.

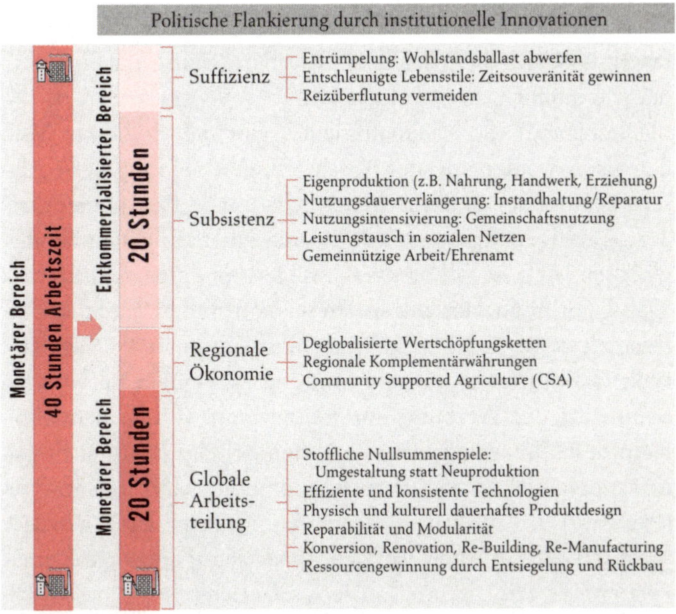

Abb. 7: Suffizienz, Subsistenz, Regionale Ökonomie, stoffliche Nullsummenspiele und institutionelle Innovationen als Basis der Postwachstumsökonomie. *Quelle: Paech 2011, 40*

Sie sollen von globalen Abhängigkeiten befreien, gleichzeitig aber weiterhin die Nutzung der Vorteile einer geldbasierten Arbeitsorganisation ermöglichen. Auch andere Formen wie beispielsweise eine solidarische Landwirtschaft sind denkbar. In der globalisierten Arbeitsteilung soll ein nur sehr viel kleinerer Teil der Wirtschaft als heute verbleiben. Zusätzlich soll der in der globalen Arbeitsteilung verbleibende Teil der Produktion umfassenden Umgestaltungen unterworfen werden: Statt auf Neuproduktion soll beispielsweise der Fokus mehr auf Erhalt und Umgestaltung gelegt werden. Um eine solche Postwachstumsökonomie zu ermöglichen, schlägt Paech verschiedene institutionelle Innovationen wie Boden-, Geld- und Finanzmarktreformen vor. Als Quintessenz kurz zusammenfassen lässt sich das Modell von Paech mit dem Satz: So regional wie möglich, so global wie nötig.

Die ökologische Nachhaltigkeit ergibt sich in diesem Modell also vor allem aus der Abschaffung beziehungsweise Abschwächung der strukturellen Wachstumstreiber, namentlich des Fremdversorgungssystems und einer Rücknahme der globalen Arbeitsteilung, was wiederum einen kulturellen Wandel ermöglichen würde. Dieser kulturelle Wandel könne beispielsweise mit Maßnahmen einer intensiven Nachhaltigkeitskommunikation und -bildung und einem Verbot von kommerzieller Werbung unterstützt werden. Um dem Problem des Klimawandels zu begegnen, schlägt Paech auch das Konzept eines festen jährlichen Emissionskontingents vor (Paech 2011, 40). Dabei beruht das Konzept ganz bewusst nicht auf Effizienzsteigerungen, sondern auf einem Konsumverzicht. Es gehe darum, so Paech (2011, 38):

»Wohlstandsschrott auszumustern, der nur unser Leben verstopft, obendrein Zeit, Geld, Raum sowie ökologische Ressourcen beansprucht. Dafür liefert eine neue ›zeitökonomische Theorie der Suffizienz‹ längst Beweggründe jenseits moralischer Imperative. In einer Welt der Reiz- und Optionenüberflutung, die niemand mehr bewältigen kann, werden Reduktion, Überschaubarkeit und Entschleunigung zum Selbstschutz.«

Offene Fragen

Die hier dargestellte Kritik Paechs an der heutigen Wachstumsideologie und das daraus entwickelte Alternativmodell könnte selbst wiederum an vielen Stellen kritisch hinterfragt werden. Auch beantwortet Paech viele sich aus seinem Alternativmodell ergebende Fragen nicht oder nur sehr vage; zum Beispiel wie die soziale Sicherung in einem solchen System organisiert werden kann oder welche Auswirkungen dies auf den mindestens in manchen Bereichen – beispielsweise im medizinischen – eigentlich begrüßenswerten technischen Fortschritt hätte. Auch bleibt vage, ob und wie ein solches doch in starkem Maße auf Verzicht und Verringerung des heutigen materiellen Lebensstandards fußendes Modell realisiert werden könnte. Paech sieht hier vor allem einen kulturellen Wandel als Grundbedingung der Umorientierung.

Aber selbst wenn nicht in allen Punkten eine praktikable Lösung erkennbar ist, so gehen die durch das Modell aufgeworfenen Fragen ins Zentrum einer notwendigen gesellschaftlichen Transformation. Wäre eine Entrümpelung von »Wohlstandsschrott« nicht tatsächlich an vielen Stellen sinnvoll? Könnten nicht vielleicht in manchen Fällen kürzere und regionale Wertschöpfungsketten zu einer höheren (Arbeits-)Zufriedenheit führen, als die möglicherweise effizientere, aber anonyme und bis zu einem gewissen Grad stark entfremdende kleinteilige globale Arbeitsteilung? Besitzen nicht gerade viele Tätigkeiten, die dem Bereich der Selbstversorgung und der Steigerung der Suffizienz zugeordnet werden können, wie beispielsweise der Anbau von Lebensmitteln oder das Reparieren von Fahrrädern, eine Qualität der Bedürfnisbefriedigung, für die es sich möglicherweise auch lohnen würde, auf bestimmte Konsumgüter zu verzichten? Hier zeigt sich auch die Verbindung zum vorherigen Spannungsfeld zwischen Arbeitsteilung und Qualität der Arbeit.

Wieder direkter bezogen auf die ökologische Nachhaltigkeit stellt sich die Frage, welchen Anteil »grünes Wachstum« an der Lösung der ökologischen Krise haben kann. Tatsächlich schließt auch der Ansatz von Paech selektives grünes Wachstum nicht grundsätzlich aus. Er widerspricht allerdings ausdrücklich der Gesamtlogik einer insgesamt weiter steigenden Produktion bei gleichzeitig abnehmenden Umweltauswirkungen, also der Möglichkeit einer gesamtwirtschaftlich betrachteten absoluten Entkopplung.

In Bezug auf Paechs Analyse stellt sich allerdings die Frage, ob hier tatsächlich die globale Arbeitsteilung der maßgebliche strukturelle Wachstumstreiber ist oder ob nicht beispielsweise das Geldsystem und die vorherrschenden Eigentumsverhältnisse das eigentliche Problem sind. Könnte deswegen nicht unter bestimmten Rahmenbedingungen, also beispielsweise bei Internalisierung externer Kosten (siehe Kapitel 3) und anderen Eigentumsverhältnissen (siehe Kapitel 7), die von Paech genannte ökonomische Effizienz der globalen Arbeitsteilung weiter umfänglich genutzt und Produktivitätsfortschritte dann beispielsweise in Arbeitszeitverkürzungen (siehe Kapitel 12) umgesetzt werden?

9.3 Arbeitsteilung und Gerechtigkeit

Drei Aspekte der Gerechtigkeit

Im diesem dritten Spannungsfeld – zwischen Arbeitsteilung und Gerechtigkeit – sollen wiederum drei Aspekte behandelt werden: zum einen die Geschlechtergerechtigkeit, die ihr Gegenüber in der Arbeitsteilung zwischen Männern und Frauen findet; zum anderen die gesellschaftliche Arbeitsteilung, bei der Fragen zur Verteilung der Arbeit und deren angemessene Entlohnung eine Rolle spielen. Schließlich wird kurz auf die internationale Arbeitsteilung eingegangen.

Gerechtigkeit und Arbeitsteilung zwischen Männern und Frauen

Bei der Arbeitsteilung zwischen Männern und Frauen hat sich in den vergangenen Jahrzehnten in Deutschland einiges getan. Allerdings kann von einer Gleichberechtigung noch keine Rede sein (siehe auch Kapitel 11). So ist der Anteil der Frauen an allen Erwerbstätigen zwar von 1994 bis 2014 um fünf Prozentpunkte von 42 auf 47 Prozent gestiegen (Statistisches Bundesamt 2015b, 10), Frauen sind aber weiterhin unterrepräsentiert. Bei den Führungskräften ist der Abstand noch deutlich größer: Im Jahr 2014 waren 71 Prozent männlich, nur 29 Prozent weiblich (ibid., 12). Im Durchschnitt verdienen Frauen brutto pro Stunde 22 Prozent weniger als Männer, wobei dieser Verdienstabstand seit 2002 etwa konstant ist. Das Ziel der Bundesregierung, den sogenannten *Gender Pay Gap* bis 2010 auf 15 Prozent zu reduzieren, wurde damit deutlich verfehlt. Dabei bleiben Verdienstunterschiede auch dann bestehen, wenn man die Verdienste von Frauen und Männern bei gleicher Qualifikation und Tätigkeit miteinander vergleicht. Berechnungen des Statistischen Bundesamts für das Jahr 2010 ergaben dafür einen Verdienstabstand von 7 Prozent zu Lasten der Frauen (ibid., 15). Erklärt werden diese Unterschiede mit Einschränkungen der Erwerbsbiographien der Frauen durch Teilzeitarbeit oder durch zwischenzeitliches Ausscheiden aus dem Beruf wegen Kindererziehung oder anderen familiären Verpflichtungen. Ein Instrument zur Minderung dieses Abstands könnte beispielsweise die Einführung einer in Kapitel 8 näher erläuterten Familienversicherung darstellen.

Auch die Möglichkeiten der Kinderbetreuung sollten weiter ausgebaut und die Pflegeversicherung weiter reformiert werden, so dass eine professionelle Pflege möglich wird. Dabei sollten die Maßnahmen so gestaltet sein, dass sie eine größere Wahlfreiheit ermöglichen: Die Kinderbetreuung zu Hause müsste ebenso möglich sein wie die Fremdbetreuung. Gleiches gilt für die Pflege von Angehörigen. Dabei sollte insbesondere die Situation von ärmeren Bevölkerungsschichten betrachtet werden, da deren Wahlfreiheit durch finanzielle Zwänge oft extrem eingeschränkt ist. Die persönliche Kinderbetreuung und Pflege und insgesamt informelle Tätigkeiten sollten dabei eine höhere gesellschaftliche Anerkennung erfahren; institutionell ließe sich dies beispielsweise über höhere finanzielle Unterstützungen fördern. Ein mögliches Instrument stellt dabei die Einführung eines Grundeinkommens dar (siehe Kapitel 8).

Gerechtigkeit und internationale Arbeitsteilung

> »Konnte sich der relative materielle Wohlstand in den industrialistischen Konsumländern denn nicht nur auf den Schultern der Dritten Welt entwickeln, mit Hilfe einer durch militärische und wirtschaftliche Gewalt aufrechterhaltenen internationalen Arbeitsteilung, dem sogenannten ›Weltmarkt‹?«
>
> *Opielka 1985, 1*

Diese Frage, ob der Reichtum in den frühentwickelten Ländern seine Erklärung in der Ausbeutung der Länder des Südens findet, die über die internationale Arbeitsteilung vermittelt wird, wird spätestens seit den 1970er Jahren intensiv diskutiert, als die Folgen des Kolonialismus breit reflektiert wurden (z.B. Galeano 1976). Mit dieser Frage sind elementare Überlegungen zur Gerechtigkeit internationaler Wirtschaftsbeziehungen verbunden, die in gewisser Weise sowohl Aspekte der Qualität der Arbeit als auch der ökologischen Nachhaltigkeit betreffen.

Die Globalisierung brachte es im Laufe der Jahrzehnte mit sich, dass ein großer Teil der eher einfachen, arbeitsintensiven Produktionstätigkeiten aufgrund von geringeren Arbeitskosten in Schwellen- und Entwicklungsländer verlagert wurde; komparative Kostenvorteile verlagerten sich zunehmend von einer reinen Ausbeutung der Rohstoffe der Länder des Südens auf deren »billige« Arbeitskraft. Unternehmen haben bestimmte Produktionsschritte in den Süden verlagert, um im internationalen Wettbewerb zu bestehen und um ihre Profite zu maximieren, was nach wie vor nicht zuletzt oft durch das Fehlen staatlicher Regelungen zum Arbeits-, Gesundheits- und Umweltschutz begünstigt wird. Deswegen werden viele der heute auch in Deutschland konsumierten Waren – beispielsweise Kleidungsstücke und Elektronikartikel – unter teils miserablen Arbeitsbedingungen in Schwellen- und Entwicklungsländern hergestellt. Zwar hat die Internationale Arbeitsorganisation (ILO) bei ihrem Einsatz für gute Arbeitsbedingungen durchaus Erfolge zu verzeichnen, allerdings gibt es weiterhin enorme Defizite. Einen der wichtigsten Eckpfeiler der ILO stellen dabei die acht sogenannten Kernarbeitsnormen dar (ILO 1998):

- Übereinkommen 29: Beseitigung der Zwangs- oder Pflichtarbeit (1930);
- Übereinkommen 87: Vereinigungsfreiheit und Schutz des Vereinigungsrechtes (1948);
- Übereinkommen 98: Vereinigungsrecht und Recht zu Kollektivverhandlungen (1949);
- Übereinkommen 100: Gleichheit des Entgelts (1951);
- Übereinkommen 105: Abschaffung der Zwangsarbeit (1957);
- Übereinkommen 111: Beseitigung der Diskriminierung in Beschäftigung und Beruf (1958);
- Übereinkommen 138: Mindestalter für die Zulassung zur Beschäftigung (1973);
- Übereinkommen 182: Verbot und unverzügliche Maßnahmen zur Beseitigung der schlimmsten Formen der Kinderarbeit (1999).

Von diesen acht Kernarbeitsnormen, die international als die mit Abstand am bedeutendsten Vereinbarungen bezüglich qualitativer Sozialstandards der Arbeit gelten, haben inzwischen 139 Länder alle acht ratifiziert, darunter auch Deutschland. Allerdings haben beispielsweise China, Südkorea und Indien nur vier der acht Kernarbeitsnormen ratifiziert. So fehlen bei China und Südkorea die Normen zur Koalitionsfreiheit (Übereinkommen 87 und 98) und Zwangsarbeit (29 und 105), bei Indien die zur Kinderarbeit (138 und 182) und ebenfalls zur Koalitionsfreiheit. Die USA haben gerade einmal zwei Übereinkommen ratifiziert, nämlich Übereinkommen 105 und 182; sie tragen damit nicht zur Stärkung der ILO als Institution bei. Nicht einmal diese eigentlich als Mindeststandards anzusehenden Kernarbeitsnormen wurden also weltweit ratifiziert. Und selbst bei Ländern, bei denen das der Fall ist, stellt dies allein natürlich nicht sicher, dass die Normen auch wirklich eingehalten werden. So hat beispielsweise Kolumbien seit dem Jahr 2005 alle acht Kernarbeitsnormen ratifiziert; trotzdem identifizierte die Ratingagentur *oekom research* im Jahr 2011 Kolumbien als einen der »globalen Brennpunkte der Arbeitsrechte« (oekom research 2011): Gewerkschaftsmitglieder wurden verfolgt, in den Minen herrschten schlechte Arbeitsbedingungen, und insgesamt war der Arbeitsschutz mangelhaft.

Insbesondere bei der Kinderarbeit zeigt sich, dass die ILO-Kernarbeitsnormen noch längst nicht vollumfänglich durchgesetzt wurden. So stellte die ILO (2013, 3) in einem Bericht fest, dass 265 Millionen Kinder zwischen fünf und siebzehn Jahren im Jahr 2012 Erwerbsarbeit verrichten mussten. Das entspricht knapp 17 Prozent aller Kinder weltweit. 168 Millionen dieser Kinder wurden als Kinderarbeiterinnen und -arbeiter eingestuft, das heißt, sie arbeiten regelmäßig mehrere Stunden am Tag. Von diesen Kindern mussten wiederum 85 Millionen gefährlichen Arbeiten nachgehen, also zum Beispiel an gefährlichen Orten wie Steinbrüchen oder Plantagen, oder sie arbeiteten in überlangen Schichten oder in Nachtschichten (vgl. Tab. 1).

Tab. 1: Kinderarbeit 2012

	Gesamtzahl der Kinder (in Tsd.)	Erwerbstätige Kinder (in Tsd.)		Kinderarbeiter (in Tsd.)		Kinder in gefährlicher Arbeit (in Tsd.)	
Weltweit	1585566	264427	16,7 %	167956	10,6 %	85344	5,4 %
Asien	835334	129358	15,5 %	77723	9,3 %	33860	4,1 %
Lateinamerika und Karibik	142693	17843	12,5 %	12505	8,8 %	9638	6,8 %
Afrika südlich der Sahara	275397	83570	30,3 %	59031	21,4 %	28767	10,4 %
Andere Regionen	110411	13307	12,1 %	9244	8,4 %	5224	4,7 %

Quelle: International Labour Office 2013

Erfreulicherweise konnten diese Zahlen deutlich reduziert werden. So fiel beispielsweise der Anteil der Kinderarbeiter von 2000 bis 2012 von 16 auf 11 Prozent. Weiterhin stellt sich aber dic Frage, welche Einflussmöglichkeiten zur Verbesserung aus einer nationalen Perspektive in einem hochentwickelten Land bestehen. Zum einen sollte sich Deutschland weiter aktiv und verstärkt für eine weltweite Gültigkeit und Durchsetzung der genannten Kernarbeitsnormen und weiteren Normen zur globalen Verbesserung von Arbeitsbedingungen einsetzen. Das im Oktober 2014 vom Bundesministerium für wirtschaftliche Zusammenarbeit und Entwicklung (BMZ) als Reaktion auf den Einsturz einer Textilfabrik in Sabhar (Bangladesch), bei dem über 1100 Menschen ums Leben kamen, gegründete »Bündnis für nachhaltige Textilien« stellt zum Beispiel einen begrüßenswerten Schritt dar, um international zur Verbesserung der Arbeitsbedingungen beizutragen und sollte konsequent und mit größerer Intensität fortgeführt werden.

Zum anderen sollten auch Konsumenten, wo immer möglich, darauf achten, Produkte zu kaufen, die nachweislich aus Produktionsstätten mit fairen Arbeitsbedingungen stammen. Hier gibt es inzwischen über zahlreiche Label Möglichkeiten, informiertere Kaufentscheidungen zu treffen. Um die Übersicht im »Label-Dschungel« zu behalten, bieten sich unabhängige Vergleichsportale an, zum Beispiel vom Bundesverband Verbraucherinitiative e.V. (2016). Bezüglich der Kennzeichnung von Produkten ist allerdings auch die Politik gefragt. Sie muss für transparente und aussagekräftige Strukturen sorgen und dabei auch die Übersichtlichkeit für Verbraucherinnen und Verbraucher im Blick behalten, die bei ihren Kaufentscheidungen nicht getäuscht beziehungsweise überfordert werden sollten.

Bezüglich der ökologischen Nachhaltigkeit liegt in der Perspektive der internationalen Gerechtigkeit ein Problem darin, dass die frühindustrialisierten wohlhabenden Länder mittlerweile einen Teil ihrer ressourcenintensiven und umweltgefährdenden Produktion in Schwellen- und Entwicklungsländer ausgelagert haben. Als Gründe hierfür können wiederum niedrigere Arbeitskosten, geringere Umwelt- und Arbeitsschutzauflagen und die Verfügbarkeit von Ressourcen genannt werden. Um zur Verringerung der Umweltverschmutzung beizutragen, sollte eine Verschärfung der internationalen Umweltschutzauflagen angestrebt werden. Zwar ist umstritten, wie groß der von niedrigen Umweltschutzauflagen ausgehende Anreiz zur Verlagerung der Produktion ist; dass ein solcher Anreiz existiert, ist aber unmittelbar einsichtig in einer auf Renditemaximierung ausgerichteten Wirtschaft. Unbestreitbar ist ebenfalls, dass strengere Umweltschutzauflagen, zumindest wenn sie effektiv umgesetzt und kontrolliert werden, zu einer Verringerung der Umweltwirkungen beitragen können. Deswegen sollte Deutschland die Bemühungen um die Durchsetzung international gültiger Umweltschutzvorgaben intensivieren. Zudem muss darauf geachtet werden, dass die eigenen nationalen Umweltstandards nicht ausgehöhlt werden. Diese Gefahr besteht zurzeit konkret aufgrund der Verhandlungen über die Transatlantische Handels- und Investitionspartnerschaft (TTIP) mit den USA. Dazu stellte beispielsweise das Umweltbundesamt fest: »Für den Umweltschutz in der EU birgt eine nicht sachgerechte Gestaltung der Regulatorischen Kooperation jedoch erhebliche Risiken: Umweltstandards könnten sinken und die Umwelteigenschaften von Produkten gefährdet werden.« (Burger / Matthey 2013, 4)

Eine Durchsetzung internationaler Arbeitsstandards sowie eine gerechte oder zumindest »faire« Entlohnung in den Ländern des Südens würden automatisch zu einer Verschiebung von Kaufkraft von den wohlhabenden Ländern in die Schwellen- und Entwicklungsländer führen. Damit solche Entwicklungen in den reichen Ländern nicht als Katastrophe empfunden werden, ist ein gesellschaftlicher Diskurs über den Stellenwert des Konsums und der Erwerbsarbeit von entscheidender Bedeutung – auch und insbesondere auf dem Weg in eine Postwachstumsgesellschaft.

10 Bildung und Qualifikation

10.1 Bildung, Qualifikation und die Veränderung der Arbeit

In diesem Kapitel soll die Frage erörtert werden, ob und wenn ja, wie sich Bildungsprozesse und Qualifikationen auf dem Weg in eine Postwachstumsgesellschaft verändern könnten, vielleicht sogar müssten. Der Begriff der Qualifikation soll in diesem Kontext alle Aspekte der beruflichen Bildung mit einschließen. Alex László (1991, 23) versteht diesen Begriff als »personenbezogenes Arbeitsvermögen, das sich aus Fach- und Sozialkompetenz zusammensetzt«. Schulische und berufliche Abschlüsse gelten daher als ein zentraler Indikator, um Qualifikation zu messen. Jedoch ist es bereits bei dem Versuch, die Erlangung von Sozialkompetenz zu erfassen, nicht mehr ausreichend, diese Form der (Aus-)Bildung als Indikator zu verwenden. Insofern wird auch der Erwachsenenbildung eine Bedeutung für die Persönlichkeitsentwicklung und dadurch auch für den Menschen als Arbeitskraft beigemessen, zumal der Erwachsenenbildung, gerade auf dem Weg in eine Postwachstumsgesellschaft, eine noch größere und wichtigere Rolle zuteilwerden könnte. Darauf wird weiter unten noch detaillierter eingegangen.

Die Betrachtung der beruflich relevanten Bildung muss in Bezug zu möglichen Entwicklungen der Arbeit an sich gesetzt werden, also in Bezug zu Veränderungen, die auf eben diesem Weg zur Postwachstumsgesellschaft möglich sind und in anderen Kapiteln des vorliegenden Buches beschrieben werden. Mit anderen Worten: Es gibt zum einen Veränderungen in der Bildungslandschaft, die das berufliche Leben beeinflussen. Jedoch sind zum anderen strukturelle Entwicklungen der Arbeit relevant für eine sich daran anpassende Bildungslandschaft.

10.2 Zur Verknüpfung von Qualifikation und Arbeit

Wie stellt sich nun die Rolle von beruflicher Bildung in der Wachstumsgesellschaft dar? Zunächst einmal ist ein gewisser Grad an (Aus-)Bildung Grundvoraussetzung für die meisten vergüteten Arbeitsstellen. Zudem wird Qualifikation auch als Investition zugunsten von Wirtschaftswachstum betrachtet. Nicht zuletzt in Berichten der ILO wird belegt, dass in Ländern mit hohem Lohnniveau meistens ein höheres Ausbildungsniveau und ein besserer Zugang zum Arbeitsmarkt Hand in Hand gehen (ILO 2016).

Wachstumsbranchen

Eine besondere Rolle spielen Studiengänge, Weiterbildungen und Ausbildungsplätze für Wachstumsbranchen, die entsprechend auch von Ausbildungsnetzwerken beworben werden. In diese Kategorie fallen in den letzten Jahren insbesondere Dienstleistungen, Umwelttechnik und sogenannte innovative und forschungsnahe Technologien (BMBF 2016). Häufig werden auch noch Berufe der Internet- und Kommunikationstechnologie als Wachstumsbranchen genannt, in denen es um die Neu- und Weiterentwicklung von Ausbildungsplätzen und Studiengängen geht.

Damit Wachstumsbranchen sich weiterentwickeln, braucht

es gezielt ausgebildete Fachkräfte. Dazu müssen zunächst einmal Kenntnisse über neue Berufsbilder und über die damit verbundenen neuen Ausbildungsmöglichkeiten vermittelt werden. Während der Hochzeit des Wachstums der IT-Branche wurden Fachkräfte vor allem aus Asien angeworben. Damals wurden 30000 Computerfachkräfte aus dem Ausland gewonnen, was zu Meinungsverschiedenheiten im politischen Spektrum führte. Lange in Erinnerung blieben umstrittene Aussagen wie »Kinder statt Inder« aus dem Jahr 2000, die eine heftige Diskussion über Migrations-, Bildungs- und Integrationspolitik auslösten (z.B. o.Verf. 2000).

Eine Analyse der neuen Ausbildungsberufe der vergangenen Jahre zeigt jedoch zumindest auf den ersten Blick wenig Bezug zu Themen wie Nachhaltigkeit und Postwachstum: In den vergangenen sechs Jahren sind laut Bundesinstitut für Berufsbildung folgende neue Ausbildungsberufe entstanden: Kauffrau/-mann für Büromanagement, Fachkraft für Speiseeis, Stanz- und Umformmechaniker/in, Fachkraft für Metalltechnik, Medientechnologe/in Druckerzeugnisse, Industrieelektriker/in und Bergbautechnologe/in. Jedoch werden voraussichtlich auch Ausbildungsberufe in ökologienahen Bereichen sehr gefragt sein, zum Beispiel im Bereich Bau und energetische Sanierung. Dies ist unter anderem deshalb anzunehmen, da der Bedarf und die Anforderungen an Sanierungen steigen, Bauen mit Holz im Trend liegt und zudem Restaurierungen sowie auch die schrittweise Umstellung des Energiesystems zu größerer Nachfrage führen wird. Die Ausbildungslandschaft wandelt sich also nun bereits aufgrund von umweltpolitischer und gesellschaftlicher Entwicklungen und Trends sowie aufgrund von rechtlichen Auflagen. Bei einer stärkeren Orientierung in Richtung Postwachstumsgesellschaft werden sich diese Trends auch noch stärker auswirken.

Zu den neuentstandenen Studiengängen der letzten Jahre zählen unter anderem: Medizinisches Management, Sales Management, Aeronautical Engineering sowie Bordnetzentwicklung. Hinzu kommen etliche modifizierte oder auch nur umbenannte Studiengänge, die sich an den obengenannten Wachstumsbranchen orientieren. Dies lässt sich beispielsweise an der Beschreibung des Studienganges Bioingenieurwesen erkennen (Hartmann 2016):

> »Das Studium des Bioingenieurwesens verbindet zwei sogenannte Schlüsseltechnologien des 21. Jahrhunderts: Die Biotechnologie und die Bioverfahrenstechnik. Den Absolventinnen und Absolventen in diesen zukunftsorientierten Gebieten werden gute berufliche Perspektiven vorausgesagt.«

Dabei muss angemerkt werden, dass die meisten Hochschulen mit ähnlichen Worten für ihre Studiengänge werben.

Ein in den letzten Jahren stark gewachsener Bereich ist das Gesundheitswesen; insbesondere Wellness, Yoga, Massagen und ganzheitliche Therapien werden immer beliebter. Gerade in diesen Bereichen zeigt sich insbesondere bei berufsbegleitenden Aus- und Weiterbildungen ein enormer Zuwachs.

Daneben wurden in den letzten Jahren durchaus einige Ausbildungs- und Studiengänge im Bereich Nachhaltigkeit entwickelt, vor allem in den Bereichen regenerative Energietechnik, nachwachsende Rohstoffe und Umweltschutztechnik. In der Regel handelt es sich allerdings entweder um Spezialisierungen beziehungsweise Weiterbildungen oder um Schwerpunkte innerhalb eines bereits bestehenden Ausbildungsgangs, nicht um Ausbildungen, die ausschließlich auf einen technischen Beruf zum Beispiel im Bereich erneuerbare Energien hinführen. Insgesamt sind die schulischen Ausbildungen in dieser Hinsicht weiter als die dualen Ausbildungen. Zwölf Ausbildungsstätten in sieben Bundesländern zum Beispiel bieten schulische Ausbildungen mit sieben eigenständigen Profilen im Bereich der erneuerbaren Energien an (Holderberg 2014).

Insgesamt stellt sich die Frage, inwieweit sich die Berufsberatung wie auch die Anwerbung von Fachkräften aus dem Ausland in einer von Postwachstumskriterien geleiteten Gesellschaft wandeln würde. Aus Sicht der Berufsberatung geht es darum, die Menschen nach Möglichkeit in Berufe zu vermitteln, die auch Vollzeitstellen bieten. Auf dem Weg zu einer Gesellschaft nach dem Wachstum ist mit Sicherheit eine Umstellungsphase notwendig. Hier wird es auch darum gehen, flexibel zu bleiben, da sich der Trend, innerhalb des Erwerbslebens die Stelle, wenn nicht gar auch die berufliche Ausrichtung zu wechseln, voraussichtlich noch weiter verstärken wird. Außerdem könnte sich der Anteil von Teilzeitstellen deutlich erhöhen.

Angebot und Nachfrage

In diesem Zusammenhang stellt sich natürlich auch die Frage, welche Qualifikationen auf dem Arbeitsmarkt jetzt und in einer solchen Umstellungsphase zur Postwachstumsökonomie nachgefragt werden. Nach dem von der OECD 2015 herausgegebenen Bildungsbericht liegt die Akademikerquote mit 27 Prozent in Deutschland unter der von Ländern wie Niederlande mit 33 Prozent, Irland mit 30 Prozent oder den USA mit 35 Prozent (OECD 2015, 51).

In Deutschland haben bereits jetzt laut Statistischem Bundesamt fast 50 Prozent der Zwanzig- bis Dreißigjährigen eine Hochschulzugangsberechtigung. Seit 2013 gibt es jeweils mehr Studienanfängerinnen und -anfänger als Auszubildende im ersten Lehrjahr. Der frühere Kulturstaatsminister

Julian Nida-Rümelin steht einer Forderung nach Erhöhung der Akademikerquote kritisch gegenüber und vermutet negative Folgen durch einen höheren Anteil von Akademikerinnen und Akademikern. Dies führe zu einer »Deindustrialisierung nach britischem Muster«, so Nida-Rümelin in seiner Rede zum Ingenieuretag 2015 (Bayerische Ingenieurekammer-Bau 2015, 13). Außerdem sei zu bedenken, dass einige Berufe, die im Ausland ein Studium voraussetzen, in Deutschland Lehrberufe sind.

Für hohe Qualifikation wird häufig stark geworben, insbesondere damit, dass das Gehalt deutlich höher sein soll. Ein Akademiker, so eine Studie des Instituts für Arbeits- und Berufsforschung (IAB), verdient in seinem Leben durchschnittlich 2,3 Millionen Euro und damit eine Million mehr als jemand mit Berufsausbildung (Schmillen / Stüber 2014). Außerdem ist die Arbeitslosenquote unter Akademikern mit 2,4 Prozent halb so hoch wie die unter Menschen mit abgeschlossener Lehre. Jedoch müssen die Zahlen mit Vorsicht interpretiert werden. Die Studie des IAB vernachlässigt die Zahl der geleisteten Arbeitsstunden – viele Akademikerinnen und Akademiker arbeiten mehr als 35 bis 40 Stunden pro Woche, und der Anteil der Akademiker, die im Niedriglohnsektor arbeiten, liegt nur bei rund 10 Prozent. Insgesamt ist jede fünfte Fachkraft auf einer Stelle, für die sie, gemessen an ihrem formalen Ausbildungsabschluss, überqualifiziert ist.

Die Qualifikation eines Menschen sollte jedoch nicht an ihrem marktwirtschaftlichen Wert alleine gemessen werden; das gilt insbesondere für eine Postwachstumsgesellschaft. Dabei ist der Gedanke nicht neu, dass Bildung zunächst einmal – unabhängig von ökonomischen Verwertungsmöglichkeiten – als Wert an sich betrachtet werden sollte. Die Befähigungen, die Menschen durch Bildung erlangen, erweitern deren »Möglichkeitsräume« auf wesentlich vielfältigere Weise. Deswegen wäre es um so wichtiger, gerade bei dem Zugang zu Weiterbildungsangeboten bildungsferne Schichten besonders zu fördern, zumindest aber Chancengerechtigkeit zu erreichen. Dies ist in Deutschland derzeit jedoch keinesfalls gegeben.

In einer Analyse des DGB von 2015 wird im Blick auf berufliche Weiterbildung festgestellt (Anbuhl 2015):

- Führungskräfte haben mit einer Weiterbildungsquote von 77 Prozent eine deutlich höhere Chance auf Weiterbildungsmaßnahmen als An- und Ungelernte, bei denen diese Quote nur 44 Prozent beträgt.
- Die soziale Spaltung des Schulsystems setzt sich im Berufsleben bei der Weiterbildung fort: Junge Menschen mit Hauptschulabschluss und ohne Schulabschluss nehmen mit 36 Prozent deutlich seltener an Weiterbildungsmaßnahmen teil als Personen mit einem höheren Schulabschluss, bei denen diese Quote 62 Prozent beträgt.
- Frauen sind auch in Bezug auf betriebliche Weiterbildung im Nachteil: Hier fällt der Abstand zwischen Frauen mit einer Teilnahmequote von 34 Prozent und Männern mit einer Quote von 40 Prozent deutlich aus.
- 39 Prozent der Menschen ohne Berufsabschluss haben sich weitergebildet, bei den Menschen mit Hochschulabschluss waren es 67 Prozent.
- Auch die Beschäftigten mit Migrationshintergrund erscheinen bei der Weiterbildung benachteiligt: Menschen mit Zuwanderungsgeschichte werden im Weiterbildungssystem sogar zunehmend abgehängt. Bei ihnen stagnierte die Quote der Weiterbildung bei 33 Prozent, während sie bei Menschen ohne Zuwanderungsgeschichte von 45 Prozent im Jahre 2010 auf 52 Prozent im Jahr 2012 gestiegen

ist. Für das Jahr 2014 wird zwischen Deutschen und Ausländern unterschieden. Hier zeigt sich, dass von 2012 auf 2014 die Weiterbildungsbeteiligung der Ausländerinnen und Ausländer leicht von 34 auf 33 Prozent gesunken ist.

Auf dem Weg in eine Postwachstumsgesellschaft müsste versucht werden, diese Unterschiede und Benachteiligungen aufzuheben, um breite Zugänge zu Bildung im Sinne eines »lebenslangen Lernens« für alle Bevölkerungsschichten zu ermöglichen.

Nicht nur in einer »Wissensgesellschaft« ist es auch Aufgabe der staatlichen Institutionen, für ein gutes Bildungssystem zu sorgen. Bei der Festlegung von Lehrplänen werden zugleich Bildungsinhalte bestimmt. In Weiterarbeit zur Dekade »Bildung für nachhaltige Entwicklung« hat sich ab letztem Jahr die Nationale Plattform Bildung für nachhaltige Entwicklung, unter Federführung des Bundesministeriums für Bildung und Forschung, zum Ziel gesetzt, die strukturelle Verankerung von Bildung zur Nachhaltigkeit in allen Bildungsbereichen weiter zu etablieren (BMBF 2016, 147f.). Dabei muss berücksichtigt werden, welche Rolle erwartete Berufsbilder spielen – und nicht zuletzt auch, auf welche Weise der Übergang zu einer Postwachstumsgesellschaft hier reflektiert wird. In den letzten Jahrzehnten gibt es viele Beispiele dafür, dass die zunehmende Marktorientierung bislang marktferne Tätigkeiten in marktvermittelte Dienstleistungen verwandelt hat, die dann auch entsprechende Ausbildungen und formelle Qualifikationen nach sich ziehen: Erziehungsarbeit verwandelt sich in Hausaufgaben- und Kleinkindbetreuung und anderes mehr. Qualifikation, so könnte man sagen, steht in diesen Bereichen also zumindest zum Teil im Dienst der Wachstumsgesellschaft. Wenn diese These zutrifft, so müsste der Weg aus der Wachstumsgesellschaft auch davon geprägt sein, dass die bis dato gängigen Bildungsziele und -absichten sowie die Gestaltung des Bildungswesens insgesamt überdacht werden.

10.3 Die Rolle von Bildung und Qualifikation auf dem Weg in eine Postwachstumsgesellschaft

Damit stellt sich die Frage, welche Rolle Bildung und Qualifikationen in einer sich transformierenden Gesellschaft spielen können oder auch sollten. Im Folgenden sollen zehn Bereiche angesprochen werden, um verschiedene Aspekte der aller Voraussicht nach besonderen und verstärkten Rolle von Bildung auf dem Weg in eine Postwachstumsgesellschaft herauszuarbeiten. Diese Bereiche sind keinesfalls vollständig und sollen hier als Ausgang für eine vertiefende Diskussion verstanden werden.

(1) Wenn der Übergang in eine Postwachstumsgesellschaft bewusst gestaltet und nicht als Scheitern erfahren werden soll, wird die Bedeutung von Bildung steigen – alle vorliegenden Konzepte für eine Postwachstumsgesellschaft gehen davon aus. Mehr Zeit soll für Bildung und für die Entwicklung einer neuen Bildungskultur genutzt werden; Bildung erscheint noch mehr als ein Wert an sich, was häufig als ein entscheidendes Kriterium für eine Postwachstumsgesellschaft angesehen wird. In ihrem Buch *Die Könnensgesellschaft* betont Christine Ax (2009), dass Bildung neben der Erfüllung eines Selbstzwecks auch als Voraussetzung für das Entstehen einer Postwachstumsgesellschaft verstanden werden kann. Bildung kann also jenseits von Wachstumsstreben beziehungsweise von

Ressourcenverbrauch und Statussymbolen »reich« machen. Die Idee des »Eigenwertes der Bildung« ist also von vornherein ein zentrales Merkmal des Weges in eine Postwachstumsgesellschaft.

(2) Um überhaupt den Prozess der Transformation zu einer Postwachstumsgesellschaft umzusetzen, ist ein hohes Maß an Motivation und Partizipation der Zivilgesellschaft erforderlich, die ihre Entsprechung auch in geeigneten Formen der Erwachsenenbildung, des nonformalen und des informellen Lernens finden muss. Um den komplexen Entwicklungen gerecht werden zu können und gleichzeitig das Wissen über und für eine Transformation zu vermitteln, müssen »Bildungslandschaften« durch Vernetzung und Kooperation von Bildungseinrichtungen in diesen Bereichen geschaffen werden. Nur durch eine entsprechende Auseinandersetzung mit Wachstumskritik und Nachhaltigkeit kann der Weg in die Postwachstumsgesellschaft gelingen. Das Bildungssystem muss so strukturiert werden, damit die Qualifikationen, die für eine derartige »qualifizierte Transformation« erforderlich sind, überhaupt breit vermittelt werden können.

(3) Die Spezialisierung, die durch die Industrialisierung und nicht zuletzt das »Mehr« an Wissen auch im Bildungsbereich und bei der Vermittlung von Qualifikationen verstärkt wurde, ist schwer rückgängig zu machen. Das entspräche vermutlich auch nicht dem Willen der Mehrheit der Bevölkerung. Insofern wird fachspezifische Ausbildung für beispielsweise gute medizinische Versorgung, im Bereich der Wissenschaft und für die Entwicklung innovativer Technologien, wie zum Beispiel im Bereich der Energieversorgung und der Internettechnologie, relevant bleiben. Allerdings könnte sich eine Parallelbewe-

gung entwickeln, »back to the roots«: eine Verstärkung von grundlegenden Qualifikationen handwerklicher Art, auch von Fähigkeiten und Fertigkeiten im Haushalt und im Garten. In diesem Sinne könnte der Weg in eine Postwachstumsgesellschaft mit der Herausbildung einer neuen Vielfalt von Qualifikationen verbunden sein.

(4) In Teilbereichen des Arbeitsmarkts hat sich in den letzten Jahren ein starkes Überangebot an Akademikern entwickelt, während es insbesondere an nichtakademischen Fachkräften mangelt. Sicherlich ist der Fachkräftemangel auch eine Wirkung der demographischen Entwicklung. Seit einigen Jahren wurde versucht, beispielsweise das Potential von Frauen für bisher von Männern dominierten handwerklichen und technischen Ausbildungen zu gewinnen; so wurden Aktionen wie »Girl's Day« ins Leben gerufen. Der Übergang in eine Postwachstumsgesellschaft erfordert damit auch Gender- und Chancengerechtigkeit.

(5) Im Jahr 2015 standen innerhalb der bundesweiten Lehrstellenbörse der Industrie- und Handelskammern von knapp 42 550 angebotenen Ausbildungsplätzen lediglich rund 16 000 Stellen jungen Menschen mit Hauptschulabschluss offen (Baethge / Wieck 2015). Dies bestätigt den Trend, dass Unternehmen für ihre Ausbildungsplätze immer stärker selektieren und die Ansprüche an die Auszubildenden deutlich gestiegen sind. Bildungsabschlüsse spielen hierbei eine große Rolle, aber auch die Herkunft der Bewerberinnen und Bewerber. Suchende mit Migrationshintergrund erhalten laut DGB Ausbildungsreport 2015 viel seltener ihren Wunschausbildungsplatz als Deutsche (DGB 2015). Die Stellen, die von ihren Anforderungen und Bedingungen Arbeitsmöglichkeiten für gering Qualifizierte bieten sollten, werden häufig mit dafür

überqualifizierten Personen besetzt. Minijobs beispielsweise werden etwa zur Hälfte von Arbeitskräften ausgeführt, die einen Berufs- oder Hochschulabschluss haben (DGB 2015). In einer Postwachstumsgesellschaft sollten angemessene Berufstätigkeiten für alle Qualifikationsniveaus bereitgestellt werden können. Einer Berufstätigkeit nachzugehen, wird voraussichtlich auch in einer transformierten Gesellschaft zu einem selbstbestimmten und sozial integrierten Leben beitragen. Qualifikation wird also auch hier eine integrative Funktion haben.

(6) Lebenslanges Lernen ist auf dem Weg in eine Postwachstumsgesellschaft für alle Menschen von zentraler Bedeutung, und zwar nicht nur, um eine Teilhabe am Erwerbsleben bis ins hohe Alter zu gewährleisten, sondern auch, um persönliche Fähigkeiten und Fertigkeiten jenseits einer beruflichen Verwertung erweitern zu können. Die Bildungsangebote, die hier weiterentwickelt werden müssen, sollten verstärkt auf die unterschiedlichsten Aspekte einer Bildung für nachhaltige Entwicklung ausgerichtet werden.

Infokasten 15: Bildung für nachhaltige Entwicklung (BNE)

Auf dem Weg aus der Wachstumsgesellschaft heraus gibt es große ökologische, ökonomische und soziale Herausforderungen. Um diese zu bewältigen, ist ein Umdenken und entsprechend eine Transformation / Umgestaltung der Bildung notwendig. Historische Startpunkte sind der Brundtland-Bericht, die Beschließung der Agenda 21 in Rio und die Ausrufung der Weltdekade »Bildung für nachhaltige Entwicklung« in Johan-

nesburg auf dem Rio+10 Weltgipfel. Die Idee ist, dass Individuen sich aktiv an Bewertung, Analyse und Ausgestaltung von Entwicklungsprozessen mit ökologischer, ökonomischer und soziokultureller Bedeutung beteiligen.
Nach der UN-Dekade »Bildung für nachhaltige Entwicklung« von 2005 bis 2014, in der sich die UN-Staaten zu einer Stärkung des Konzeptes verpflichtet haben, folgt das Weltaktionsprogramm der UNESCO für 2015 bis 2019. Letzteres soll helfen, die Entwicklungsziele der »Agenda 2030« zu erreichen.
Seit 2005 hat die deutsche UNESCO-Kommission über 1500 Projekte, 14 Kommunen und zahlreiche bundesweite Maßnahmen ausgezeichnet. Seit 2015 gibt es eine Nationale Plattform Bildung für nachhaltige Entwicklung, gegründet von Bildungsministerin Wanka. Zweimal jährlich treffen sich hier Entscheidungsträgerinnen und -träger aus Politik, Wissenschaft, Wirtschaft und Zivilgesellschaft, die von Fachforen mit Expertinnen und Experten unterstützt werden. Ziel ist es, BNE stärker in Lehrpläne und Ausbildungsordnungen sowie im informellen Lernen zu verankern. Die Fachforen sollen mit der Plattform zusammen einen nationalen Aktionsplan erarbeiten.
Ziel von BNE ist, dass die Lernenden sich über die Konsequenzen ihres Handelns bewusst werden. So sollen Veränderungen angestoßen werden, um globale Probleme wie Raubbau an der Natur oder soziale Ungerechtigkeit anzugehen. Es soll Wissen vermittelt werden über globale Zusammenhänge und Herausforderungen wie den Klimawandel oder globale Gerechtigkeit sowie über komplexe wirtschaftliche, ökologische und soziale Ursachen der Probleme.
Neben der Wissensvermittlung geht es allerdings auch darum, Gestaltungskompetenzen zu entwickeln, wie vorausschauendes Denken, interdisziplinäres Wissen, autonomes Handeln und Partizipation an gesellschaftlichen Entscheidungsprozessen. Der Weg in eine Postwachstumsgesellschaft braucht eine starke BNE.

(7) Qualifikation und Bildung beziehen sich, wie oben erläutert, nicht ausschließlich auf die beruflich orientierte Bildung oder Ausbildung, die vor dem Beginn einer Berufstätigkeit absolviert wird. Die Erwachsenenbildung ist ein wichtiger Bereich des Bildungssystems, in dem Qualifikationen in einer Gesellschaft vermittelt werden. Die wohl populärsten Einrichtungen dafür in Deutschland sind die Volkshochschulen, die in den meisten größeren Kommunen mit einem semesterweise wechselnden und umfassenden Programm vertreten sind. Auch in diesem Bereich der Bildung ist eine Neuausrichtung notwendig, um den Anforderungen der Transformation gerecht zu werden. Ziel sollte es sein, Fachwissen mit Kreativität und Phantasie, Verständigungs- und Kooperationsfähigkeit sowie Entscheidungs- und Mitwirkungsfähigkeit zu verbinden. Formen eines derartigen »ganzheitlichen Lehrens und Lernens« korrespondieren mit den Kompetenzen, die zur Bewältigung der Transformation zu einer Postwachstumsgesellschaft gefordert sind.

(8) Neue Formen des Lehrens und Lernens beziehen sich auch auf eine Kombination aus Wissen und sozialökologischer Umsetzungsfähigkeit, die auf dem Weg in eine Postwachstumsgesellschaft positiv genutzt werden. Ein Beispiel hierfür bietet die niedersächsische Erwachsenenbildung, die Konzepte ausgearbeitet hat, um zukünftige Entwicklungen im Bereich der Postwachstumsökonomie in das Bildungssystem integrieren zu können. Die Idee ist, dass die Teilnehmenden in den angebotenen Kursen erfahren und erlernen, Aktionsorientierung mit ihrer Lebenswirklichkeit zu verbinden und als »Change Agents« zu agieren. Der Verein Niedersächsischer Bildungsinitiativen e. V. und der Niedersächsische Bund für freie Erwachsenenbildung

e.V. haben sich mit der Rolle von Bildungseinrichtungen auf dem Weg in eine Postwachstumsgesellschaft beschäftigt (VNB 2014). Die Institutionen sehen in Bildungseinrichtungen eine wichtige Funktion als Kompetenzgeber und Entwickler, wenn es um das Ausprobieren von neuen Wirtschaftsformen und die Neuorganisation des gesellschaftlichen Zusammenlebens geht. Bildung, aber auch Bildungspolitik und eine Erweiterung des Bildungsbegriffes können also zu wichtigen Bestandteilen während der Transformation hin zu einer Postwachstumsgesellschaft werden. Eine innovative Bildungspolitik sollte die Gesellschaft auf ihrem Weg dahin unterstützen, sich innerhalb von Wachstumsgrenzen zu entwickeln.

(9) Durch Prozesse der Bildung und Qualifikation sollten auch Fähigkeiten und Fertigkeiten vermittelt werden, die für einen adäquaten Umgang mit Produkten und für die Wiederherstellung von Beziehungen zum produzierten Gut wichtig sind. Diese Veränderungen würden dann stark erleichtert, wenn die Produktion von Gütern wieder vermehrt im Rahmen einer lokalen oder regionalen Ökonomie stattfände, in der Beziehungen zwischen Produzenten und Konsumenten leichter möglich sind. Eine Bedingung für derartige Veränderungen liegt allerdings auch in einer Veränderung der Charakteristika von Produkten, die von der ökologisch orientierten Ökonomie seit langem eingefordert wird: Langlebigkeit, Reparaturfreundlichkeit, bessere Recycelbarkeit, vor allem Abkehr von der Strategie einer »geplanten Obsoleszenz« und anderes mehr. Wenn Menschen Qualifikationen erwerben, um in dieser Hinsicht selbst tätig zu werden, könnte dies eine Minderung struktureller Wachstumszwänge bewirken und zum Aufbau lokaler und regionaler Kreislauf-

wirtschaftsstrukturen beitragen. Vorausgesetzt, dass sich die Produktionsprozesse zum Teil weg von kapitalintensiven hin zu solchen entwickeln, die mehr Arbeitskraft benötigen, wird das Handwerk wieder an Bedeutung gewinnen. Dies hätte zur Folge, dass Automatisierung in der Produktion abnehmen und ein tendenzieller Rückgang des Anteils der globalisierten Wirtschaftsprozesse wahrscheinlich würde.

(10) Auch der Bereich der schulischen Bildung wird einen Veränderungsprozess durchlaufen, der an die Programmatik der Bildung für nachhaltige Entwicklung unmittelbar anschließen kann. Das aktuelle Schulsystem kann auch so interpretiert werden, dass es im Grunde das Streben nach Wachstum befördert und nur wenige Grundlagen zur Entwicklung einer nachhaltigen, wachstumskritischen, ökologischen, sozialen und gerechten Gesellschaft vermittelt. Kritiker machen diesen Umstand bereits am gängigen schulischen Bewertungssystem fest, in dem auf individuelle Leistung und auf das Erreichen von vorgegebenen Zielen abgestellt wird, statt natürliche Neugier und Interesse an Inhalten zu fördern. Ivan Illich (1971) ist in seiner Radikalkritik am Bildungssystem so weit gegangen, eine »Entschulung« der Gesellschaft zu fordern: »Entschulung ist deshalb die Grundvoraussetzung jeder Bewegung für die Befreiung des Menschen« (Illich 1971, 75). Zeitgleich mit einer zunehmenden Arbeitszeitverkürzung sollten die Menschen ihre gestiegene Freizeit mit der Ausübung und Erlernung verschiedener Tätigkeiten verbringen; dadurch würden die Kinder, die dabei zusehen oder mitmachen, ausreichend für das Leben lernen, so dass eine Schule nicht unbedingt notwendig sei. Die vielen Arbeitsstunden in Büros, ohne Kinder, an

Infokasten 16: Repair-Cafés

Bereits jetzt deuten kleine Entwicklungen auf den Beginn tiefgreifender Anpassungen im Bereich des Handwerkes hin. Ein Beispiel hierfür sind sogenannte Repair-Cafés, die meist von Ehrenamtlichen betrieben werden. In diesen dauerhaften oder temporären Einrichtungen werden defekte Gegenstände aller Art repariert. Häufig gibt es dort auch Anleitungen zum Selbst-Reparieren. Die Grundidee dahinter ist, weniger Abfall zu produzieren und eine längere Nutzungsdauer von Produkten zu erzielen, insbesondere von elektronischen Geräten. Die Initiatorinnen und Initiatoren von Repair-Cafés streben an, dass Gegenstände nachhaltig und gut reparierbar und Reparaturinformationen für jeden verfügbar sind. Ein weiterer Effekt ist, dass das Selbst-Reparieren den Menschen wieder die Zusammenhänge und Funktionsweisen von Alltagsgegenständen näherbringt und ihnen ein gewisses Maß an Kontrolle, die durch die Industrialisierung mit ihrer kleinschrittigen Arbeitsteilung abhandengekommen ist, wieder zurückgegeben wird.
Nach Angaben der Stichting Repair Café (2016) wurden Ende 2015 in 22 Ländern über 900 Repair-Cafés gezählt.
Gemeinsam mit den Ideen »Selbermachen«, »Reparieren« und »Up-Cycling« werden auch Initiativen verbunden, die den Grundsatz »Teilen statt Besitzen« verwirklichen wollen; es entstehen gemeinschaftlich organisierte Arbeits- und Lebensformen. In der Initiative »Verbund Offener Werkstätten – Freiraum zum Selbermachen« haben sich bereits 140 Handwerksbetriebe, insbesondere Nähwerkstätten, Repair-Cafés, sogenannte FabLabs und andere Betriebe zusammengeschlossen, um zum Selbermachen und zur Nutzung offener Werkstätten anzuregen und um der Idee der gemeinschaftlich genutzten Infrastruktur im öffentlichen Bewusstsein mehr Gewicht zu verleihen (Verbund Offener Werkstätten 2016).

sterilen Arbeitsplätzen, würden weniger werden, während etwa Garten- und Handarbeit wieder gestärkt würden. Auch wäre ein höherer Anteil an Zeit denkbar, die Eltern nutzen könnten, sich um ihre Kinder zu kümmern und mit ihnen gemeinsam Erlebnisse und damit Lernsituationen zu haben.

Der Vorschlag von Illich soll hier nicht ernsthaft als Grundsatz einer Schulreform vorgeschlagen werden. Hingegen könnte es sinnvoll sein, Illichs Idee der inhaltlichen Ausgestaltung und Intention von Bildung auszuprobieren. Nach Illich kann und muss Bildung etwas sein, was alle allen vermitteln; es braucht also nicht unbedingt eine pädagogisch-didaktische Ausbildung. Menschen können und sollen lebenslang von verschiedenen anderen lernen. Mit Hilfe von sogenannten Partnerbörsen könnten Menschen für bestimmte Themen zusammenkommen. In gewisser Weise ist diese Idee in so manch einer praktizierenden Online-Gruppe innerhalb der sozialen Netzwerke verwirklicht, in der sich Mitglieder zum Beispiel über Handarbeiten, Renovierungen oder Rezepte austauschen. Schulbildung kann sicher nicht auf die Vermittlung von derartigem Praxiswissen beschränkt werden, ein Bildungssystem jedoch, in dem entfremdete Bildungsinhalte vermittelt werden, führt eher dazu, dass dann auch im Arbeitsleben entfremdet gearbeitet werden muss. Eine stärkere Einbindung von BNE in alle Stufen des Schulsystems und eine Stärkung von dualen Bildungssystemen, die Praxis mit Theorie sinnvoll verbinden, könnten auf dem Weg in eine Postwachstumsgesellschaft stark an Relevanz gewinnen.

10.4 Bewusstseinsbildung: Zeit und Konsum

Zeit erscheint – nicht nur in den Analysen der Postwachstumsökonomik – in einer industriell geprägten Wachstumsgesellschaft als eine der knappsten Ressourcen: Sie muss so effizient wie nur möglich in der Produktion von Gütern und Dienstleistungen eingesetzt werden, um weitere Wachstumspotentiale zu erschließen – und dann fehlt auf der anderen Seite Zeit, um all die Güter wirklich zu nutzen, die in einer reichen Wachstumsgesellschaft angehäuft werden.

Dagegen kann Entschleunigung zu einer Überlebensstrategie in der Hochgeschwindigkeitsgesellschaft werden. Für den Transformationsprozess in Richtung einer Postwachstumsgesellschaft wäre daher eine Veränderung im Umgang mit Zeit notwendig. Bildungsarbeit erscheint erforderlich, um über die Herausbildung eines anderen Bewusstseins ein neues Empfinden und Nutzen von Zeit zu erlernen und auszuprobieren. Dies erscheint ein unverzichtbares Element auf dem Weg, auf dem sich ein nachhaltiger Lebensstil und ein globales Umdenken hin zu einer nicht mehr auf Wachstum ausgerichteten Gesellschaft etablieren kann; nur so kann das Wissen um und die Vorteile eines Transformationsprozesses ins Handeln einer Gesellschaft überführt werden.

Oliver Stengel (2011) geht von fünf Barrieren aus, die es Menschen erschweren, suffizient zu leben:

- Kosten im Sinne persönlicher innerer Kosten einer Umstellung, die eventuell mit einer Reduktion von Komfort verbunden ist; in diesem Sinne sind Kosten als Verlust von Gewohnheiten, Genuss, Status und anderem zu betrachten;
- der Konsumismus im Sinne eines – durch das gesellschaftliche Bild von Erfolg, sozialer Integration und Wohlstand

ausgehend resultierenden – stark Energie und Ressourcen verbrauchenden Lebensstils;
- die Orientierung an Konventionen der Mehrheit der Bevölkerung, was von deutlichen Veränderungen in der Lebens- und Konsumweise abhält;
- die Delegation der Verantwortung sowohl vonseiten der Politik und der Industrie »nach unten«, indem man auf klare Signale der Konsumenten wartet, als auch der Delegation der Verantwortung »nach oben«, also von der Bevölkerung an Politik und Wirtschaft.
- Schließlich benennt Stengel (2011) kapitalistische Strukturen insgesamt, die ständig dazu anregen würden, mehr zu konsumieren.

Damit wird deutlich, dass sich diese oder ähnliche Barrieren auch auf dem Weg zur Postwachstumsgesellschaft befinden, in der Suffizienz und Genügsamkeit zentrale Merkmale sind; deswegen liegt in diesem Bereich eine der wichtigsten Aufgaben der Bewusstseinsbildung. Gerade hier muss Bildung den Anspruch verwirklichen, in ihrem Ergebnis auch zum Handeln zu führen.

11 Formelle und informelle Arbeit – Aufhebung der Trennung?

Zwar ist die formelle Erwerbsarbeit nach wie vor bestimmend für das Leben der Menschen, denn nur über Erwerbsarbeit wird Einkommen generiert, doch in diesem Kapitel wird gezeigt, dass die Menschen auch noch vielfältigen anderen Arbeiten nachgehen, die bis dato nur ansatzweise finanziell alimentiert werden. Im Folgenden werden neben der formellen Erwerbsarbeit auch informelle Aktivitäten unterschieden, die etwa in Form von Hausarbeit, Gartenarbeiten, Nachbarschaftshilfe, ehrenamtliche Tätigkeiten und anderem mehr ausgeführt werden.

Die informellen Arbeiten sind dabei zwar Teil der wirtschaftlichen Wertschöpfung eines Landes, im Bruttoinlandsprodukt wird jedoch nur die formelle Marktökonomie, die Erwerbsarbeit erfasst. Dies beruht auf einer normativen Entscheidung im Zuge der Standardisierung der Volkswirtschaftlichen Gesamtrechnung. Die Nichtberücksichtigung der informellen Arbeiten, die weiterhin überwiegend von Frauen erbracht werden, führt zur systematischen Geringschätzung dieser informellen Arbeiten in den Wirtschaftswissenschaften und damit den gesamtwirtschaftlichen Wertschöpfungsrechnungen. Dieser Aspekt der Berechnung der Wertschöpfung wird bislang nur in alternativen Ansätzen wie etwa dem Nationalen Wohlfahrtsindex berücksichtigt (Diefenbacher / Held / Rodenhäuser / Zieschank 2016).

Das Statistische Bundesamt hat in seinen drei bisher vorgelegten Zeitbudgetstudien der Jahre 1991/92, 2001/02 und 2012/13 die informelle Arbeit in ihrem zeitlichen Ausmaß und ihrer wirtschaftlichen Bedeutung weitgehend erfasst. Was den rechtlichen Status angeht, so sind formelle und informelle Leistungen legal, während die schattenwirtschaftlichen Aktivitäten in aller Regel illegal erfolgen.

Die Schattenwirtschaft stellt insofern einen Teilbereich des formellen Sektors dar, als die Aktivitäten hier – ähnlich wie im formellen Sektor – mit dem Ziel erfolgen, zum »normalen« Einkommen steuerfrei ein zusätzliches Einkommen zu erwirtschaften, mit dem das jeweilige Haushaltsbudget aufgebessert werden soll. Die Tätigkeiten werden allgemein auch geldlich bewertet und abgegolten. Die Bezahlung orientiert sich an marktlichen Bedingungen, jedoch mit dem Unterschied, dass die Abgaben für die Lohnnebenkosten gespart werden. Der »Schattenarbeiter« erhält also seinen »Schattenlohn« brutto für netto, der teils höher liegen kann als sein regulärer Stundenverdienst im formellen Sektor. Doch lassen sich der informelle und der schattenwirtschaftliche Sektor des Wirtschaftslebens nicht in eindeutig prägnanter Weise voneinander abgrenzen. Wie beim Verhältnis zur formellen Ökonomie bestehen auch zur Schattenwirtschaft vereinzelt Überschneidungen oder ergeben sich gar fließende Übergänge. Dieser Tatbestand dürfte etwa für die Selbstversorgungswirtschaft, bei der Schnittstellen zur Schattenwirtschaft unübersehbar sind, sowie für die Selbsthilfeökonomie gelten, bei der ehrenamtliche und Selbsthilfeaktivitäten oftmals professionelle Züge zeigen, indem sie durch die formelle Ökonomie alimentiert werden. Erlinghagen/Wagner (1998, 11 f.) haben hierfür den Begriff der nichtgewerblichen Schwarzarbeit eingeführt:

»Eine Form der formell-vertraglichen Netzwerkhilfe zeichnet sich dadurch aus, dass hier die geleistete Arbeit – ähnlich der Erwerbsarbeit – mit Geld entlohnt wird. Das Verhältnis von Leistung und Gegenleistung ist vertraglich festgelegt, allerdings werden für die geleisteten Tätigkeiten weder Steuern noch Sozialversicherungsbeiträge gezahlt.«

Tab. 2: Unterschiede von formeller, informeller und Schwarzarbeit

	rechtlicher Status	**VGR-Erfassung**
Schwarzarbeit	illegal	nein
informelle Ökonomie	legal	Zeitbudgetstudien
formelle Ökonomie	legal	ja

In Tabelle 2 werden anhand der Kriterien »Rechtlicher Status« und »Erfassung in der Volkswirtschaftlichen Gesamtrechnung (VGR)« nochmals die Unterschiede zwischen den einzelnen Sektoren aufgezeigt: Während die marktlichen Vorgänge in der formellen Ökonomie durch die VGR wiedergegeben werden können, gibt es für die Schwarzarbeit lediglich Schätzungen (Boockmann et al. 2010; Schneider/Boockmann 2015). Der Umfang der Schwarzarbeit liegt je nach Erhebungsmethode bei 3 bis 10 Prozent des Bruttoinlandsprodukts.

Um die informellen Tätigkeiten von den Freizeitaktivitäten zu trennen, wird größtenteils auf Hawrylyshyns (1977) »Produktivitätskriterium der dritten Person« zurückgegriffen. Danach werden nur solche Aktivitäten im Haushaltsbereich als produktiv angesehen, die auch von einer dritten Person durchgeführt werden könnten. Beispiele für »unproduktive« Tätigkeiten wären etwa die Befriedigung persönlicher Bedürfnisse wie Schlafen oder Essen und Freizeitaktivitäten aller Art, etwa

Sport treiben, Bücher lesen, Radio hören, fernsehen, ins Kino gehen, Spaziergänge machen. Dieses Dritt-Personen-Kriterium wird auch vom Statistischen Bundesamt bei seinen Zeitbudgetstudien herangezogen.

Die unterschiedlichen Arbeiten in der informellen Ökonomie lassen sich insgesamt in drei Bereiche unterteilen (vgl. Tab. 3), nämlich die Aktivitäten in

- der Haushaltswirtschaft,
- der Selbstversorgungswirtschaft sowie in
- der Selbsthilfeökonomie.

Die einzelnen Bereiche der informellen Ökonomie weisen dabei eine relativ unterschiedliche Distanz zum »Zentrum« der Haushaltstätigkeiten auf.

Die Haushaltswirtschaft umfasst die Hausarbeit im engeren Sinne: einkaufen, Mahlzeiten zubereiten, Wohnung sauber halten, Wäsche waschen und Fenster putzen sowie die Erziehung von Kindern und die Pflege von kranken und alten Personen. Sie wird überwiegend von Frauen erbracht und gehört sozusagen zum Standardrepertoire eines jeden (Familien-)Haushalts.

Die Selbstversorgungswirtschaft, zu der Do-it-yourself-Tätigkeiten, handwerkliche Wartungs- und Reparaturarbeiten der haushaltseigenen Güter sowie Gartenarbeiten zählen, wird dagegen vornehmlich von Männern durchgeführt. Mit ihr sollen Marktleistungen substituiert werden.

Die Selbsthilfeökonomie dient dem physischen und psychischen Wohlbefinden eigener und anderer Haushaltsmitglieder. Sie wird hauptsächlich außerhalb der privaten Haushalte durchgeführt und dient zur Korrektur marktlicher Dienstleistungen, die entweder zu teuer, zu knapp oder gar nicht angeboten werden.

Tab. 3: Arbeitsfelder der informellen Ökonomie

Haushaltswirtschaft	Selbstversorgungswirtschaft	Selbsthilfeökonomie
• **materielle Hausarbeit** (z.B. Zubereitung von Mahlzeiten, Abwaschen, Aufräumen der Wohnung, Saubermachen und Bügeln) • **Konsumarbeit** (u.a. Kauf von Waren und Dienstleistungen auf dem Gütermarkt, Benutzung des eigenen Personenwagens oder öffentlicher Verkehrsmittel zum Erwerb dieser Güter) • **psychische Hausarbeit** (dazu gehören die Schaffung eines harmonischen familiären Binnenklimas, die Gestaltung der häuslichen Atmosphäre, der Aufbau eines Beziehungsnetzwerkes zwischen der eigenen Familie und Verwandten, Freunden sowie Bekannten) • **Erziehung und Betreuung der Kinder** (Körperpflege, Füttern, Spielen, Hinbringen und Abholen vom Kindergarten und / oder von der Schule) • **Kranken- und Altenpflege**	• **Wohnungs renovierung und Haus(um)bau durch Do-it-yourself-Aktivitäten** (u.a. Maurer- und Elektroarbeiten, Verlegen von Teppichböden, Tapezieren und Streichen) • **handwerkliche Eigenleistungen** (z.B. Reparatur von Autos, Wartung und Reparatur von Haushaltsgeräten, Zusammenbau von Möbelteilen) • **Gartenarbeiten** (wie Anbau von Obst und Gemüse, Züchtung von Blumen, Rasenmähen)	• **Nachbarschaftshilfe** (Helfen beim Umzug, abwechselnde Betreuung von Kindern, gemeinsames Einkaufen, Babysitting) • **Aktivitäten in Selbsthilfevereinigungen** (dazu zählen therapeutische und sachbezogene Selbsthilfegruppen, Selbsthilfeprojekte, Initiativgruppen oder Selbsthilfeorganisationen) • **ehrenamtliche Tätigkeiten** (z.B. in kirchlichen, karitativen und anderen gemeinnützigen Organisationen, wie etwa Sportvereinen) • **ehrenamtliche Mitarbeit** (z.B. in umweltpolitischen und politischen Bürgerinitiativen wie etwa Bund für Umwelt und Naturschutz Deutschland, Robin Wood, Greenpeace, Friedensgruppen sowie berufsbezogenen und politischen Organisationen wie etwa Parteien und Gewerkschaften)

11.1 Zum Umfang und zur Verteilung von einzelnen Tätigkeitsfeldern im Rahmen der Haushaltswirtschaft

Arbeit im Haushalt ist immer noch eine Domäne von Frauen. Dies ergaben auch die neuen Auswertungen der untersuchten Zeitbudgetstudien zur Haushaltswirtschaft. Der größte Anteil des Zeitaufwandes entfällt dabei auf die drei Tätigkeitsfelder Nahrungszubereitung, Reinigungsarbeiten und Wäschepflege, also die materiellen Hausarbeiten. Für die Kinderbetreuung wenden die Frauen ungefähr ein Fünftel bis ein Viertel ihrer Zeit auf; der Zeitaufwand korreliert darüber hinaus mit dem Alter der Kinder. In der Realität dürften die Frauen jedoch viel mehr Zeit mit ihren Kindern verbringen, denn gerade deren Betreuung erfolgt im Haushaltsalltag oftmals parallel zur den materiellen Routinearbeiten im Haushalt. Leider wurden in den bisherigen Untersuchungen die Mehrfachtätigkeiten weder erfasst noch gemessen. Einen interessanten Aspekt bilden auch die sogenannten Bereitschaftszeiten, worunter das Statistische Bundesamt (Schwarz 1996a, 104 ff.) jene Zeiten versteht, während derer die Eltern oder auch andere Personen jederzeit für die Kinder verfügbar sein müssen, aber selbst keine aktive Kinderbetreuung wahrnehmen. Sie sind zwar aus den Zeitbudgeterhebungen nicht ermittelbar, schränken aber durchaus den Handlungsspielraum von Eltern erheblich ein. Den Rest ihrer Arbeitszeit in diesem Bereich widmen die Frauen dann der Konsumarbeit und sonstigen Aktivitäten.

Die Männer konzentrieren sich im Haushalt auf Reparatur- und organisatorische Arbeiten, Kinderbetreuung sowie Einkäufe. Für die materielle Hausarbeit wenden sie – absolut wie relativ – nur wenig Zeit auf. Je nach der Erwerbsarbeit ihrer Ehefrau oder Partnerin beträgt der Zeitaufwand in der Bundesrepublik etwa zwischen 7 und 10 Stunden in der Woche und macht damit ungefähr 10 oder 20 Prozent des Zeitaufwandes der Frauen aus. An diesem Zustand hat sich auch in den letzten zwei Jahrzehnten nichts Grundlegendes verändert. Diese Ergebnisse unterstreichen sowohl die nationalen als auch die internationalen Zeitbudgetstudien.

Die Mitarbeit der Männer beschränkt sich im Allgemeinen auf die angenehmeren Arbeiten im Rahmen der Haushaltswirtschaft oder auf die nach außen gerichteten Tätigkeiten mit höherem Sozialprestige. Selbst dann, wenn die Frau erwerbstätig ist, ändert sich das herrschende Gefüge im Haushalt nicht. Zwar erhöht sich der Zeitaufwand der Männer, doch die Strukturen und die Präferenz für bestimmte Arbeiten bleiben bestehen.

11.2 Entwicklung der Haus- und Erziehungsarbeit seit Mitte der 1950er Jahre

Seit Mitte der 1950er Jahre geht die Arbeitszeit, die die Frauen im Haushalt verbringen, kontinuierlich zurück. Dabei spielt keine Rolle, ob sie vollzeit-, teilzeit- oder nicht erwerbstätig sind. So ging bei den vollzeitbeschäftigten Frauen innerhalb von 40 Jahren der tägliche Zeitaufwand für Haus- und Erziehungsarbeit um knapp die Hälfte zurück, und zwar von 6,3 Stunden im Jahre 1953 auf 3,5 Stunden im Jahre 2015, bei den teilzeiterwerbstätigen Frauen um 40 Prozent von 8,7 auf 5,2 Stunden, bei den nichterwerbstätigen Frauen um 42 Prozent von 10,0 auf 5,8 Stunden (vgl. Tab. 4).
Interessanterweise vollzog sich die Reduktion der materiellen Haus- und Erziehungsarbeit vor allem in den 1950er und 1960er Jahren; seit der zweiten Hälfte der 1970er Jahre hat sich der Zeitaufwand weitgehend stabilisiert. Der Rückgang

Tab. 4: Täglicher Zeitaufwand der Frauen für materielle Haus- und Erziehungsarbeit von 1953 bis 2012/13 (in Stunden)

Studie	Erhebungsjahr	Erwerbsstatus der Frauen		
		Vollzeiterwerbstätig	Teilzeiterwerbstätig	Nicht erwerbstätig
Schroth-Pritzel (1958)	1953	6,3	8,7	10,0
Saur-Jaumann (1956)	1952/54	4,8	7,1	–
Zander (1972)	1968/69	3,2	5,9	7,5
Schulz-Borck (1980)	1976/77	3,5	–	6,6
Krüsselberg et al. (1986)	1984	3,8	5,2	6,4
Statistisches Bundesamt (1995)	1991/92	3,3	5,2	5,8
Statistisches Bundesamt (2015a)	2012/13	3,5	–	5,6

beruhte wohl in erster Linie auf dem Einsatz technischer Haushaltsgeräte wie etwa von Staubsaugern und Waschmaschinen und auf veränderten Wohnungsbedingungen wie pflegeleichte Teppichböden und Vorhänge.

Zwar hat die Ausstattung der Haushalte mit langlebigen Gebrauchsgütern in Form von »weißer« oder »brauner« Ware in der Vergangenheit zu einer erhöhten Arbeitsproduktivität bei der materiellen Hausarbeit geführt. Doch dem steht ein steigendes Anspruchsniveau bei den Haushalten sowohl bei der materiellen Ausstattung und Versorgung als auch bei der Qualität der Hausarbeit gegenüber.

Zur Entwicklung einzelner Aktivitätsfelder im Rahmen der Haushaltswirtschaft lassen sich folgende Trendaussagen machen: Der Zeitaufwand für Reinigungsaktivitäten hat sich in den vergangenen drei Jahrzehnten deutlich reduziert. Während eine Frau 1953 täglich noch ca. 2,5 Stunden für die Reinigung der Wohnung verwendete, waren es 2012 nurmehr 35 Minuten. Ebenso ist der zeitliche Aufwand pro Tag für die Nahrungszubereitung von 1953 bis 2012 zurückgegangen, und zwar von gut zwei auf weniger als eine Stunde. Interessanterweise liegt die Zeit, die für das tägliche Einkaufen aufgebracht wird, seit fast sechs Jahrzehnten bei rund einer halben Stunde, nachdem die Frauen Anfang der 1950er Jahre noch täglich eine Dreiviertelstunde hierfür verwendeten (vgl. Hegner u.a. 1988, 68 f.; Schwarz 1996b, 73; Statistisches Bundesamt 2015a, 115 ff.).

Tab. 5: Zeitaufwand der Frauen für Kinderbetreuung zwischen 1953 und 2012/13 nach Erwerbsstatus (in Stunden pro Tag)

Jahr	**1953**	**1965**	**1972**	**1976**	**1984**	**1991/92**	**2012/13**
Erwerbsstatus							
erwerbstätig	0,6	0,5	0,8	0,7	0,5	1,5	1,4
nicht erwerbstätig	1,1	1,0	0,9	1,2	1,2	2,6	2,6

Im Unterschied zur materiellen Hausarbeit hat der Zeitaufwand für die Kinderbetreuung in den zurückliegenden sechzig Jahren nicht abgenommen (vgl. Tab. 5). Bei den erwerbstätigen und nichterwerbstätigen Frauen hat sich der tägliche Zeitaufwand sogar mehr als verdoppelt; die erwerbstätigen Frauen verbrachten nach den Erhebungen des Statistischen Bundesamtes (2015a) 2012 etwa anderthalb Stunden mit ihren Kindern täglich, die nichterwerbstätigen Frauen 2,6 Stunden.

Daher ist die These, wonach sich der zeitliche Aufwand für die gesamte Haus- und Erziehungsarbeit kontinuierlich reduziert hat, eher anzuzweifeln. Vielmehr hat sich eine interne Umverteilung ergeben; weniger Zeit wird für materielle Hausarbeiten verwendet und mehr Zeit für die Erziehungsarbeit.

11.3 Zum Umfang von einzelnen Tätigkeitsfeldern im Rahmen der Selbstversorgungswirtschaft

Obwohl die vorliegenden Untersuchungen über Umfang und Größe der Selbstversorgungswirtschaft ein sehr unvollständiges Bild abgeben, dokumentieren die Daten doch eine enge Verzahnung zwischen formeller und informeller Ökonomie. Sie zeigen aber auch, dass die Selbstversorgungswirtschaft in aller Regel auf Veränderungen im formellen Sektor reagiert. Der Bedeutungsverlust der Gartenarbeit beruht zum großen Teil auf den formell günstiger angebotenen Agrarprodukten, die informell nur mit höheren Transaktionskosten hergestellt werden können.

Der Bedeutungsgewinn der handwerklichen Eigenarbeiten und der Arbeit beim Hausbau hängt auf der einen Seite mit den gestiegenen Lohn- und Lohnnebenkosten im formellen Sektor zusammen, zum anderen hat der private Haushalt in den letzten sechs Jahrzehnten eine rasante Entwicklung durchgemacht. Heute verfügt jeder bundesdeutsche Haushalt über eine Vielzahl von unterschiedlichen Haushaltsgeräten, die vom Kühlschrank über die Geschirrspülmaschine und die Stereoanlage bis hin zur Bohrmaschine reichen. Diese »Modernisierung« des Haushalts ermöglicht deren Mitgliedern, vermehrt zur informellen Selbstversorgung überzugehen. Obwohl der Boom im Heimwerkerbereich durch Schließung einzelner Baumarktketten langsam abgeflacht ist, wird hier auch in den kommenden Jahren mit einer jährlichen Wachstumsrate von 1 bis 2 Prozent gerechnet. 2013 umfasste der Umsatz im deutschen Do-it-yourself-Markt rund 44 Mrd. Euro (BHB-Almanach 2014). Die künftige Nachfrage wird vor allem vom Ersatzbedarf, dem Trend zur Spezialisierung des Heimwerkerbedarfs und zu umweltfreundlichen Produkten wie der Dämmung von Häusern bestimmt werden. Die Do-it-yourself-Aktivitäten erstrecken sich aber im Wesentlichen nach wie vor darauf, die eigene Wohnung zu renovieren, das heißt, sie zu tapezieren, zu streichen oder Teppichboden zu verlegen. Ein weiterer Bereich, in dem oft Eigenarbeit geleistet wird, ist der Bau des Eigenheims.

11.4 Zum Umfang von einzelnen Tätigkeitsfeldern im Rahmen der Selbsthilfeökonomie

Obwohl sich heute eine zunehmende Individualisierung und Pluralisierung der Lebensstile in der Gesellschaft beobachten lässt, spielt die Nachbarschaftshilfe immer noch eine wichtige Rolle. Entscheidend für deren Zustandekommen ist die »Gemeinsamkeit von Interessenlagen« (Weber 1972, 197) und das Gefühl von Solidarität. Die Erscheinungsformen der Nachbarschaftshilfe sind vielfältig. Sie reichen vom gemeinsamen Einkaufen über die Betreuung von Kindern bis hin zu Umzugshilfen. Die persönlichen Leistungen werden sowohl von Verwandten als auch von Freunden oder Bekannten erbracht.

Aus den empirischen Analysen informeller Hilfeleistungen

und der Netzwerkkontakte in der Nachbarschaftshilfe lassen sich Trends ableiten. Im Unterschied zu den Verwandten haben die haushaltsübergreifenden Unterstützungspotentiale zwischen den Nichtverwandten in den zurückliegenden Jahren, vor allem in den Großstädten, vermehrt zugenommen (vgl. Schwarz/Wirth 1996, 164f.). Für diese Entwicklung können eine Reihe von Faktoren angeführt werden:

- Immer weniger Familienmitglieder leben in einem gemeinsamen Haushalt zusammen, so dass notgedrungen andere Personengruppen angesprochen werden müssen. Diewald (1989a, 32), der die informellen Hilfebeziehungen zwischen Eltern und Kindern untersucht hat, führte die geringere Bedeutung der Eltern als mögliche Hilfeinstanz nicht allein darauf zurück, dass sie oftmals weiter weg wohnen, sondern dass es sich beim Auszug der Kinder aus dem Elternhaus um eine biographische Veränderung handelt, die auch die Kontaktaufnahme zu anderen Bezugsgruppen erfordert. Außerdem sind die Haushalte in Großstädten offener für Kontakte zu anderen Haushalten (vgl. Schwarz/Wirth 1996, 164).
- Zudem scheinen die Familienmitglieder von Nichtverwandten eher als von Verwandten zu erwarten, sich durch Hilfe- und Unterstützungsleistungen einen direkten Anspruch auf eine ähnliche Leistung »erarbeiten« zu können. Informelle Netzwerke werden von den privaten Haushalten meist dann aufgebaut, wenn gemeinsame Probleme oder Lebensumstände vorliegen. Ausschlaggebend für Kontakte zu Verwandten, Freunden oder Nachbarn sind in erster Linie Ehepartner und Kinder. Dettling (1988, 68) sah deshalb in der Zunahme kinderloser Ehen auch die Gefahr, dass die »gleichsam naturwüchsigen Solidaritätspotentiale in unserer Gesellschaft« langsam austrocknen. Doch soll-

ten solche Lebensformen weiter zunehmen, so können sich auch andere Formen von Nachbarschaftshilfe, hauptsächlich im nichtverwandtschaftlichen Bereich, entwickeln (vgl. Diewald 1989a, 41).

Die vorliegenden Ergebnisse zur Nachbarschaftshilfe machen deutlich: Die These, wonach sich die privaten Haushalte immer mehr pluralisieren oder sogar auflösen, beschreibt nur eine von vielen möglichen Entwicklungslinien. Genauso zeigt sich, dass parallel hierzu diese Auflösungserscheinungen über kompensierende familiäre, verwandtschaftliche und nichtverwandtschaftliche Kontakte und Hilfebeziehungen zum Teil aufgefangen werden.

Laut Freizeit-Monitor 2007/08 gaben 58 Prozent der Befragten in Deutschland an, handwerklich im Freundeskreis tätig zu sein, darunter 19 Prozent täglich bis einmal pro Monat. Nach der gleichen Quelle leisten 81 Prozent Nachbarschaftshilfe, darunter 34 Prozent von täglich bis einmal pro Monat (vgl. BAT Stiftung für Zukunftsfragen 2008). Insgesamt 41 Prozent der Deutschen helfen Freunden und 30 Prozent Nachbarn (Opaschowski 2008).

Seit Anfang der 1980er Jahre ist die Bereitschaft der Bürger, an Selbsthilfevereinigungen mitzuwirken, stetig gestiegen. Sie erschließen mit ihren Aktivitäten ein neues Engagement in der Bevölkerung; sie besetzen ein Feld, das von der professionellen Fremdhilfe des formellen Sektors nicht oder nur unzureichend abgedeckt wird, indem sie versuchen, die Kompetenz von Laien weiterzuentwickeln und die Beziehung von Professionellen und Klienten neu zu gestalten.

Die Schwerpunkte der Aktivitäten der Selbsthilfevereinigungen liegen überwiegend in der Bewältigung somatischer und psychischer Krankheiten, der Überwindung sozialer Diskriminierung und alltäglicher Probleme. Sie eröffnen den Mitwirkenden größere Spielräume, ermöglichen ihnen viel Raum für Kreativität und Spontaneität.

Die Zahl der Selbsthilfegruppen in Deutschland wurde 2010 auf circa 100 000 geschätzt (Thiel 2010). Rund drei Millionen Menschen engagieren sich in diesen Gruppen; im Durchschnitt wirken 30 Personen in einer solchen Gruppe mit. Eine Zuordnung erfolgt in aller Regel nach der Problemstellung, die als Auslöser für das Engagement in der Selbsthilfegruppe diente. Etwa ein Drittel der Zusammenschlüsse in Deutschland lässt sich dem psychosozialen und sozialen Sektor – Familie, Partnerschaft, Frauenselbsthilfe, Alter, Nachbarschaft, Kultur, Lebensführung, Lebenskrisen, besondere soziale Situationen – zuordnen, etwa zwei Drittel dem Gesundheitssektor – chronische Erkrankungen, Behinderungen, Suchtprobleme. Man kann also davon ausgehen, dass circa eine Million Menschen über soziale oder psychosoziale und circa zwei Millionen Menschen über gesundheitliche Themen Zugang zu Selbsthilfegruppen finden.

Etwa 5 Prozent der Bevölkerung im Alter von 15 bis 80 Jahren sind in Selbsthilfevereinigungen Mitglied; dieser Anteil lag in den 1980er Jahren noch bei ca. 0,5 bis 1,5 Prozent (vgl. Breitkopf 1983, 122; Trojan 1986, 306 f.; Jakubowski 1987; Runge / Vilmar 1988, 71 f.).

Die Grenzen zwischen den »neuen Helfern« in den Selbsthilfevereinigungen und den ehrenamtlichen Helfern ist sicherlich fließend. Charakteristisch für das soziale Ehrenamt ist, dass es an die zentralen Wohlfahrtsverbände organisatorisch angebunden ist. Daraus ergibt sich – im Unterschied zu den Selbsthilfevereinigungen – eine stärkere Kooperation mit den hauptamtlichen Mitarbeitern dieser Organisationen. Was das Verhältnis von Haupt- und Ehrenamtlichen angeht, so liegt es bei etwa 1:3, das heißt, auf einen hauptamtlichen kommen drei ehrenamtliche Mitarbeiter (Hundertmark-Mayser/Möller 2004).

Das empirische Datenmaterial, das bisher zum Umfang der ehrenamtlichen Tätigkeiten vorgelegt wurde, vermittelt nur einen sehr unvollkommenen Eindruck, weil dieser Bereich bisher nicht systematisch und flächendeckend erfasst wird. Nach der Zeitbudgetstudie des Statistischen Bundesamtes (2015b, 17) waren in Deutschland 2012/13 rund 40 Prozent der Bevölkerung ab 10 Jahren ehrenamtlich tätig. Das würde einem Potential von etwa 32 Millionen Personen entsprechen.

Die Bereiche des Engagements sind vielfältiger Natur: Sie reichen von Aktivitäten als Elternvertreterinnen oder -vertreter in Kindergärten und Schulen über die Tätigkeit als Leiterin oder Leiter einer Jugendgruppe und als Trainerin oder Trainer im Sportverein bis hin zur Unterstützung von Älteren, Kranken und Menschen in Not, etwa bei einer Hilfsorganisation, einer Senioren- oder Behindertengruppe, beim Rettungsdienst oder bei der freiwilligen Feuerwehr. Darüber hinaus sind Interessenvertretungen im politischen oder beruflichen Bereich, Aktivitäten im Freizeitbereich wie das Engagement bei Kultur und Musik sowie Tätigkeiten im kirchlichen und religiösen Umfeld eingeschlossen.

Männer engagieren sich am häufigsten bei Sportvereinen, im kirchlichen oder politischen und beruflichen Bereich. Frauen bevorzugen religiöses Engagement, gefolgt von Tätigkeiten in Schule oder Kindergarten oder Aufgaben im sozialen Bereich.

In Tabelle 6 findet sich ein Überblick über Umfang und Verteilung ehrenamtlicher Tätigkeiten.

Betrachtet man die Verteilung der ehrenamtlich Tätigen auf verschiedene Personengruppen, so ergibt sich ein sehr differenziertes Bild (Brückl 2005): 30 Prozent der Rentner

Tab. 6: Ehrenamt nach Aufgaben

Ehrenamt in Sportvereinen	**2 790 000**
Leiter von Kinder- und Jugendgruppen	**600 000**
Elternbeiräte in Schulen	**1 000 000**
Schülersprecher / Klassensprecher	**750 000**
Elternvertreter in Kindergärten	**150 000**
Ehrenamt in Seniorenverbänden	**154 000**
Freie Wohlfahrtspflege	**1 700 000**
Stadträte / Gemeinderäte	**207 000**
Kreistage	**22 200**
Sachkundige Bürger und Beiräte	**8 500**
Wahlhelfer	**700 000**
Volkszähler	**510 000**
Schöffen / ehrenamtliche Richter	**80 000**
Schiedsmänner / -frauen	**10 000**
Ehrenamt Katholische Kirche	**2 000 000**
Ehrenamt Evangelische Kirche	**1 112 400**
Johanniter Krankenhilfe	**31 300**
Arbeiter-Samariter-Bund	**13 700**
Malteser Hilfsdienst	**48 700**
Malteser Jugend	**7 900**
Technisches Hilfswerk	**83 600**
DLRG	**125 300**
Feuerwehr	**1 290 000**
Ehrenamtliche Tätigkeit im Umweltschutz	**630 000**

und Pensionäre sind ehrenamtlich tätig; Hausfrauen sind zu 25 Prozent ehrenamtlich engagiert, Berufstätige zu 15 Prozent. Bei Studentinnen und Studenten wird der Anteil der ehrenamtlich Tätigen mit 11 Prozent beziffert. Insgesamt nimmt die Bereitschaft zu ehrenamtlichen Tätigkeiten mit wachsendem Bildungsgrad und steigender beruflicher und sozialer Stellung zu: Personen ohne Berufsabschluss sind unterdurchschnittlich, Personen mit Hochschulabschluss überdurchschnittlich aktiv (Kahle / Schäfer 2005).

11.5 Zusammenfassung

Versucht man die informellen Tätigkeiten mit der formellen Erwerbsarbeit zu vergleichen, so verwenden Frauen nach wie vor zwei Drittel ihrer wöchentlichen Zeit für unbezahlte Arbeiten im Haushalt; nur ein Drittel ihrer Arbeitszeit arbeiten sie gegen Entgelt. Allerdings hat sich bei ihnen in den letzten elf Jahren die Dauer der wöchentlichen Erwerbsarbeit von gut 13 auf etwas über 16 Stunden erhöht; die Dauer der informellen Tätigkeiten ist noch deutlicher gesunken, und zwar von 33 auf 29,5 Stunden. Dies liegt insbesondere an einem reduzierten Zeitaufwand für hauswirtschaftliche Aufgaben wie Kochen, Putzen und Wäsche waschen. Frauen wenden je Woche über 2,5 Stunden weniger Zeit für die Zubereitung von Mahlzeiten, die Reinigung der Wohnung, Textilpflege und ähnliches auf als noch elf Jahre zuvor. Bei den Männern ist es dagegen genau umgekehrt: Sie verbringen nur knapp zwei Fünftel ihres wöchentlichen Zeitvolumens im Haushalt, drei Fünftel indessen im Büro, im Betrieb oder in der Behörde. Auch Männer sind länger erwerbstätig als vor elf Jahren, bei ihnen betrug der Anstieg allerdings nur etwa eine halbe

Stunde. Ihr wöchentlicher Zeitaufwand für informelle Arbeiten ist dafür um 1,2 Stunden gesunken. Sie verbringen nun pro Woche eine Stunde weniger mit Gartenarbeit und handwerklichen Tätigkeiten. Der Vergleich von Erwerbsarbeit und informellen Tätigkeiten und Hausarbeit macht deutlich, dass für die unentgeltlich erbrachten Tätigkeiten rund 20 Prozent mehr an Zeit als für die erwerbsmäßig geleistete Arbeit aufgewandt wird (vgl. Tab. 7).

Tab. 7: Wöchentlicher Aufwand für die informellen Tätigkeiten und die formelle Erwerbsarbeit 2001/02 und 2012/13 in Deutschland (in Stunden)

	Männer		**Frauen**		**Insgesamt**	
	2001/02	2012/13	2001/02	2012/13	2001/02	2012/13
Erwerbs-arbeit	24,8	25,2	13,3	16,1	38,1	41,3
Informelle Tätigkeiten	20,6	19,4	32,9	29,5	53,5	48,9
Summe	45,4	44,6	46,2	45,6	91,6	90,2

Quelle: Statistisches Bundesamt 2015b, 7; eigene Berechnungen

Arbeit umfasst also mehr als nur formelle Erwerbsarbeit. In einer Postwachstumsgesellschaft sollte daher eine noch wesentlich größere Durchlässigkeit zwischen den beiden wirtschaftlichen Sektoren, der formellen und informellen Ökonomie, erreicht werden. Im folgenden Kapitel wird daher der Frage nachgegangen, ob und inwieweit Arbeitszeitverkürzungen dazu beitragen können, diese Durchlässigkeit und Vereinbarkeit der beiden Sektoren zu erleichtern.

12 Arbeitszeit

Dieses Kapitel enthält einen kurzen Abriss über die Entwicklung der formellen Erwerbsarbeitszeit. Dabei wird deutlich, dass sich trotz rückläufigen Erwerbsarbeitszeiten, der gestiegenen Erwerbstätigkeit von Frauen und verschiedenster individueller Arbeitszeitmodelle nur geringfügige Veränderungen im Verhältnis zwischen formeller Erwerbsarbeit und informellem Arbeiten ergeben haben. Nach wie vor dominiert die Erwerbsarbeit über die haushaltlichen und anderen Tätigkeiten im informellen Sektor, die – wie im letzten Kapitel gezeigt – überdies in ihrer überwiegenden Mehrheit primär von Frauen wahrgenommen werden. Um hier zu Veränderungen in einer Postwachstumsgesellschaft zu kommen, müssen vor allem die Arbeitszeitmodelle sowohl für Männer als auch für Frauen attraktiver gestaltet und die informellen Arbeiten aufgewertet werden, indem etwa ein lebensphasenspezifisches Grundeinkommen eingeführt wird.

12.1 Der Kampf um den Achtstundentag

Der Kampf um Arbeitszeit ist so alt wie die Arbeiterbewegung selbst. Um der Ausbeutung der Arbeiter entgegenzutreten, forderten die in der Zeit der Industriellen Revolution entstandenen Arbeiterbewegungen einen gesetzlich festgeschriebenen Normalarbeitstag. Die Forderung nach einem

Achtstundentag war bald eine der zentralen Säulen der internationalen Arbeiterbewegung. »Acht Stunden Arbeit, acht Stunden Erholung, acht Stunden Schlaf lautet die Parole dieses Tages« (o. Verf. 1890, 3).

Durch die Mechanisierung der Fertigung im Zuge der Industrialisierung wurden die Arbeitszeiten an den pausenlosen Gang der Maschinen angeglichen. Dadurch stieg die Arbeitszeit enorm an. »Wurden um 1800 ungefähr durchschnittlich 10 bis 12 Stunden pro Tag und etwa 60 bis 72 Stunden pro Woche gearbeitet, so waren es um 1820 etwa 11 bis 14 bzw. 66 bis 80 Stunden und um 1830 bis 1860 sogar 14 bis 16 bzw. 80 bis 85 Stunden.« (Schneider 1984, 22) Der Samstag galt als ein normaler Werktag. Auch die Arbeit an Sonn- und Feiertagen war eher die Regel denn die Ausnahme. Gerade in der Textilindustrie, in der die Mechanisierung ihren Anfang nahm, stieg die tägliche Arbeitszeit besonders extrem. Innerhalb der zweiten Hälfte des 19. Jahrhunderts gelang den Arbeitervereinigungen jedoch eine »Verminderung der tatsächlich geleisteten Wochenarbeitszeit zwischen etwa 1860 und 1910 von 85 auf 55 Stunden« (Osterhammel 2012).

In der Diskussion über die Arbeitszeitverkürzung haben sich die Argumente über lange Zeit kaum geändert. So argumentierten die Arbeitgeber gegen eine Verkürzung der Arbeitszeit auf acht Stunden, indem sie ihrer Sorge um etwaige Wettbewerbsverluste Ausdruck verliehen. Auch dürfe der Staat nicht in die Dynamik der freien Märkte eingreifen, auf denen sich Angebot und Nachfrage in einem Gleichgewicht selbst finden würden. Zudem müsse die Arbeitszeitreduktion zwangsläufig zu einer Reduktion der Löhne und Gehälter führen. Die Fürsprecher wiesen hingegen darauf hin, dass eine Arbeitszeitverkürzung auch für die Arbeitgeber und die Gesellschaft von Vorteil sein wird. Eine Verkürzung der Arbeitszeit hätte zur Folge, dass die hohe Arbeitslosigkeit sinken würde, da mehr Arbeiter eingestellt werden müssten. Der daraus resultierende Effekt wäre, dass die Kaufkraft der Gesellschaft insgesamt steigen würde, auf diese Weise die Nachfrage angeregt würde und die Produzenten mehr Güter absetzen könnten. Zudem würde ein Achtstundentag eine Produktivitätssteigerung nach sich ziehen, da die Arbeiter erholter wären. Die Erholung würde sich auf die körperliche und geistige Gesundheit auswirken, da dem Arbeiter Zeit zur Verfügung stünde, sich zu bilden und geistige Nahrung zu sich zu nehmen (o. Verf. 1890, 14).

Die Beharrlichkeit der Arbeiterschaft zeigte Erfolge. Ab 1908 wurde erstmals ein Normalarbeitstag gesetzlich und verpflichtend festgelegt, der zehn Stunden betrug (Osterhammel 2012) – ein Kompromiss zwischen den Gewerkschaften und Arbeiterverbänden und der Industrie. Mit Ende des Ersten Weltkriegs verschob sich die Verhandlungsmacht der Arbeiterverbände und Gewerkschaften zu ihren Gunsten. Die Industrie sah die Gewerkschaften als einziges Bollwerk zum radikalen Bolschewismus und einer drohenden Enteignung im Zuge der Novemberrevolution und akzeptierte den Achtstundentag. Zum 1. Januar 1919 wurde durch die Revolutionsregierung eine 48-Stundenwoche bei vollem Lohnausgleich gesetzlich verankert und damit der Achtstundentag real. Gleichzeitig wurden die Gewerkschaften als offizielle Vertreter der Arbeiterschaft von den Arbeitgebern anerkannt (Schneider 1984, 99).

Schon kurze Zeit danach wurden die in der Vereinbarung vorgesehenen strengen Ausnahmeregelungen aufgeweicht; Überstunden und längere Arbeitstage wurden wieder möglich. Die Industrieunternehmen erkämpften sich durch zahlreiche Aussperrungen, die die Streiks in ihrer Anzahl weit überstiegen, eine Lockerung der Arbeitszeitbeschränkung. Durch die Inflations und Weltwirtschaftskrise der 1920er Jahre verloren die Arbeitnehmervertretungen ihre gute Verhandlungsposition; Arbeitszeitbeschränkungen spielten immer weniger eine Rolle. Tarifliche Vereinbarungen, die Kompromisse festschreiben sollten, höhlten die Gesetzesgrundlage des Achtstundentages aus (Osterhammel 2012). Zwar versuchten die Gewerkschaften immer wieder, eine erneute Arbeitszeitverkürzung durchzusetzen, scheiterten aber, da sie kein einheitliches Ziel verfolgten und die krisengeschüttelte Wirtschaft ein automatisches Abfallen der Arbeitszeit aufgrund schlechter Auftragslage bedingte. Damit wurden Arbeitsbeschaffungsmaßnahmen dringlicher als der Kampf um Arbeitszeitverkürzung (Schneider 1984, 144 ff.).

Mit der Machtergreifung der Nationalsozialisten im Jahre 1933 wurden alle Gewerkschaften und Arbeiterparteien aufgelöst und die tariflichen Regelungen für nichtig erklärt. Arbeitszeiten wurden gesetzlich neu geregelt. Der Normalarbeitstag betrug 8 Stunden, Überstunden waren mit 25 Prozent Lohnaufschlag möglich. Durch Arbeitsbeschaffungsmaßnahmen und die militärische Aufrüstung stieg in der Industrie die geringe Arbeitszeit der Krise von 41,4 Stunden im Jahre 1932 auf 47,9 Stunden im Jahre 1938 (Schneider 1984, 147 ff.). In dieser Zeit forderte die internationale Arbeiterschaft bereits eine 40-Stundenwoche. Die Tendenz ging aber deutlich in die andere Richtung, vor allem mit Beginn des Zweiten Weltkriegs. Während des Krieges wurde die Arbeitszeit auf zehn oder mehr Stunden täglich ausgeweitet; auch an Sonn- und Feiertagen war Arbeiten üblich. Erst gegen Ende des Krieges sank die Wochenarbeitszeit wieder. Dieser Rückgang steht in engem Zusammenhang mit den Zerstörungen infolge des Krieges.

In der Kontrollrats-Direktive Nr. 26 »Regelung der Arbeitszeit« vom 26. Januar 1946 wurde der Achtstundentag für die Bundesrepublik Deutschland erneut festgeschrieben. In der heutigen Fassung ist die Regelung im Arbeitszeitgesetz § 3 »Arbeitszeit der Arbeitnehmer« wie folgt formuliert:

> »Die werktägliche Arbeitszeit der Arbeitnehmer darf acht Stunden nicht überschreiten. Sie kann auf bis zu zehn Stunden nur verlängert werden, wenn innerhalb von sechs Kalendermonaten oder innerhalb von 24 Wochen im Durchschnitt acht Stunden werktäglich nicht überschritten werden.«

Mit dieser Grundlage ist ein Spielraum gegeben, der eine Abweichung in Form von Überstunden zulässt, aber eine klare gesetzliche Regelung für einen Normalarbeitstag gewährleistet.

12.2 Entwicklung der Arbeitszeiten seit 1960

Zwar verwenden Vollzeit-Arbeitnehmerinnen und -arbeitnehmer nach wie vor die meiste Zeit pro Jahr für die formelle Erwerbsarbeit, doch seit 1960 ist deren durchschnittliche jährliche Arbeitszeit pro Arbeitnehmer um 21,2 Prozent, also um gut ein Fünftel zurückgegangen, und zwar von 2102 Stunden im Jahr 1960 auf 1657 Stunden im Jahr 2014 (vgl. Tab. 8).

Tab. 8: Durchschnittliche jährliche Arbeitszeit je Erwerbstätigen von 1960 bis 2014

Jahr	Tarifliche jährliche Arbeitszeit
1960*	2102
1970*	1935
1980*	1770
1990*	1664
1995	1660
2000	1658
2005	1663
2010	1664
2014	1657

* Zahlen für Westdeutschland;
Quelle: Institut der Deutschen Wirtschaft (2002): Deutschland in Zahlen 2002, 16; Institut der Deutschen Wirtschaft (2009): Deutschland in Zahlen 2009, 16; Institut der Deutschen Wirtschaft (2015): Deutschland in Zahlen 2015, 18

Noch in den 1950er Jahren konzentrierten sich die Gewerkschaften auf die Einführung der Fünftagewoche unter dem Motto: »Samstags gehört Vati mir.« Mittlerweile ist aber in vielen Wirtschaftsbereichen der Samstag wieder zum normalen Arbeitstag geworden, mit allen Konsequenzen für die informellen Tätigkeiten und das Familienleben. In den Wirtschaftswunderjahren konnte in den meisten Branchen die 40-Stunden-Woche eingeführt werden. Erst zwei Jahrzehnte später gelang 1984 nach Streiks in der Metall- und der Druckindustrie der Einstieg in die 35-Stunden-Woche, die 1995 endgültig als tarifliche regelmäßige Wochenarbeitszeit in der Metall- und Druckindustrie umgesetzt worden war. Nach wie vor gilt in diesen beiden Industriebereichen die damals erreichte wöchentliche Arbeitszeit von 35 Stunden. In jüngster Zeit gibt es allerdings, vor allem seitens der Arbeitgeber, vermehrt Überlegungen, das Arbeitszeitgesetz von einer täglichen auf eine wöchentliche Höchstarbeitszeit umzustellen. Zurzeit darf die tägliche Arbeitszeit der Arbeitnehmer acht Stunden nicht überschreiten. Sie kann auf bis zu zehn Stunden nur verlängert werden, wenn innerhalb von sechs Kalendermonaten oder innerhalb von 24 Wochen im Durchschnitt acht Stunden täglich nicht überschritten werden. Mit der Aufweichung des Achtstundentages sollen mehr Spielräume geschaffen und die betrieblichen Notwendigkeiten berücksichtigt werden. Gedacht ist dabei zum Beispiel an Viertagewochen mit einer täglichen Arbeitszeit von zehn Stunden.

> »Der Kampf ursprünglich um den Achtstundentag und dann um eine stetige Verkürzung der Arbeitszeit ist ein untrennbarer Bestandteil der Arbeiterbewegung. Sie hat in den frühindustrialisierten Ländern den säkularen Trend vorangetrieben, dass seit 1870 bis gegen Ende des vergangenen Jahrhunderts die durchschnittliche effektive Arbeitszeit um die Hälfte zurückgegangen ist. In Deutschland sank die individuelle Jahresarbeitszeit pro Erwerbstätigen von gut 3000 Stunden um 1900 auf knapp 1500 Stunden im Jahr 2000. Die deutschen Gewerkschaften waren bestrebt, durch den Produktivitätsfortschritt nicht nur mehr Güter zu produzieren und Lohnerhöhungen durchzusetzen, sondern auch mehr erwerbsarbeitsfreie Zeit zu ermöglichen. Bis Mitte der 1980er Jahre galt den Gewerkschaften die kollektive Arbeitszeitverkürzung auch als ein Mittel, die Zahl der Arbeitslosen zu verringern, indem das vorhandene Arbeitsvolumen auf mehr Beschäftigte verteilt würde.« (Hengsbach 2014, 77 f.)

Die Reduzierung ging zu gut drei Fünfteln auf die Wochenarbeitszeitverkürzung zurück; die Verlängerung des Jahresurlaubs bildete den Rest. Die tarifliche Wochenarbeitszeit hat sich seit 1960 von 44,6 um knapp sieben Stunden auf 38,1 Wochenstunden im Jahre 2014 verringert. Der Rückgang der tariflichen Wochenarbeitszeit verlief indes nicht kontinuierlich, vielmehr zeigen sich drei unterschiedliche Phasen:

- Von 1960 bis 1972 ging die tarifliche Wochenarbeitszeit um 3,5 Wochenstunden – durchschnittlich pro Jahr 0,7 Prozent – zurück.
- Zwischen 1972 und 1984 konnte sie nur noch um eine Wochenstunde oder 2,5 Prozent – im Durchschnitt jährlich 0,2 Prozent – abgebaut werden.
- Bis 1990 wurde die Wochenarbeitszeit durch die Einführung der 38,5-Stunden-Woche in den meisten Wirtschaftsbereichen nochmals um eine Wochenstunde oder 2,5 Prozent – jahresdurchschnittlich 0,4 Prozent – verkürzt.
- Seither hat sich die Wochenarbeitszeit nur noch geringfügig verringert. In manchen Wirtschaftsbereichen hat sie sogar leicht zugenommen.

Der zwischen 1972 und 1984 deutlich geringer ausgefallene Abbau bei der tariflichen Wochenarbeitszeit wurde durch eine parallel verlaufende Ausdehnung des Jahresurlaubs ergänzt. 2014 hatten rund 95 Prozent der tariflich erfassten Arbeitnehmer Anspruch auf einen sechswöchigen Urlaub. Nach Auswertungen des Sozioökonomischen Panels (SOEP) nehmen allerdings rund 37 Prozent der abhängig Vollzeitbeschäftigten den ihnen zustehenden Urlaub nicht voll in Anspruch. Die Zahl der tatsächlich genommenen Urlaubstage lag für jeden Arbeitnehmer im Durchschnitt um drei Tage unter seinem eigentlichen Urlaubsanspruch. Demnach werden etwa zwölf Prozent des Gesamtanspruchsvolumens an Urlaub nicht genutzt (Schnitzlein 2011).

Weitere Unterschiede werden für die verschiedenen Betriebsgrößenkategorien deutlich. So steigt die Urlaubsausschöpfung mit der Betriebsgröße. Dies kann einerseits darauf zurückzuführen sein, dass in kleinen Betrieben eine höhere Identifikation der Beschäftigten mit dem Betrieb vorliegt und daher weniger Urlaub genommen wird. Außerdem ist in kleinen Betrieben die Möglichkeit, Urlaubsvertretungen zu organisieren, mit mehr Problemen verbunden. Daher kann es auch sein, dass die Beschäftigten auf ihren Urlaub verzichten, um die Abläufe im Unternehmen nicht zu gefährden.

Aus der rückläufigen Arbeitszeitentwicklung darf aber nicht geschlossen werden, dass damit mehr Zeit für informelle Arbeiten vorhanden sei. Denn neben der täglichen Erwerbsarbeitszeit zählen zur unmittelbar erwerbsgebundenen Zeit auch noch die Wegezeiten, die unbezahlten Arbeitspausen und die persönlichen Rüstzeiten wie Umkleiden und Arbeitsvorbereitung. Die beruflich bedingte Abwesenheit betrug 1984 bei den vollzeitbeschäftigten Männern durchschnittlich pro Tag 9,5 Stunden (vgl. Büchtemann / Schupp 1986, 56). Thoben (1988, 395) ermittelte für 1987 sogar eine tägliche Abwesenheit von 9,9 Stunden für vollzeitbeschäftigte Arbeitnehmer; die abweichenden Angaben dürften von den unterschiedlich langen Wegezeiten und vom Ausmaß der geleisteten Mehrarbeit abhängen. Insgesamt liegt die Abwesenheit damit im Schnitt bei rund 2 Stunden über der vertraglich vereinbarten Arbeitszeit. Weibliche Teilzeitarbeitskräfte sind im Unterschied dazu 5,4 Stunden von zu Hause weg (vgl. Büchtemann / Schupp 1986, 56). Neuere Erhebungen liegen hierzu nicht vor.

Sechs Millionen Menschen sind 2014 täglich mehr als 25 Kilometer pro Strecke gefahren, um zu ihrem Arbeitsplatz zu kommen. 8,5 Millionen brauchen sogar länger als

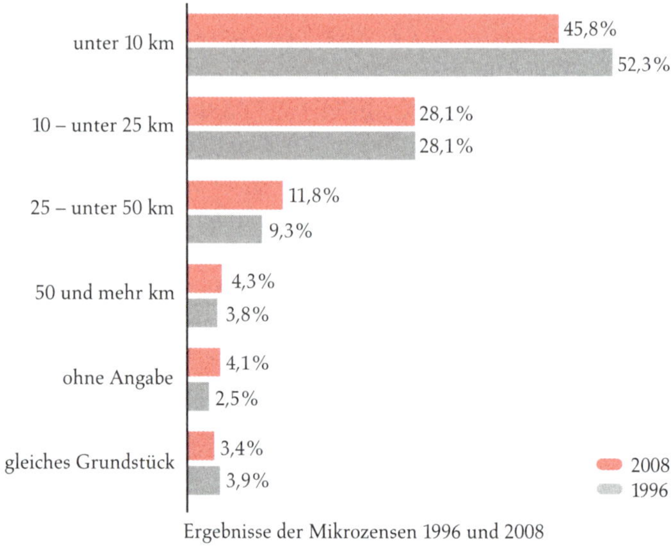

Abb. 8: Berufspendler nach der Entfernung zwischen Wohnung und Arbeitsstätte. *Quelle: Statistisches Bundesamt, Wiesbaden 2009*

eine Stunde pro Weg, rund 850 000 sogar länger als 90 Minuten, um zwischen Wohnort und Arbeitsstätte zu pendeln. Und rund eine Million Menschen fahren jedes Wochenende am Sonntagabend oder Montagmorgen an ihren Arbeitsplatz und am Ende der Woche zurück zu ihrem Lebensmittelpunkt (*Frankfurter Allgemeine Zeitung* 2015, vgl. Abb. 8).

Das Verhalten der Pendler in Deutschland hat sich in den letzten zwei Jahrzehnten entscheidend verändert: Die aufgewendete Zeit zum Pendeln vom Wohn- zum Arbeitsort hat sich tendentiell sogar noch ausgeweitet (Hamburger Weltwirtschaftsinstitut 2012). Vor allem in Ballungsräumen wie Rhein-Ruhr, Rhein-Main, Stuttgart, München, Hamburg, Dresden oder Berlin müssen häufiger Strecken über den Nah-

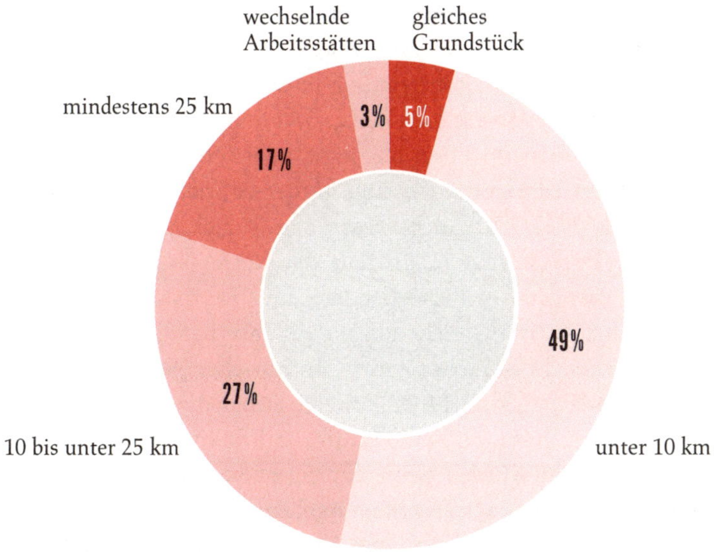

Abb. 9: Einfache Entfernung zum Arbeitsort 2012. *Quelle: Statistisches Bundesamt, Wiesbaden 2014*

bereich hinaus zurückgelegt werden (Statistisches Bundesamt 2014a, vgl. Abb. 9).

Für vollzeitbeschäftigte Arbeitskräfte ergeben sich bei etwa 8,5 Stunden erwerbsgebundener Zeit inklusive Wegezeiten von Montag bis Freitag weitere 11,2 Stunden für Subsistenzaktivitäten wie Schlafen, Essen und Körperpflege; es verbleiben den vollerwerbstätigen Arbeitnehmern pro Tag noch durchschnittlich 4 Stunden ungebundene, erwerbsfreie Zeit. Mehr als zwei Drittel dieser freien Zeit wurde Mitte der 1970er Jahre von den vollzeitbeschäftigten Männern für Medienkonsum genutzt (Hegner et al. 1988, 5). Daran hat sich bis heute nicht sehr viel geändert, wie die neuesten Ergebnisse der Zeitbudgetstudie 2012/2013 des Statistischen Bundesamtes (2015a, 115 f.) zeigt: Bei den vollzeiterwerbstätigen Männern entfallen pro Tag durchschnittlich nur 1,2 Stunden auf Hausarbeit, Kinderbetreuung und Einkaufen.

Neben der tatsächlichen Zeitverwendung für bezahlte und unbezahlte Arbeit ist es interessant, inwiefern Menschen mit dieser Situation zufrieden sind. Daher enthielt die Zeitbudgetstudie 2012/2013 auch Fragen zum subjektiven Zeitempfinden. Danach sind 32 Prozent der Väter und 19 Prozent der Mütter in Alleinerziehenden- und Paarhaushalten der Meinung, nicht ausreichend Zeit für ihre Kinder zu haben. Diverse andere Studien (Henry-Huthmacher / Schmitz 2010, 17 ff.; Gerlach et al. 2014, 12) unterstreichen die Wünsche von Männern, sich stärker in die Familienarbeit einzubringen: Die meisten Väter würden gerne für ein halbes bis ein Jahr den Beruf zugunsten der Familie aufgeben. Ferner würden rund zwei Drittel ihre wöchentliche Arbeitszeit um durchschnittlich ein knappes Drittel verkürzen. Die meisten von ihnen wünschten sich darüber hinaus die Möglichkeit, regelmäßig von zu Hause aus arbeiten zu können. Im Schnitt sollte dies an zwei Tagen in der Woche der Fall sein.

Bei der Hausarbeit gibt es dagegen nur geringfügige Unterschiede zwischen den Geschlechtern. Je ein Viertel der Väter und Mütter findet, für diesen Bereich der unbezahlten Arbeit nicht ausreichend Zeit zu haben.

Fasst man den zeitlichen Aufwand für die formelle Erwerbsarbeit und die informellen Arbeiten zusammen, ergibt sich sowohl für Männer und Frauen als auch für Voll- und Teilzeitarbeitskräfte ein nahezu gleich langer »Normalarbeitstag« von etwa 11 bis 12 Stunden (vgl. Büchtemann / Schupp 1986, 37). Arbeitszeitverkürzungen, die Rückwirkungen auf die informelle Ökonomie haben könnten, zeigen sich dagegen auf anderer Ebene. Mit der schrittweisen Einführung der

40-Stunden-Woche und dem damit verbundenen Übergang von der Sechs- zur Fünftagewoche in den 1950er und 1960er Jahren hat sich die Zahl erwerbsarbeitsfreier Tage von 1950 bis 1970 von 74 auf 136 Tage erhöht. Zusätzlich hat sich zwischen 1950 und 2014 die Zahl der Urlaubstage nahezu verdreifacht, nämlich von 12 auf 31 Tage im Jahr. Bis 2014 stieg damit die Zahl der erwerbsfreien Tage auf 156 Tage jährlich. Während 1950 ein bundesdeutscher Arbeitnehmer jährlich noch an 277 Tagen seiner Erwerbsarbeit nachging, sind es 2014 nurmehr 209 Tage (vgl. Tab. 9, 326).

Dabei darf allerdings nicht übersehen werden, dass in den letzten zehn Jahren etwa zwischen 7 und 10 Prozent der Erwerbstätigen samstags ständig arbeiten; selbst sonntags gehen immerhin noch rund 4 Prozent aller Erwerbstätigen ständig einer Erwerbsarbeit nach. Der Anteil der freien Samstage und Sonntage hat sich somit kontinuierlich verringert.

Die Reduzierung der Arbeitszeiten würde eine vermehrte Eigenarbeit in der informellen Ökonomie vermuten lassen. Würde man versuchen, ein Gesamtarbeitszeitvolumen aus formeller Erwerbsarbeit und informeller Eigenarbeit zu bilden, so hat seit Ende des Zweiten Weltkriegs eine interne Umverteilung stattgefunden: In den 1950er Jahren und noch zu Anfang der 1960er Jahre verbrachten die Männer sehr viel Zeit in der Erwerbsarbeit und hatten nur wenig Zeit für Eigenarbeiten. Die Frauen konzentrierten sich hauptsächlich auf die Arbeit im Haushalt; es herrschte noch eine eindeutigere Verteilung zwischen formeller Erwerbs- und informeller Hausarbeit. Mit Ausdehnung der erwerbsfreien Arbeitstage seit etwa Mitte der 1960er Jahre und der steigenden weiblichen Erwerbsbeteiligung hat sich das Verhältnis langsam, aber ständig verändert. Die Männer hatten nun mehr Zeit für informelle Tätigkeiten, die sie jedoch insbesondere in der

Tab. 9: Zahl der jährlichen Arbeitstage von 1950 bis 2014 im Durchschnitt für alle Arbeitnehmer

Jahr	Arbeits-tage	Sonn-tage	freie Sams-tage	Feier-tage	Ur-laub	Krank-heit	Erwerbs-freie Zeit*
1950	277	52	0	10	12	14	88 (74)
1955	277	52	0	10	12	14	88 (74)
1960	248	52	26	10	16	14	118 (104)
1965	234	52	39	9	18	13	131 (118)
1970	216	52	52	11	21	13	149 (136)
1975	213	52	52	12	24	12	152 (140)
1980	209	52	52	12	27	14	157 (143)
1985	207	52	52	13	30	11	158 (147)
1990	207	52	52	13	30	11	158 (147)
2000	209	52	52	11	30	11	156 (145)
2010	213	52	52	9	30	9	152 (143)
2014	209	52	52	11	31	10	156 (146)

* Die Zahlen in den Klammern weisen die arbeitsfreien Tage (nach Abzug der Krankentage) der Arbeitnehmer aus

Quelle: Hegner et al. 1988, 88; eigene Zusammenstellung

Selbstversorgungswirtschaft sowie Selbsthilfeökonomie und weniger in der Haushaltswirtschaft verbrachten. Den Frauen brachte die zunehmende Einbeziehung in die Erwerbsarbeit ein höheres Haushaltseinkommen und eine verbesserte Ausstattung mit langlebigen Gebrauchsgütern, durch die sich dann auch die Hausarbeit zeitlich verringern ließ. Zugleich ermöglichte aber die Ausstattung mit Kapitalgütern erst die steigende Erwerbstätigkeit von Frauen.

Ein weiteres Phänomen stellt die Veränderungen am »unteren« und am »oberen« Ende der Erwerbsbiographie dar: Am Beginn der Erwerbstätigkeit zeigt sich bei jüngeren Erwachsenen eine im Lebensverlauf verlängerte Bildungsphase; somit wird der Eintritt ins Erwerbsleben bei jüngeren Menschen zeitlich verschoben. Zudem waren junge Erwerbstätige unter 35 Jahren deutlich häufiger in atypischen Beschäftigungsformen tätig als die Erwerbstätigen insgesamt. Trotzdem können Teilzeitarbeit mit weniger als 21 Wochenarbeitsstunden, befristete und geringfügige Beschäftigungsverhältnisse und Zeitarbeit nicht als typische Einstiegstätigkeiten junger Menschen bezeichnet werden, denn immerhin arbeiteten 2009 beispielsweise zwei von drei abhängig Beschäftigten zwischen 20 und 24 Jahren bereits in einem Normalarbeitsverhältnis (Wingerter 2011).

Interessanter für eine Postwachstumsgesellschaft scheinen indessen die Veränderungen am »oberen« Ende der Erwerbsbiographie zu sein: Die Möglichkeiten zur früheren Verrentung älterer Arbeitskräfte haben dazu geführt, die Lebensarbeitszeit zu verkürzen. So gingen Frauen und Männer 2014 im gleichen Alter in Rente, nämlich mit 61,8 Jahren (Institut der Deutschen Wirtschaft 2016). Diese Rentner stellen ein Potential dar, das gegenwärtig noch aus der formellen Erwerbswirtschaft »herausgedrängt« wird. In einer Postwachstumsgesellschaft sollten sie vermehrt informelle Aktivitäten in der Haushaltswirtschaft, Selbstversorgungswirtschaft und Selbsthilfeökonomie übernehmen, da im Postwachstumsmodell personale Dienstleistungen künftig durch informelle Tätigkeiten ergänzt werden müssen.

Die Arbeitszeiten, in denen Beschäftigte ihrer Erwerbsarbeit in Unternehmen und Betrieben nachgehen, sind also seit Jahrzehnten einem kontinuierlich fortschreitenden Wandel unterzogen. Dabei geht es schon seit drei Jahrzehnten nicht mehr grundsätzlich so sehr um eine kollektive Reduzierung der Arbeitszeit, sondern um deren Flexibilisierung, bezogen etwa auf eine Arbeitswoche, einen Monat, ein Jahr oder sogar ein ganzes Arbeitsleben (Seifert 1995, 61). Die Arbeitszeiten vieler Erwerbstätiger finden bereits heute nicht mehr nur zwischen neun und siebzehn Uhr statt. Vielmehr haben sich diese einstmals klassischen Arbeitszeiten stark gewandelt. Eine große Zahl unterschiedlicher Arbeitszeitmodelle – oftmals allerdings nur aufgrund der Erfordernisse der Arbeitgeber – mit flexiblen Arbeitszeiten sowie neue Formen von Beschäftigung jenseits sogenannter Normalarbeitsverhältnisse sind entstanden. Diese Entwicklungen in der Arbeitswelt erscheinen als Flexibilisierung beziehungsweise Entgrenzung der Arbeit (Eichhorst 2014, 6 f.; Schier 2014).

12.3 Ursachen und Wirkungen flexibler Arbeitszeiten

Zu den Ursachen flexibler Arbeitszeiten lassen sich insbesondere drei verschiedene Trends angeben (Bundesanstalt für Arbeitsschutz und Arbeitsmedizin 2013, 9 ff.; Wingen et al. 2004, 10):

- Auswirkungen der Globalisierung,
- der demographische Wandel sowie
- ein Wertewandel der Beschäftigten.

Durch die Globalisierung sind die Anforderungen an die Unternehmen und deren Beschäftigte gestiegen, ihre Produkte und Dienstleistungen und den damit verbundenen Service meist grenzüberschreitend anzubieten und tageszeitenabhängig zur Verfügung zu stehen, wenn nicht Kunden an Mitbewerber verloren gehen sollen – irgendwo auf der Welt wird immer gerade gearbeitet.

In Folge des demographischen Wandels steigt das Durchschnittsalter der Beschäftigten in den kommenden Jahren weiter an, so dass entsprechende Arbeitszeitmodelle mit flexiblen Arbeitszeiten notwendig werden, um den Anforderungen der Beschäftigten gerecht zu werden.

Im sogenannten Kampf um die klügsten Köpfe und geschicktesten Hände werden vor allem die Arbeitgeber einen entscheidenden Vorteil haben, die mit entsprechend flexibel ausgestatteten Arbeitszeiten und Arbeitsorten dem Wertewandel der Beschäftigten Rechnung tragen und so mehr Raum für eine aktive Familien- und Freizeitplanung ermöglichen (Bundesanstalt für Arbeitsschutz und Arbeitsmedizin 2013, 9 ff.).

Allgemein werden unter dem Begriff der flexiblen Arbeitszeit entsprechende Arbeitszeitmodelle mit unterschiedlicher Dauer, Lage sowie Verteilung der Arbeitszeiten subsumiert, »die durch eine kontinuierliche Wahl vonseiten des Arbeitgebers, des Arbeitnehmers oder beider bezüglich des Umfangs und der zeitlichen Verteilung der Arbeitszeit charakterisiert sind« (ibid., 10). Für die Arbeitnehmer können diese Arbeitszeitmodelle in der Praxis sowohl mit Vor- als auch mit Nachteilen verbunden sein. So sind in einem hohen Maße Eigenverantwortung und Selbstorganisation der Erwerbstätigen gefordert und notwendig. Flexible Arbeitszeiten können – bei entsprechender Gestaltung – zu einer deutlich verbesserten Vereinbarkeit von Berufs- und Privatleben – der sogenannten Work-Life-Balance – beitragen. Ein entscheidender Faktor des Gelingens solcher flexiblen Arbeitszeitmodelle liegt in deren Ausgestaltung, wenn nicht allein die Anforderungen des Unternehmens, sondern auch die Wünsche der Beschäftigten beachtet werden. Werden diese nicht ausreichend berücksichtigt und stehen nur die betrieblichen Interessen der Arbeitgeber im Fokus, können solche Modelle meist nicht dauerhaft erfolgreich in der Praxis realisiert werden, was wiederum deren Akzeptanz bei den Beschäftigten erheblich schwächt (ibid.; Kompetenzzentrum Fachkräftesicherung 2013).

So kann eine »hohe Variabilität der Arbeitszeiten, insbesondere, wenn diese unternehmensbestimmt ist, mit deutlichen Beeinträchtigungen der Gesundheit und des Wohlbefindens verbunden« sein (Janßen / Nachreiner 2004, 5). Dies kann zu einem möglichen Schwachpunkt flexibler Arbeitszeitmodelle werden. Aus diesem Grund wird die Entwicklung hin zu flexibleren Arbeitszeiten, die einseitig zu Lasten der Beschäftigten gehen, von den Gewerkschaften auch recht skeptisch beurteilt, aber nicht generell abgelehnt, wenn sie entsprechend ausgestaltet werden. So kritisiert etwa die Vereinte Dienstleistungsgewerkschaft ver.di (o. J.):

> »[Die] steigende Flexibilisierung und Extensivierung der Arbeitszeiten [macht es] den Beschäftigten schwer, Erwerbsarbeit und außerberufliches Leben miteinander in Einklang zu bringen. Die Anpassung von Dauer und Lage der Arbeitszeiten an die betrieblichen Notwendigkeiten und Kundenbedürfnisse sind [...] mittlerweile zur Selbstverständlichkeit geworden, eigene private oder familiäre Zeitbedürfnisse treten dabei oft in den Hintergrund.«

Daher wird in gewerkschaftlichen Positionen – etwa vom Vorsitzenden des Deutschen Gewerkschaftsbundes, Reiner Hoffmann (2014) – einerseits zwar darauf hingewiesen, »dass man über die Dauer der Erwerbsbiografie unterschiedliche Arbeitszeiten hat«, dies aber vor allem nur über »innovative Modelle, mit denen die Menschen mehr Zeitsouveränität bekommen und die Vereinbarkeit von Arbeit und Leben verbessert wird«, möglich ist. Gefordert wird für die Praxis daher »mehr Flexibilität der Unternehmen, wenn es darum geht, Arbeitszeitwünsche der Beschäftigten zu berücksichtigen«. In diesem Zusammenhang werden auch sogenannte Langzeitarbeitskonten und »Demografie-Tarifverträge, die flexible Arbeitszeiten über das gesamte Erwerbsleben hinweg ermöglichen«, als Ansätze genannt, die Flexibilisierung der Arbeitszeiten auch zugunsten der Arbeitnehmerinnen und Arbeitnehmer zu gestalten.

Grundsätzlich scheint es gesamtgesellschaftlich sinnvoll zu sein, die Arbeitszeitdauer der einzelnen Beschäftigten so auszugestalten, dass sie zwei Aspekte erfüllt: Auf der einen Seite sollte es möglich sein, einen zufriedenstellenden Arbeitsplatz zu erhalten; zum anderen sollte Arbeitszeit in einer Gesellschaft so organisiert sein, dass das vorhandene Arbeitszeitvolumen gleichmäßiger auf möglichst viele Beschäftigte verteilt wird und nicht nur eine beschränkte Zahl von Menschen einer existenzsichernden Beschäftigung nachgehen kann (Seifert 1995, 63). Dies geht einher mit der Erkenntnis, dass »viele Männer ihre Erwerbsarbeit reduzieren möchten, während Frauen lieber mehr Stunden erwerbstätig sein wollen« (Deutscher Gewerkschaftsbund 2015; Nübling et al. 2015, 43 ff.). Insgesamt wird die Flexibilisierung der Arbeitszeiten von den Beschäftigten unterschiedlich bewertet: Flexible Arbeitszeiten können eine zunehmende Arbeitsbelastung erzeugen; sie können aber auch den Wünschen der Beschäftigten entgegenkommen, die so ihr Erwerbs- und Privatleben besser miteinander vereinbaren können (Eichhorst 2014, 16).

12.4 Arbeitszeitmodelle in der Praxis

In der Praxis haben sich in den vergangenen Jahrzehnten eine ganze Reihe verschiedener Arbeitszeitmodelle mit unterschiedlich gestalteten – mehr oder weniger – flexiblen und auch entsprechend verkürzten Arbeitszeiten und Arbeitsvolumen etablieren können (vgl. Bundesanstalt für Arbeitsschutz und Arbeitsmedizin 2013, 25 ff.). Von diesen eignen sich manche möglicherweise auch als Grundlage für die weitere Gestaltung der Erwerbsarbeit in einer Postwachstumsgesellschaft; sie sollen deswegen hier näher betrachtet werden. Verbunden ist diese Analyse auch immer mit den Fragen, ob es künftig zu einer weiteren Erosion des Normalarbeitstages kommt beziehungsweise kommen sollte, und ob die Beschäftigten tatsächlich aus immer mehr verschiedenen Angeboten zur Flexibilisierung der Arbeitszeiten wählen können.

Teilzeit

In Teilzeit arbeiten Erwerbstätige, wenn sie mit einer im Vergleich zur Regelarbeitszeit verkürzten Arbeitszeit beschäftigt sind, so dass die Arbeitszeit beispielsweise nur noch bei 25 bis 75 Prozent einer entsprechenden tarifvertraglich festgelegten Vollzeitstelle liegt. Auf Basis von Teilzeitarbeit ist es möglich, die verbleibende Anzahl der zu leistenden Arbeitsstunden – etwa pro Woche – gleichmäßig auf die Arbeitstage zu verteilen. Daneben können die Arbeitsstunden von den Beschäftigten aber auch ungleich verteilt – etwa in einem Monat oder einem Jahr – geleistet werden. Daraus haben sich in der Praxis die nachfolgenden weiter differenzierten Arbeitszeitmodelle entwickelt.

Jobsharing

Das sogenannte Jobsharing stellt eine spezielle Ausprägung der Teilzeitarbeit dar. Im Zentrum steht dabei die Idee, dass sich zwei oder auch mehrere Personen eine Vollzeitstelle untereinander aufteilen. Dies kann durchaus sehr unterschiedlich ausgestaltet werden. Denkbar ist beispielsweise die Aufteilung einer Vollzeitstelle auf zwei Personen, die diese halbtagsweise, aber auch in wöchentlichen beziehungsweise monatlichen Intervallen oder nach individuellen Vorlieben unter sich aufteilen. Ein Vorteil liegt insbesondere darin, dass es somit auch mit Teilzeitbeschäftigung und einer entsprechend reduzierten Regelarbeitszeit möglich ist, an beruflichen Aufgaben und Tätigkeiten zu partizipieren, für die vom Zeitaufwand das Volumen einer Vollzeitstelle notwendig ist.

Gleitzeit

Bei diesem Arbeitszeitmodell ist es den Erwerbstätigen möglich, innerhalb des vereinbarten Arbeitszeitvolumens den persönlichen Arbeitsbeginn und das Arbeitsende in einem gewissen Rahmen frei zu wählen. Durch diese Zeitspannen kann die Lage der jeweiligen Arbeitszeit innerhalb des vom Arbeitgeber vorgegebenen Zeitraums individuell festgelegt werden. Oftmals ist jedoch für eine Kernarbeitszeit – etwa zwischen 9 und 15 Uhr pro Tag – eine zwingende Anwesenheitspflicht der Beschäftigten am Arbeitsplatz vorgesehen.

Funktionszeit

Im Gegensatz zur Gleitzeit werden bei der Funktionszeit keine festen Kernarbeitszeiten vom Arbeitgeber vorgegeben. Vielmehr müssen die verschiedenen Bereiche eines Unternehmens in zuvor vereinbarten Zeiten betriebsbereit sein. Entscheidend ist hierbei das zu erzielende Resultat der Arbeit und nicht so sehr die Anwesenheit der jeweiligen Beschäftigten. Sie klären bei diesem Arbeitszeitmodell im Vorfeld selbst untereinander die Anwesenheitszeiten am Arbeitsplatz ab, um die vorgegebene Funktionsfähigkeit zu gewährleisten. Dies ist in der Regel mit einem hohen Maß an Selbstverantwortung und -organisation verbunden.

Wahlarbeitszeit

Im Gegensatz zur Funktionszeit müssen die Beschäftigten hier ihr gewünschtes Arbeitszeitvolumen und ihre verbindlichen Anwesenheitszeiten – wöchentlich oder monatlich – festlegen, bis das vom Arbeitgeber benötige Arbeitszeitvolumen im entsprechenden Zeitraum vollständig abgedeckt ist. Möglich ist hierbei eine Reduzierung der Arbeitszeit der einzelnen Beschäftigten, allerdings ohne Lohnausgleich. In speziellen Phasen, in denen mehr Arbeit anfällt, wird – im Gegensatz zu Randzeiten oder bei schlechter Auftragslage – mit einem höheren Personalbedarf kalkuliert. Dieses Arbeitszeitmodell setzt voraus, dass zumindest ein Teil der Beschäftigten bereit ist, die persönliche Arbeitszeit freiwillig zu reduzieren.

Jahresarbeitszeit

Bei der Jahresarbeitszeit wird das Arbeitszeitvolumen eines Erwerbstätigen in unterschiedlicher Intensität über das Jahr verteilt. In Zeiten mit einem höheren Arbeitsbedarf, etwa aufgrund saisonal guter Auftragslage, müssen die Beschäftigten – im Gegensatz zu Zeiten mit schlechter Auftragslage – mehr arbeiten. Das jährliche Kontingent an Arbeitszeit wird so im Jahresverlauf unterschiedlich stark auf die einzelnen Wochen und Monate aufgeteilt.

Lebensarbeitszeit

Nicht nur über den Zeitraum von einem Jahr kann die Arbeitszeit und das Arbeitszeitvolumen verteilt werden. Denkbar ist durchaus auch ein deutlich längerer Zeitraum, der unter Umständen das ganze Erwerbsleben bis zum Ruhestand umfasst. So ist es möglich, für eine gewisse Zeit – etwa fünf Jahre – über die wöchentliche Regelarbeitszeit hinaus zu arbeiten. Das entstehende Arbeitszeitguthaben wird dann auf einem Zeitkonto gutgeschrieben und kann später von den Beschäftigten etwa für ein Sabbatical in Anspruch genommen werden. Beim Sabbatical geht es um das Ansparen von Zeiten, die der Beschäftigte für persönliche Bedürfnisse verwenden will. Ihm oder ihr soll teilweise ermöglicht werden, neue Erfahrungen zu sammeln, etwa Fortbildungen zu besuchen, Fremdsprachenkenntnisse zu erwerben und so die Selbstverwirklichung zu fördern.

Eine weitere Möglichkeit, das Arbeitszeitguthaben zu steigern, besteht darin, auf einen Teil des Arbeitslohns trotz Vollzeitarbeit zu verzichten. Auch hier kann dieser Überschuss in Form eines Sabbaticals – in dem dann weiter Gehalt bezogen wird – durch den Beschäftigten wieder ausgeglichen werden.

Kapazitätsorientierte Arbeitszeit (KAPOVAZ) und Abrufarbeit

Die Bezeichnung KAPOVAZ steht für »kapazitätsorientierte variable Arbeitszeit«; synonym wird der Begriff der sogenannten Abrufarbeit verwendet. Dieses Arbeitszeitmodell stellt eine besondere Gestaltung der Teilzeitarbeit dar. Der Arbeitgeber hat hierbei die Möglichkeit, den Beschäftigten nach benötigtem Bedarf jederzeit anzufordern und so das vertraglich festgelegte wöchentliche oder jährliche Arbeitszeitvolumen nach jeweiligem Bedarf aufzuteilen. Bei der Arbeit auf Abruf werden allerdings nur selten die Bedürfnisse der Beschäftigten beachtet, sondern im Vordergrund stehen die betrieblichen Anforderungen. Im Extremfall befinden sich Erwerbstätige also in ständiger Arbeitsbereitschaft. In Deutschland sind mehr als 5 Prozent der abhängig Beschäftigten in dieser Arbeitszeitform tätig (Absenger et al. 2014, 36 f.).

Teleheimarbeit

Bei diesem Arbeitszeitmodell besteht die Möglichkeit, dass die Beschäftigten nicht direkt im Büro, sondern je nach Bedarf von zu Hause aus oder in dezentralisierten Büros arbeiten. Dies betrifft alle Arbeiten, bei denen die Anwesenheit nicht zwingend vor Ort erforderlich ist, also irgendwo am Computer erledigt werden kann. Fertige Aufgaben können per E-Mail oder durch andere Kommunikationsmittel an den Arbeitgeber übermittelt werden. Teleheimarbeit kann, je nach Arbeitsumfang, zu einer ständigen Institution werden oder nur an bestimmten Wochentagen erfolgen. Auch das Arbeitszeitvolumen kann hierbei entsprechend individuell gestaltet werden. Die eigentliche Einteilung der Arbeitszeiten ist durch die Beschäftigten deutlich flexibler handhabbar. Im Gegensatz zur flexiblen Arbeitszeit ist der flexible Arbeitsort als Instrument der Vereinbarkeit noch nicht so weit verbreitet: 2012 arbeiteten rund zwölf Prozent aller Erwerbstätigen überwiegend oder gelegentlich von zu Hause aus. Davon waren 2,7 Millionen abhängig beschäftigt – acht Prozent aller Arbeitnehmerinnen und Arbeitnehmer. Im Vergleich zu 2008, dem Jahr mit dem höchsten Anteil – 9,3 Prozent – von Heimarbeitern bei den abhängig Beschäftigten in Deutschland, setzte seitdem flächendeckend eine Gegenbewegung ein. Die Bedeutung von Erwerbsarbeit zu Hause ist sowohl bei Männern und bei Frauen als auch bei Vollzeit- und Teilzeitbeschäftigten rückläufig (Brenke 2014).

12.5 Weitere Differenzierungen von Arbeitszeitmodellen

Weiter können Arbeitszeitmodelle in selbstgesteuerte Arbeitszeitsysteme mit entsprechenden (Unter-)Kategorien untergliedert werden. Sie ermöglichen eine Zunahme an Entscheidungsoptionen der Beschäftigten bei der Arbeitszeitgestaltung.

Während bei der flexiblen Standardarbeitszeit sowohl Lage als auch Verteilung der Arbeitszeit als weitgehend stabil angesehen werden kann und kaum Abweichungen von einer festgelegten Norm für die Beschäftigten möglich sind, ist bei der Arbeitszeitfreiheit das genaue Gegenteil der Fall. Eine Zeiterfassung findet hier beispielsweise überhaupt nicht mehr statt, sondern vielmehr gilt als Nachweis der getätigten Arbeit die erbrachte – meist zuvor vereinbarte – Leistung. In Bezug auf Dauer, Lage und Verteilung der Arbeitszeit sind die Beschäftigten bei diesem Modell vollständig flexibel. Zwischen diesen beiden Ausprägungen finden sich noch weitere Typen von Arbeitszeitmodellen, die sich seit den 1970er Jahren bis Mitte der 1990er Jahre schrittweise entwickelt und in Unternehmen etabliert haben. Kennzeichnend ist hierbei, dass jede Stufe der Arbeitszeitentwicklung einen höheren Grad an individueller Freiheit mit sich bringt. Die Steigerung der Flexibilität bei der Gestaltung der Arbeitszeit ist aber auch immer mit einem gewissen Aufwand hinsichtlich der Zeiterfassung und Führung von Arbeitszeitkonten sowie einem notwendigen Abstimmungsbedarf verbunden, um gegebenenfalls notwendige Servicezeiten im Unternehmen abzudecken. Die Modelle ermöglichen durch die zunehmend flexible Gestaltung der Arbeitszeiten eine bessere »Work-Life-Balance« der Beschäftigten, wenn die gewonnene Arbeitszeitsouveränität sinnvoll eingesetzt wird (Hoff 2015, 5–13).

12.6 Individualisierung oder Standardisierung?

Männer arbeiten vor allem zu Beginn und zum Ende ihrer Erwerbsbiographie Teilzeit, jedoch kaum in der Lebensmitte. Die durchschnittliche männliche Teilzeitquote in Deutschland betrug 2012 nur 9 Prozent, bei den Frauen lag sie zum gleichen Zeitpunkt bei 45 Prozent (Statistisches Bundesamt 2014b, 15). Verglichen mit anderen Ländern liegt die Teilzeitquote von Männern in Deutschland im Mittelfeld der Europäischen Union: In den Niederlanden lag die Quote 2010 bei 25 Prozent, in Dänemark und Norwegen bei 15 Prozent, in Schweden bei 14 Prozent (Brenke 2011, 6).

Der Grund für die Unterschiede lässt sich auf die Ausgestaltung der wohlfahrtsstaatlichen Arrangements zurückführen, die großen Einfluss auf die Inanspruchnahme von Teilzeitbeschäftigung nehmen. So hat die Ausgestaltung des Renten- und auch des Steuersystems großen Einfluss auf die Attraktivität von Teilzeitarbeit. Daneben hat Teilzeitarbeit auch noch das Problem, dass ihr ein negatives Image anhaftet.

Dementsprechend könnte durch Anreize die Attraktivität für Teilzeit erhöht werden, insbesondere für qualifizierte Tätigkeiten. Eine solche Anreizsetzung würde durchaus Sinn machen – so belegen Studien eine Produktivitätssteigerung teilzeitbeschäftigter Führungskräfte, parallel zu einer damit einhergehenden größeren Arbeitsteilung und dem Abbau betrieblicher Hierarchieebenen. In der Praxis gibt es jedoch noch zahlreiche betriebliche und persönliche Hürden, die Männer oft davor abschrecken, sich auf Teilzeitarbeit einzulassen. So ist neben individuellen Befürchtungen, einen Karriereknick zu erleiden, vor allem von Bedeutung, dass die positiven Folgen der Teilzeitarbeit für den Betrieb meist erst auf längere Sicht zutage treten. Ein weiteres Problem ist, dass männliche Teilzeitarbeit nicht automatisch mit einem höheren Familienengagement einhergeht, sondern der Zeitgewinn oft zur beruflichen Weiterbildung genutzt wird.

All diese Faktoren führen zu einer Reproduktion traditioneller Arbeitsteilung zwischen Männern und Frauen, die für die Familie oftmals »rationaler« erscheint, da Männer bei Verzicht auf einen Teil ihrer Arbeitszeit stärkere finanzielle Einbußen hinnehmen müssen, als dies bei Frauen der Fall ist.

Deshalb müssen in zweierlei Hinsicht Veränderungen stattfinden: einerseits in der Arbeitswelt selbst, in welcher der Ruf der Teilzeit besser werden sollte, andererseits könnte aber auch ein Wandel privater Lebensentwürfe stattfinden, in welchen nicht unbedingt die Karriere als oberstes Ziel der eigenen Selbstentfaltung stehen sollte. Möglichkeiten hierfür wären Lebensarbeitszeitkonten sowie eine bewusste Imageförderung der Teilzeit für Männer.

Während allein lebende Frauen oft Vollzeit arbeiten, arbeiten Frauen in Paarhaushalten oft Teilzeit. So leben 45 Prozent der Paare mit Kindern unter 18 Jahren in der Konstellation »Frau Teilzeit – Mann Vollzeit«. Dieses Arbeitsschema wird oft auch nach dem Ausscheiden der Kinder aus dem Haushalt beibehalten – damit findet indirekt eine Reproduktion des klassischen Familienmodells – der Mann als »Ernährer«, die Frau im »Haushalt« – statt. Teilzeitarbeitende Frauen fungieren also oft als die »neuen Hausfrauen«.

Die ungleiche Verteilung der Teilzeit zwischen den Geschlechtern ist ein wesentlicher Grund für den »*Gender Time Gap*«. Damit wird die Differenz zwischen der durchschnittlichen Arbeitszeit von Frauen und Männern bezeichnet. Es ist ein gleichstellungspolitisches Problem, da Frauen stärker in Teilzeitarbeit involviert sind, was negative Folgen auf das Lohnniveau und die autonome Existenzsicherung von Frauen hat.

Gewisse steuerliche und andere monetäre Fehlanreize tragen dazu bei, dass der *Gender Time Gap* weiterhin aufrecht bleibt. So werden in einer Ehe die niedrigeren und oft aus Teilzeit stammenden Zweiteinkommen für gewöhnlich höher besteuert als die Ersteinkommen, was ein Ausweiten der Arbeitszeit für den Zweitverdiener – meist die Frau – oft unattraktiv erscheinen lässt. Daneben ist auch die fehlende Infrastruktur für die Auslagerung »häuslicher« Arbeiten wie Pflege und Erziehung eine Ursache für den *Gender Time Gap*.

12.7 Vielfalt der Möglichkeiten – oder doch nicht?

Durch lebenslanges Lernen, verkürzte Arbeitszeiten und Unterbrechungen aufgrund von Arbeitslosigkeit, Teilzeitarbeit und Phasen von Nichterwerbsarbeit hat sich zwar die Bedeutung von Erwerbsarbeit für das Leben der Menschen bereits heute entscheidend verändert, doch hat sich diese Entwicklung in der individuellen und gesellschaftlichen Wahrnehmung noch nicht gleichermaßen niedergeschlagen. Nach wie vor dominiert die Erwerbsarbeit das Bewusstsein, denn nur durch sie erhält der Einzelne in der Öffentlichkeit seine Anerkennung, und nur durch sie erfährt er sein Selbstwertgefühl. Wichtig ist, dass in einer Postwachstumsgesellschaft das Verhältnis von formeller und informeller Arbeitszeit verändert wird: Den Interessen und Bedürfnissen der Menschen nach informellen Tätigkeiten muss das formelle System vermehrt entsprechen. Noch immer ist es genau umgekehrt: Aktivitäten im informellen Bereich müssen sich an den vorgegebenen Zeitstrukturen der Erwerbsarbeit ausrichten. Um eine Arbeitszeitpolitik durchzusetzen, mit der formelle und informelle Ökonomie besser miteinander vereinbart werden können, wäre es notwendig, dass sich die Tarifparteien verstärkt an der Diskussion um das Verhältnis von informellem und formellem Arbeiten beteiligen. Bisher wurde die Diskussion, auch von den Gewerkschaften, sehr stark auf die abhängige Erwerbsarbeit fokussiert. Der informellen Ökonomie stand man zumeist skeptisch bis reserviert gegenüber. Unberücksichtigt blieb dabei deren Anreiz- und Beispielfunktion, die sich etwa in Eigeninitiative, Mit- und Selbstbestimmungspotentialen und gesellschaftlich sinnvoller Arbeit äußert.

Nicht zuletzt müssen die informellen Arbeiten durch lebensphasenspezifische Mindestsicherungsmodelle abgesichert werden; so könnte etwa für die Kindererziehung ein Familiengehalt und für die Sorge und Hilfe von alten und kranken Menschen ein Pflegegehalt gezahlt werden. Darüber hinaus wäre zu erörtern, ob die informellen Tätigkeiten nicht auch dadurch aufgewertet werden könnten, wenn im Alter zur wirtschaftlichen Absicherung eine Grundrente gewährt würde. Daneben sollte auch die Möglichkeit eröffnet werden, aus dem Erwerbsleben für bestimmte Zeiten auszusteigen – sei es für ein Sabbatical, für Weiterbildungsmaßnahmen oder für die Pflege von Angehörigen.

Um eine Umverteilung des Arbeitsvolumens und eine Kombination von Reproduktions- und Erwerbsarbeit in partnerschaftlicher Arbeitsteilung zu fördern, sollte Teilzeitarbeit für beide Partner bei einem Umfang von 20 bis 30 Wochenstunden liegen können (Rüling 2001, 66 ff.).

Geringfügige Teilzeitarbeit, die keine eigenständige Existenzsicherung ermöglicht, sollte in einer Postwachstumsgesellschaft verhindert werden. Ebenso sollte Mehrarbeit nach Möglichkeit limitiert werden. Überstunden, die bereits vorhanden sind, sollten dem Lebensarbeitszeitkonto gutgeschrieben oder in Form eines Sabbaticals »abgefeiert« werden. Weiter müsste ein genereller Rechtsanspruch auf individuelle Arbeitszeitverkürzung geschaffen und dieses Recht auch tatsächlich in allen Berufen und auf allen Qualifikationsniveaus umgesetzt werden.

Auf betrieblicher Ebene wäre eine andere, familienfreundlichere Organisations- und Unternehmenskultur erforderlich. So dürfte Teilzeitarbeit keine negativen Auswirkungen auf eine potentielle Karriere haben; zudem sollten die in der Haushaltswirtschaft erworbenen Kompetenzen stärker berücksichtigt werden.

Vor allem Lebensläufe von Frauen weisen oft nicht kontinuierliche Erwerbsarbeit auf. Noch immer wird die Familienphase mit kleinen Kindern als Hauptarbeitsmarktrisiko für Frauen gesehen (Rüling 2001, 68):

> »Eine sozialstaatliche Absicherung der Familienphase findet … im deutschen Wohlfahrtsstaat nicht oder nur unzureichend statt. Die Sozialversicherungssysteme sind noch überwiegend auf den männlichen Erwerbsverlauf ausgerichtet und sichern die hier spezifischen Übergänge und Krisen, wie Arbeitslosigkeit und Arbeitsunfähigkeit, ab. … Familienbezogene Aufgaben sollten … nicht als Zäsur, sondern als normaler Bestandteil weiblicher und männlicher Lebensläufe wahrgenommen und im System der sozialen Sicherung institutionalisiert werden.«

Ulrich Beck (1999, 63 ff.) hat bereits vor anderthalb Jahrzehnten einen französischen Modellvorschlag vorgestellt, der es jeder einzelnen Person zugestehen sollte, einen Beschäftigungsvertrag abzuschließen, in dem sie ihre (Erwerbs-)Arbeitszeit individuell regeln konnte. Diese Idee scheint mit Blick auf die Postwachstumsgesellschaft ein Modell zu sein, das dem Einzelnen die »Wiederaneignung der Zeit« ermöglicht. Im Rahmen fortwährender Verhandlungen könnte sowohl eine pauschale, auf das jährliche oder mehrjährige Arbeitszeitvolumen bezogen, als auch eine individuelle Arbeitszeitverkürzung, auf die Wochen- und Monatsarbeitszeit bezogen, umgesetzt werden. Ein solches Vertragsmodell, so Beck (1999, 65), soll

> »es jedem und jeder ermöglichen, seine und ihre Zeitpläne zu wählen und zu gestalten. Das Unternehmen sichert den Arbeitenden das Einkommen und den Status, es sichert vor allem den Anspruch auf ein kontinuierliches Einkommen für ein von den Arbeiterinnen und Arbeitern selbstbestimmtes, diskontinuierliches Arbeitsleben.«

In Kombination mit einem lebensphasenspezifischen Grundeinkommen könnte dieses Arbeitszeitmodell den Wechsel zwischen formeller und informeller Arbeit noch erheblich verbessern. Beck spricht in diesem Fall von einer »pluralen Tätigkeitsgesellschaft«, bei der das Leitbild einer Arbeitswelt, in der die Menschen zwischen den formellen und informellen Bereichen pendeln, zur Norm wird.

In ihrer Veröffentlichung *Zeit für Nachhaltigkeit – Zeiten der Transformation* haben Reisch und Bietz (2014, 105 ff.) noch einige weitere zeitpolitische Initiativen zusammengestellt. Sie reichen von Deutschlands erster »ChronoCity« in Bad Kissingen über das »familiengerechte Hanau« bis hin zu den »Zeiten der Stadt« (*tempi della città*) in Bozen. In all diesen Modellvorhaben werden Konzepte für eine andere Zeitpolitik vorgelegt, um Familienzeiten, Arbeitszeiten und »Eigenzeiten« besser aufeinander abzustimmen. Diesen Diskussionsstrang gilt es in den kommenden Jahren wieder verstärkt aufzunehmen, denn in einer Postwachstumsgesellschaft ist es – anders als bei der kollektiven Arbeitszeitverkürzung – wichtig, für den Einzelnen das entsprechende individuelle Arbeitszeitmodell zu finden und mit entsprechenden sozialen Sicherungskonzepten zu kombinieren.

13 Arbeitsproduktivität und Strukturwandel

13.1 Unterschiede in der Arbeitsproduktivität

Die Gesellschaft wird sicher auch in Zukunft stark arbeitsteilig und die Arbeitswelt von Spezialistinnen und Spezialisten geprägt sein. Dabei sind manche Fertigkeiten mehr gefragt als andere; manchen Arbeitnehmern wird eine deutlich höhere Produktivität attestiert – oder unterstellt – als anderen. In der reinen Marktlogik und unter den herrschenden Machtstrukturen kommen dadurch teilweise extrem große Unterschiede in der Entlohnung zustande: Laut des amerikanischen Gewerkschaftsdachverbands American Federation of Labour and Congress of Industrial Organizations (AFL-CIO) verdiente im Jahr 2012 ein geschäftsführendes Vorstandsmitglied (Chief Executive Officer (CEO)) eines DAX-Unternehmens im Durchschnitt 147-mal so viel wie der deutsche Durchschnittsverdiener (AFL-CIO 2013). Das von der deutschen Bevölkerung als gerecht angesehene Einkommensverhältnis zwischen CEO und ungelerntem Arbeiter lag laut einer gemeinsamen Studie der Harvard Business School und der Chulalongkorn University hingegen gerade einmal bei 6 zu 1 (Kiatpongsan 2014). Ein solch großer Unterschied zwischen Gerechtigkeitsempfinden und Realität kann zu gesellschaftlichen Spannungen führen. Diese Spannungen könnten beispielsweise durch eine Erhöhung der Umverteilung verringert werden (siehe Kapitel 8).

Zusätzlich stellt sich die Frage nach der Gerechtigkeit der Entlohnung in einer arbeitsteiligen Gesellschaft besonders dann, wenn etwa unangenehme, schmutzige und gesundheitsgefährdende Arbeiten schlecht und andere, angenehme und abwechslungsreiche Tätigkeiten sehr viel besser entlohnt werden. Hier könnte die Einführung eines Grundeinkommens (siehe Kapitel 8) insofern Abhilfe schaffen, als dass bislang schlecht bezahlte, unangenehme Tätigkeiten besser entlohnt werden müssten, da sich ansonsten niemand bereit erklären würde, diese Aufgaben zu übernehmen.

13.2 Die Verheißung eines Öko-Kapitalismus

Die je nach Fähigkeit und Ausbildung unterschiedlich hohe – unterstellte – Arbeitsproduktivität kann neben verschieden hohen Löhnen auch zu großen Unterschieden bei den Arbeitsbedingungen führen. Wer sich aufgrund seiner Fähigkeiten einer hohen Nachfrage erfreut, kann bezüglich seiner Arbeitsmodalitäten deutlich höhere Ansprüche stellen und durchsetzen als ein von Arbeitslosigkeit bedrohter Arbeitnehmer. Dieser Umstand zeigt sich in der bereits in Kapitel 4 beschriebenen Tendenz zur Dualisierung und Prekarisierung des Arbeitsmarktes. Der Begriff der Dualisierung des Arbeitsmarktes kann dabei zwei Sachverhalte beschreiben: einmal die verstärkte Aufteilung in Normalarbeitsverhältnisse und atypische Beschäftigungsverhältnisse, und zum anderen die Aufspaltung in einen modernen arbeitsteiligen und hochtechnisierten Sektor und einen traditionellen Sektor mit handwerklich integrierten arbeitsintensiven Produktionsprozessen und lokalen Märkten und Subsistenzwirtschaft. Hier ist die erste Definition gemeint.

Ralf Fücks sieht für die Zukunft eine Verstärkung dieser Tendenzen, da durch die fortschreitende Globalisierung und den demographischen Wandel in Deutschland für den Bereich der Geringqualifizierten ein Überangebot und für den Bereich der Hochqualifizierten eher ein Fachkräftemangel zu erwarten sei (Fücks 2013). Trifft dies zu, so drohen im Rahmen unseres heutigen Systems neben vermehrt prekären Arbeitsverhältnissen auch deutlich erhöhte Arbeitslosenzahlen.

Fücks sieht die Lösung dieses Problems in einem durch eine »grüne Revolution« umgestalteten »intelligenten Wachstum«; durch eine »fundamentale Veränderung der herrschenden Produktionsweise« (ibid., 31) soll der herrschende ressourcenintensive Kapitalismus in einen ressourceneffizienten Öko-Kapitalismus überführt werden. Damit dies gelinge, soll der Staat für eine sinnvolle Ordnungspolitik sorgen, die Naturverbrauch verteuert und den ökologischen Innovationsprozess vorantreibt, außerdem den freien Wettbewerb garantieren und dadurch hohe private Investitionen ermöglichen (ibid., 301 ff.).

13.3 Die große Hoffnung Dienstleistungsgesellschaft

Einen weiteren Ansatz, um bei ausbleibendem Wachstum Arbeitslosigkeit und steigende Ungleichheit zu vermeiden, stellt eine gezielte Förderung der Dienstleistungsgesellschaft dar. Wie in Kapitel 4 beschrieben, fand in Deutschland bereits eine enorme Verschiebung der volkswirtschaftlichen Arbeitsteilung vom primären und sekundären Sektor zum tertiären Dienstleistungssektor statt. Fourastié (1954) begründete, wie bereits dargestellt, diesen Strukturwandel in der sogenannten Drei-Sektoren-Hypothese mit sektorspezifisch unterschiedlichen Ausprägungen bezüglich des Produktivitätsfortschritts und der Sättigung. Durch Produktivitätssteigerungen, die maßgeblich durch den technischen Fortschritt verursacht werden, werden im primären und sekundären Sektor immer weniger Beschäftigte benötigt. Produktivitätssteigerungen in diesem Umfang sind jedoch im tertiären Sektor nicht möglich. Zudem setzt eine Marktsättigung am schnellsten bei Produkten des primären Sektors ein, dann beim sekundären Sektor, während die Nachfrage nach Dienstleistungen des tertiären Sektors theoretisch unbegrenzt bleibt. Diese Zusammenhänge führten zu der benannten Verschiebung der Arbeitskräfte vom primären und sekundären in den tertiären Wirtschaftssektor. Deswegen ist für Fourastié der tertiäre Sektor »die große Hoffnung des 20. Jahrhunderts«, denn nur er sichere den Menschen auch in Zeiten des technischen Fortschritts die Möglichkeit zu arbeiten. Aufbauend auf der Drei-Sektoren-Hypothese von Fourastié fordert deswegen zum Beispiel Norbert Reuter eine Fokussierung auf den Dienstleistungssektor: »Wirtschafts- und finanzpolitische Maßnahmen müssten wesentlich stärker auf eine Expansion qualitativ hochwertiger Beschäftigung im Dienstleistungssektor ausgerichtet werden« (Reuter 2010, 95). Dadurch könne sowohl die bereits bestehende Arbeitslosigkeit als auch die in Zukunft drohende Arbeitslosigkeit, vor allem bei abnehmenden oder ausbleibenden Wachstumsraten, wirksam bekämpft werden. Denn ein Bedarf nach gesellschaftsnahen Dienstleistungen sei beispielsweise im Gesundheits-, Pflege-, Erziehungs- und Bildungsbereich unstrittig vorhanden. Aus ökologischer Sicht sei eine solche Verschiebung zum tertiären Sektor ebenfalls vorteilhaft, da es sich »beim Dienstleistungswachstum um das ökologisch vergleichsweise verträglichste Wachstum aller Wachstumsvarianten« (ibid, 97) handele.

13.4 Strukturwandel durch Digitalisierung und Industrie 4.0

»Wir sind auf dem Weg in eine digitale Ökonomie«, stellt das Bundesministerium für Arbeit und Soziales (BMAS) in seinem *Grünbuch Arbeiten 4.0* fest und führt als Ausdruck dessen unter anderem immer leistungsfähigere IT-Systeme, hochentwickelte Robotik und Sensorik, cyberphysische Systeme, Big Data und den 3-D-Druck an (BMAS 2015, 14). Dass sich der Digitalisierungsgrad bereits in den letzten Jahren enorm gesteigert hat, zeigt beispielsweise der Branchenindex DIGITAL (BMWi 2014), der die Verwendung der IKT-Investitionen in verschiedenen Branchen abbildet und sich unter anderem aus Informationen über den Anteil der Unternehmen in der jeweiligen Branche zusammensetzt, die Produkte und Dienstleistungen über das Internet verkaufen, den Umsatzanteil von Verkäufen über das Internet, den Anteil der Mitarbeiter, die am Computer arbeiten, die Art des Internetzugangs und den Anteil der Beschäftigten mit Zugang zum Internet. In allen 21 untersuchten Branchen zeigt der Index eine deutliche Erhöhung des Digitalisierungsgrades im Zeitraum 2003 bis 2011 an. Den höchsten Indexwert weist die Telekommunikationsbranche mit einem Wert von 83 auf. Dieser Wert hat sich im betrachteten Zeitraum um über 20 Punkte erhöht. Den höchsten Zuwachs zu verzeichnen hatte die Textil-, Bekleidungs- und Lederindustrie, bei der der Wert um über 40 Indexpunkte stieg (siehe Tab. 10).

Tab. 10: Branchenindex DIGITAL: Stand 2011 und Entwicklung seit 2003

Branchen	**2011 (in Punkten)**	**Differenz 2003–2011 (in Punkten)**
Telekommunikation	83,0	20,6
Verlagswesen, audiovisuelle Medien und Rundfunk	77,5	23,9
IT- und Informationsdienstleister	76,6	12,7
Finanz- und Versicherungsdienstleister	76,6	35,7
Datenverarbeitungsgeräte, elektronische und optische Produkte	76,5	28,5
Fahrzeugbau	72,2	26,7
Handel	66,4	34,8
Elektrotechnik und Maschinenbau	66,1	27,8
Freiberufliche, wissenschaftliche und technische Dienstleister	65,7	23,2
Chemie-/Pharmaindustrie sowie sonstige Grundstoffe	63,0	32,0
Textil-, Bekleidungs- und Lederindustrie	62,8	40,2
Metallindustrie	60,9	31,3
Energie- und Wasserversorgung	60,5	25,4
Holz- und Papierindustrie, Druckerzeugnisse	60,4	37,2
Sonstige Warenherstellung, Reparatur/Installation von Maschinen	58,6	34,0

Branchen	2011 (in Punkten)	Differenz 2003–2011 (in Punkten)
Grundstücks- und Wohnungswesen	56,4	25,1
Gastgewerbe	56,2	38,3
Verkehr und Logistik	50,3	34,5
Sonstige Unternehmensdienstleister	49,6	32,8
Nahrungsmittel-, Getränke- und Tabakindustrie	45,4	34,8
Baugewerbe	36,6	27,1

Quelle: BMWi 2014, 14

Untersuchungen von David H. Autor und David Dorn für die USA im Zeitraum 1980 bis 2005 zeigen, dass die zunehmende Digitalisierung und Automatisierung vor allem zu einem Verlust von Arbeitsplätzen im mittleren Segment mit hohem Routinegrad geführt hat. Die Automatisierung ist für sie deswegen ein wichtiger Grund für die Polarisation des Arbeitsmarktes und der Arbeitseinkommen in den USA (Autor/Dorn 2013).

Welche Auswirkungen die zunehmende Digitalisierung und Automatisierung auf das zukünftige Arbeitsvolumen und die Arbeitslosigkeit hat, ist schwer abzuschätzen. Für Aufruhr sorgte diesbezüglich eine Studie von Carl Benedikt Frey und Michael A. Osborne von der Universität Oxford, die im Jahr 2013 veröffentlicht wurde. Darin wird berechnet, dass durch die Computerisierung in den nächsten 10 bis 20 Jahren 47 Prozent der US-amerikanischen Jobs wegfallen könnten (Frey/Osborne 2013). Ähnliche Untersuchungen für Deutschland haben Katharina Dengler und Britta Matthes vom Institut für Arbeitsmarkt- und Berufsforschung durchgeführt (Dengler / Matthes 2015). Darin berechnen sie das »Substituierbarkeitspotential« verschiedener Berufe, das wiedergeben soll, in welchem Ausmaß Berufe gegenwärtig potentiell durch den Einsatz von Computern oder computergesteuerten Maschinen ersetzt werden könnten. Ihre Berechnungen ergaben, dass ungefähr 15 Prozent der sozialversicherungspflichtig Beschäftigten in Deutschland im Jahr 2013 in einem Beruf gearbeitet haben, in dem mehr als 70 Prozent der Tätigkeiten bereits heute potentiell von Computern erledigt werden könnten. Das entspricht rund 4,4 Millionen Beschäftigten. Bei rund 100 000 Beschäftigten liege das Substituierungspotential sogar bei 100 Prozent. Teilt man die Berufe bezüglich ihres Anforderungsniveaus ein, so zeigt sich, dass Helferberufe – keine berufliche Ausbildung oder eine einjährige Berufsausbildung – und Fachkräfte mit einer mindestens zweijährigen Berufsausbildung oder einem berufsqualifizierenden Abschluss einer Berufsfach- oder Kollegschule ein in etwa gleich hohes Substituierbarkeitspotential von 45 Prozent aufweisen. Danach fällt das Substituierbarkeitspotential mit dem Anforderungsniveau ab. So beträgt es bei Spezialistenberufen (Meister- oder Technikerausbildung bzw. weiterführender Fachschul- oder Bachelorabschluss) etwa 33 Prozent und bei Expertenberufen (ein mindestens vierjähriges abgeschlossenes Hochschulstudium) nur noch rund 19 Prozent. Potentiell sind also nicht nur Geringqualifizierte von der Digitalisierung betroffen, sondern auch Fachkräfte. »Erst eine weiterführende oder akademische Ausbildung schützt etwas besser davor, durch Computer potentiell ersetzt werden zu können« (Dengler / Matthes 2015, 4; vgl. Schaubild 20).

Damit wird keine Aussage darüber getroffen, ob sich eine

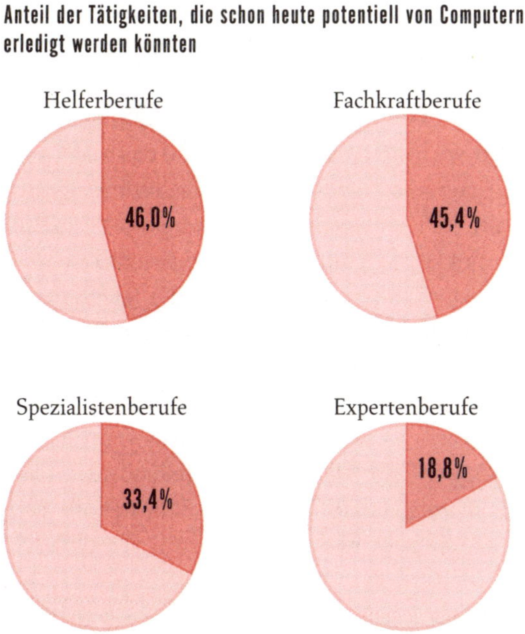

Abb. 10: Substituierbarkeitspotential nach Anforderungsniveau der Berufe. *Quelle: Dengler / Matthes 2015, 4*

Ersetzung wirtschaftlich gesehen lohnen würde oder gesellschaftlich erwünscht ist – beispielsweise bei Pflegeberufen. Es werden allein Aussagen über das Potential getroffen, also ob es technisch möglich wäre. Deswegen halten die Autorinnen der Studie auch fest: »Es ist aber wenig wahrscheinlich, dass Berufe gänzlich verschwinden. Vielmehr werden sich bestehende Berufe mehr oder weniger stark verändern« (Dengler / Matthes 2015, 7). Unklar ist für sie auch, ob die Digitalisierung letztlich zu einem Beschäftigungsabbau oder -aufbau führt, da gleichzeitig auch neue Jobs geschaffen würden, beispielsweise zur Entwicklung, dem Bau, der Wartung und der Steuerung der eingesetzten Maschinen. Wichtig und entscheidend werde es aber auf jeden Fall sein, »das Wissen und Können auf dem aktuellen technologischen Stand zu halten« (ibid., 6). Deswegen sei (Weiter-)Bildung von zentraler und immer wichtigerer Bedeutung; und das nicht nur für Geringqualifizierte, sondern auch für Fachkräfte. Um Jugendliche gut auf die Berufswelt vorzubereiten, solle außerdem der kompetente Umgang mit Computern verstärkt bereits in der Schule erlernt werden. »Ob – wenn die leicht automatisierbaren Tätigkeiten durch computergesteuerte Maschinen erledigt werden – die Arbeit der davon entlasteten Beschäftigten interessanter und anspruchsvoller oder doch eintöniger und primitiver wird, ist eine Frage der Ausgestaltung« (ibid., 7), stellen Dengler und Matthes abschließend fest. Die digitale Technologie stecke dafür allein den Rahmen ab. Neben Gefahren biete sie auch neue Freiräume für deren Zuschnitt.

14 Empfehlungen

Im abschließenden Kapitel gehen wir von der These aus, dass eine Rückkehr zu dauerhaft hohen Wachstumsraten in früh-entwickelten Industriegesellschaften sehr unwahrscheinlich ist. Wenn diese These zutrifft, bedeutet das, dass sich die Gesellschaften auf die Zeit »nach« dem Wachstum positiv einstellen und das Ausbleiben des Wachstums nicht als Scheitern begreifen sollten, mehr noch: Sich positiv darauf einzustellen würde bedeuten, den Wandel bewusst zu gestalten und ihn als Chance zu begreifen.

Die folgenden Abschnitte stellen Vorschläge zur Diskussion dar, diesen Wandel mit politischen Maßnahmen zu unterstützen. Selbst wenn man sich den Empfehlungen nicht anschließen will, so sind wir doch der Auffassung, dass damit Fragen angesprochen werden, die bei der künftigen Entwicklung der Arbeitswelt auf jeden Fall sorgfältig analysiert und diskutiert werden müssen.

Das Institut für ökologische Wirtschaftsforschung (Gebauer / Sagebiel 2015) hat im Jahr 2014 insgesamt 697 kleine und mittlere Unternehmen, darunter auch einige Handwerksbetriebe, mit bis zu 499 Beschäftigten zu ihren Wachstumszielen befragt. Die nicht repräsentative Umfrage ergab, dass 34 Prozent der Unternehmen kein oder kaum weiteres Wachstum anstrebten, 25 Prozent schlossen Wachstum nicht aus, hatten aber kein strategisches Wachstumsziel. Nur 2 Prozen waren »auf starkes Wachstum ausgerichtet«. Das zeigt, dass der Wandel hin zu einer Postwachstumsgesellschaft bei vielen Akteuren bereits begonnen hat; wir befinden uns »zwischen den Arbeitswelten« – der Arbeitswelt eines hocheffizienten, globalisierten Kapitalismus und einer Arbeitswelt, die in gewisser Weise zu einem menschlichen Maß finden möchte.

Transformationen diesen Ausmaßes gehen nie geradlinig vonstatten; in der Regel führen sie zunächst einmal zu einer großen Formenvielfalt unterschiedlicher, teils sogar widersprüchlicher Erscheinungsformen. Insofern zeigen die folgenden Empfehlungen auch kein vollständiges und geschlossenes Bild der Arbeitswelt der Zukunft, sondern wären nichts weiter als erste Schritte, die aber gegangen werden könnten, um den Weg in eine Postwachstumsgesellschaft zu erleichtern.

(1) Vorrang für eine gemeinwesenorientierte Ökonomie

In Kapitel 7 wurde zwischen einer ökonomischen Sphäre des industriell-kapitalistischen Systems und der Sphäre einer gemeinwesenorientierten Ökonomie unterschieden, die in der Regel mit den Ressourcen aus einer Region – gerade auch deren »Angebot« an Arbeitskraft – und für die Bedürfnisse der Menschen in der Region wirtschaftet. Verbunden sind damit in der Regel kleinere Unternehmen, die oftmals in Rechtsformen organisiert sind, die den Menschen, die dort arbeiten, ein hohes Maß an Mitspracherechten oder gar ein Miteigentum garantieren. Die Empfehlung an Produzenten und Konsumenten gleichermaßen lautet daher, den Strukturen der gemeinwesenorientierten Ökonomie den Vorrang zu geben und sie zu nutzen, wo immer dies möglich ist.

(2) Vorrang für »gute Arbeit«

»Gute Arbeit« ist ein zentrales Ziel gerade auch einer Postwachstumsgesellschaft. Wie in Kapitel 9 dargestellt, sollten für die Ausgestaltung von »guten« Arbeitsplätzen verschiedene Kriterien erfüllt sein: Anforderungsvielfalt, Ganzheitlichkeit, Bedeutsamkeit, Autonomie, Rückkopplung. Gute Arbeit impliziert, dass Beschäftigte ein Mitspracherecht haben und ihre Arbeit mitgestalten können, nicht diskriminiert werden, ohne unangemessenen Leistungsdruck und Dauerstress arbeiten können, gerecht bezahlt werden und die Anforderungen von Unfall- und Gesundheitsschutz gewährleistet sind. Gute Arbeit bedeutet auch, nicht ständig vom Verlust des Arbeitsplatzes bedroht zu sein.

Diese Kriterien können jedoch in manchen Fällen mit dem Effizienzkriterium der Produktion kollidieren. Aufgrund des großen, wenn auch in einer Postwachstumsgesellschaft möglicherweise zurückgehenden Einflusses der Arbeitszufriedenheit auf die allgemeine Lebenszufriedenheit und des gleichzeitig – gesamtgesellschaftlich gesehen – inzwischen fehlenden Zusammenhangs zwischen Lebenszufriedenheit und Einkommen müsste unserer Ansicht nach guten Arbeitsbedingungen ein deutlich größeres Gewicht als bisher eingeräumt werden. Tayloristische, stupide und repetitive Arbeitsorganisationsformen sollten, wo immer möglich, vermieden werden. Stattdessen sollten auch in traditionellen Unternehmen Konzepte zur Humanisierung der Arbeit – wie Arbeitserweiterung, Arbeitsplatzwechsel, Arbeitsbereicherung, (teil-)autonome Arbeitsgruppen – gestärkt werden. Erreicht werden könnte dies beispielsweise über die Aufnahme einer Mindestnorm für abwechslungsreichere Arbeit in das Arbeitsschutzgesetz. Dazu beitragen könnte auch die Förderung der bereits genannten

Ausweitung von Eigentumsstrukturen, bei denen die Mitarbeiter direkt am Unternehmen beteiligt sind.

Durch die Digitalisierung, neue organisatorische Veränderungen und Entwicklungen hin zu einer »Industrie 4.0« bieten sich vielfältige Chancen humanerer Arbeitsbedingungen, gerade im Blick auf Anforderungsvielfalt, Verwirklichungsmöglichkeiten und Autonomie. Diese Chancen sollten aktiv gestaltet und genutzt werden. Allerdings stehen diesen potentiellen Vorteilen auch Gefahren gegenüber, die unter den Schlagwörtern »Subjektivierung«, »Entgrenzung« und »Vermarktlichung« zusammengefasst werden können (siehe Kapitel 9). Um diese Gefahren zu vermeiden oder zumindest zu minimieren, müssen die Mitarbeiter durch umfangreiche Schulungen dazu befähigt werden, mit der in diesen Arbeitsformen neugewonnenen Verantwortung und dem damit einhergehenden Druck umzugehen. Um der »Entgrenzung« entgegenzuwirken, könnte beispielsweise zumindest in manchen Bereichen über die flächendeckende Einführung von E-Mail-Stopps außerhalb der Arbeitszeit (wie z. B. bei Volkswagen) oder zumindest am Wochenende (wie z. B. bei Henkel) nachgedacht werden. Auch der gesellschaftliche Diskurs über Strukturen der Anerkennung kann und sollte bei der Vermeidung dieser Gefahren eine wichtige Rolle spielen.

(3) Förderung der informellen Arbeit

Damit es nicht zu einer einseitigen Entwicklung der Arbeit als »Erfüllungsgehilfe« der formellen Erwerbswirtschaft kommt, erscheinen für den informellen Bereich mehrere Aspekte von zentraler Bedeutung zu sein. Zum ersten müsste der Erwerbswirtschaft insgesamt weniger Bedeutung beigemessen werden. Außerdem müssten informelle Netzwerke ausgebaut sowie ehrenamtliche und Selbsthilfeaktivitäten gefördert werden. Informelle Hilfeleistungen würden erleichtert, wenn sie durch ein Grundeinkommen abgesichert wären (vgl. hier Punkt 5).

Vor diesem Hintergrund ist es erforderlich, die informelle Ökonomie neu zu gestalten. Denn schon heute besteht die Gefahr, dass weite Teile der Bevölkerung immer mehr in den formellen, erwerbswirtschaftlichen Sektor drängen und der informelle Bereich zunehmend an Bedeutung verliert. Die positiven Akzente informeller Tätigkeiten würden auf diese Weise immer mehr zurückgedrängt. Die Lebenswelt erhielte damit einen gänzlich anderen Charakter.

Um eine möglichst ausgewogene dualwirtschaftliche Entwicklung von formeller und informeller Ökonomie zu erreichen, bedarf es einer sozialpolitischen Neugestaltung auf bislang kaum eingeschlagenen Pfaden. Doch wenn es wirklich gelingen sollte, ein Kooperationssystem aufzubauen, in dem die verschiedenen sozialpolitischen Träger miteinander verknüpft werden, könnte der informelle Bereich des Wirtschaftssystems grundlegend gestärkt werden. Ein solches Kooperationssystem darf aber nicht dazu genutzt werden, professionelle Leistungen einfach abzubauen. Es muss vielmehr gefragt werden, welche Angebote jeweils am besten durch eine bestimmte Verbindung von Akteuren erbracht, finanziert und übermittelt werden können.

Doch wenn ein anderes Verständnis der Tätigkeiten in der informellen Ökonomie erreicht werden soll, müssen diese gesellschaftlich auch anerkannt werden. Dabei darf aber nicht der Fehler gemacht werden, Frauen wieder auf eine Rolle im privaten Haushalt festzulegen. Vielmehr müssen beide Bereiche, nämlich die Erwerbs- und die Bedarfswirtschaft, für Frauen und Männer offen sein.

Den Interessen und Bedürfnissen der Menschen nach informellen Tätigkeiten muss das formelle System also vermehrt entsprechen. Derzeit ist es eher genau umgekehrt: Aktivitäten im informellen Bereich müssen sich an den vorgegebenen Zeitstrukturen der Erwerbsarbeit ausrichten. Um eine solche Veränderung der Arbeitszeitpolitik durchzusetzen, mit der formelle und informelle Ökonomie besser miteinander vereinbart werden können, wäre es notwendig, dass sich die Tarifparteien verstärkt an der Diskussion um informelles und formelles Arbeiten beteiligen. Bisher wurde die Diskussion, speziell von den Gewerkschaften, sehr stark auf die abhängige Erwerbsarbeit bezogen. Der informellen Ökonomie stand man hier zumeist skeptisch bis ablehnend gegenüber. Unberücksichtigt blieb dabei deren Anreiz- und Beispielfunktion, die sich etwa in Eigeninitiative, Mit- und Selbstbestimmungspotentialen und gesellschaftlich sinnvoller Arbeit äußert.

Ebenso ist es notwendig, die sozialen Sicherungssysteme im Blick auf Krankheit oder Berufsunfähigkeit so weiterzuentwickeln und auszugestalten, dass eine soziale Absicherung nicht nur für eine dauerhaft abhängige Vollzeiterwerbstätigkeit gewährleistet, sondern auch die Nichterwerbstätigkeit mit einbezogen wird.

(4) Eine Vielfalt von Arbeitszeitmodellen etablieren

Bei den Arbeitszeiten gilt es zwei Aspekte zu betrachten: Einerseits sollte die Teilzeitarbeit – wie in den Niederlanden und Skandinavien – auch in Deutschland primär für qualifizierte Tätigkeiten und auch für Männer attraktiver gemacht werden. Arbeiten in der informellen Ökonomie – wie Kinderbetreuung, Betreuung der Elterngeneration sowie ehrenamtliche Tätigkeiten – müssen bei der Karriere ebenso berücksichtigt werden wie die Erwerbsarbeit in der formellen Ökonomie. Teilzeitarbeit muss aus der »Schmuddelecke« herausgeholt werden und positiver besetzt werden. Nach wie vor ist Teilzeit eine Frauendomäne. Während 2014 in Deutschland 47 Prozent der Frauen in Teilzeit arbeiteten, waren es unter den Männern nur etwa neun Prozent (Statistisches Bundesamt 2016, 48). Ebenso ist Teilzeit bislang ein Arbeitszeitmodell, das die Karriere eher behindert als fördert. Vor allem Frauen bekommen dies immer wieder zu spüren. Als Grund für den »Karriereknick« wird gerade für Deutschland die besonders ausgeprägte Präsenzkultur angeführt (Hipp / Stuth 2013).

Neben der Aufwertung der Teilzeitarbeit könnten andererseits aber auch unterschiedliche Lebens- und andere Arbeitszeitmodelle praktiziert werden, die eine größere Durchlässigkeit zwischen formeller und informeller Lebenswelt zulassen. Denkbar wäre etwa die Festlegung einer Lebensarbeitszeit in erbrachten Stunden, die jeder individuell über sein Arbeitsleben verteilen kann, indem er oder sie etwa in bestimmten Lebensabschnitten mehr und in anderen weniger arbeitet. Zur Unterstützung würde sich unter Umständen eine Kombination zwischen Grundeinkommen und alternativen Arbeitszeitoptionen anbieten.

Außerdem darf nicht übersehen werden, dass zurzeit eine Diskussion zur Aufhebung des Achtstundentages geführt wird, um bestimmte Formen der Flexibilisierung zu ermöglichen. Sicher entsprechen flexible Arbeitszeiten dem Wunsch der Arbeitnehmerinnen und Arbeitnehmer, doch müssen diese auch vor überlangen Arbeitszeiten geschützt werden.

(5) Erprobung eines lebensphasenspezifischen Grundeinkommens

Ein wichtiges Element zur Realisierung einer Postwachstumsgesellschaft stellt die Einführung eines Grundeinkommens dar, wie es in Kapitel 8 beschrieben wurde. Dadurch könnte zum einen eine deutliche Verschlankung und Vereinfachung des bisherigen Sozialleistungssystems erreicht werden. Im Sinne einer Postwachstumsgesellschaft noch wichtiger ist jedoch, dass durch ein Grundeinkommen der Zwang, »um jeden Preis« zu arbeiten, reduziert würde. Befreit von der ständigen Suche nach einem Job, könnte dies bei vielen Menschen neue Kräfte freisetzen.

Ein Grundeinkommen würde auch eine Verschiebung von formellen zu informellen Tätigkeiten erleichtern. Insgesamt erhielten gerade informelle Tätigkeiten wie die Hausarbeit, die Kinderbetreuung sowie die Pflege von kranken und alten Personen durch ein Grundeinkommen eine größere Anerkennung als bislang. Der momentan auf Erwerbsarbeit fokussierte Blick würde durch eine andere Honorierung der informellen Arbeit geweitet. Insgesamt würden alle, die finanziell abhängig sind, durch ein Grundeinkommen an Unabhängigkeit gewinnen. Schließlich trägt ein Grundeinkommen zur Überwindung der unbedingten Beschleunigungs- und Steigerungslogik der heutigen Gesellschaft bei, und damit auch zur Ermöglichung und zum Aufbau neuer Formen gesellschaftlicher Anerkennung.

Anstelle eines bedingungslosen Grundeinkommens mit einem einheitlichen Satz empfehlen wir, die genaue Ausgestaltung eines lebensphasenspezifischen Modells zu prüfen. In verschiedenen Lebensphasen weicht die Bedürftigkeit zum Teil deutlich voneinander ab. Bezüglich der Finanzierung –

etwa über eine Erhöhung der Umsatzsteuer oder über eine negative Einkommensteuer – erscheint eine sozial gerechte Ausgestaltung entscheidend.

Nun wird über das Grundeinkommen schon seit Jahrzehnten diskutiert, allerdings gab es in Deutschland noch keine Erprobung in nennenswertem Umfang. Um in der Debatte einen Schritt weiter zu kommen, schlagen wir deswegen vor, das Grundeinkommen und seine Auswirkungen in Form eines großen Experiments in Deutschland auszutesten. Als Ausgangspunkt für das Design eines solchen Experiments könnte dabei das momentan in Finnland anlaufende Grundeinkommensexperiment dienen, das im Jahr 2017 starten und zwei Jahre dauern soll (Kansaneläkelaitos 2016). Auf Basis der Ergebnisse dieses Experiments könnten dann weitere Entscheidungen getroffen werden.

(6) Verringerung der Ungleichheit

Die Verteilungsfrage wird in einer Postwachstumsgesellschaft eine entscheidende Rolle spielen. Über eine Verringerung von Ungleichheiten könnte der Statuskonsum reduziert werden. In gewisser Weise kann sich die Gesellschaft schon allein dadurch auf etwas mehr Genügsamkeit ausrichten, wobei dies keine negativen Auswirkungen auf die Lebenszufriedenheit der Menschen haben muss. Im Gegenteil: Die Zufriedenheit in einer Gesellschaft scheint ab einem gewissen Einkommensniveau nicht mehr von dessen Höhe, sondern dessen Verteilung abhängig, wobei gilt: je gleicher desto besser. Sogar unabhängig von einer Postwachstumsgesellschaft stellt die Verringerung der Ungleichheit also ein lohnenswertes Ziel dar.

In einer Postwachstumsgesellschaft kann höchstwahrscheinlich nicht mehr mit einem »Mehr für alle« im klassischen, konsumbasierten Sinne gerechnet werden. Um trotzdem die Durchlässigkeit der Gesellschaft, eine möglichst hohe Chancengerechtigkeit und damit auch den sozialen Frieden sicherzustellen, wird Umverteilung von noch größerer Bedeutung sein als heute. Wie in den Kapiteln 3 und 8 gezeigt wurde, hat sich die Einkommensungleichheit in Deutschland in den letzten Jahrzehnten deutlich erhöht. Wir schlagen als Ziel vor, die Einkommensungleichheit mindestens wieder auf das Niveau des Jahres 2000 zu senken. In Kapitel 8 wurden dafür einige mögliche Instrumente aufgezählt: eine Erhöhung der Einkommensteuer, die entsprechende Gestaltung von Abgeltungssteuern, Vermögenssteuern, Erbschaftssteuern und Finanztransaktionssteuern. Auch das bereits vorgestellte Grundeinkommen würde, bei entsprechender Ausgestaltung, ebenfalls zu diesem Ziel beitragen. Neben der allgemeinen Einkommensungleichheit stellt ein weiteres wichtiges Ziel die Verringerung des *Gender Pay Gap* dar. Dazu sollten unter anderem die Wiedereinstiegschancen von Müttern und die Auszeitmöglichkeiten von Vätern weiter gesetzlich verbessert werden.

(7) Umsteuern bei der Staatsfinanzierung

Um umweltfreundlichere und effiziente Produktions- und Konsumstrukturen zu fördern, sollten negative externe Umwelteffekte möglichst vollständig internalisiert werden. Dies ist heute jedoch bei weitem nicht der Fall. Im Gegenteil: Heute wird zur Finanzierung des Staatshaushalts hauptsächlich der Faktor Arbeit belastet, der Faktor Umweltverbrauch hingegen nur in sehr geringem Umfang. So machen Belastungen des Faktors Arbeit 63 Prozent des Staatshaushalts aus, wohingegen der Faktor Umwelt nur zu 5 Prozent zum Staatshaushalt beiträgt (Ludewig et al. 2015). Um sinnvollere Anreizstrukturen zu schaffen, sollte das Steuersystem getreu der Devise »tax bads, not goods« geändert werden – und Arbeit ist definitiv ein *good*. Wir schlagen daher eine ökologische Finanzreform vor, die ihren Namen wirklich verdient, die die negativen externen Umwelteffekte internalisiert und damit zu einer deutlichen Erhöhung des Umweltsteueranteils am Staatshaushalt führt. Dabei könnten die Einnahmen – beispielsweise aus der Einführung einer CO_2-Steuer, der Anhebung der bereits bestehenden Öko-Steuer und der LKW-Maut oder aus der Abschaffung des Dienstwagenprivilegs – in Form eines ökologischen Grundeinkommens beziehungsweise eines Ökobonus wieder ausgezahlt werden, entweder unabhängig von einem allgemeinen Grundeinkommen oder aber unter teilweiser Anrechnung auf das Grundeinkommen.

(8) Gesellschaftlicher Diskurs und internationale Verantwortung

Eine entscheidende Rolle bei der Frage, wie beziehungsweise ob die Gesellschaft zu nachhaltigen Produktions- und Konsummustern gelangen wird, kommt der Organisation eines gesellschaftlichen Diskurses zu. Wie wollen die Menschen in Zukunft leben? Wie regional oder wie global sollten die Wertschöpfungsketten sein? Von welchem »Wohlstandsschrott« könnten oder sollten die Menschen ihr Leben entrümpeln? Welche Verantwortung tragen die frühindustrialisierten Länder für bessere Arbeits- und Lebensbedingungen auch in anderen Ländern, aus denen Waren importiert werden?

Der von der Bundesregierung initiierte Bürgerdialog »Gut leben in Deutschland – Was uns wichtig ist« (Bundesregierung 2016) stellt hier einen wertvollen Beitrag dar, sollte aber keineswegs als abgeschlossen betrachtet, sondern weitergeführt und ausgeweitet werden. Bezüglich der internationalen Perspektive plädieren wir dafür, dass sich Deutschland noch stärker als bislang für die Durchsetzung und Einhaltung internationaler Arbeits- und Umweltstandards einsetzt. Aktuell stehen hier vor allem das Pariser Klimaabkommen und die Transatlantische Handels- und Investitionspartnerschaft (TTIP) im Fokus. Beim Pariser Klimaabkommen gilt es, den ambitionierten Zielen ebenso ambitionierte Taten folgen zu lassen. Bei TTIP gilt es sicherzustellen, dass bei Umwelt-, Verbraucher- und Arbeitsschutz jeweils die höchsten vorhandenen Standards als Maßstab angesetzt werden. Ohne die Verwirklichung dieser Bedingungen sollte ein Abkommen wie TTIP nicht geschlossen werden.

(9) Ein ganzheitliches Bildungssystem verwirklichen

Dem Bildungssystem kommt bei der Förderung einer Postwachstumsgesellschaft eine Schlüsselfunktion zu. Bildung hat einen Eigenwert an sich und ist zunächst von ihrer »Verwertung« im Arbeitsprozess unabhängig. Dennoch kommt der Bildung auch die Aufgabe zu, Menschen über die Vermittlung einer Vielfalt an Qualifikationen für den Arbeitsprozess vorzubereiten und sie gleichzeitig zu befähigen, eine aktive Rolle im Transformationsprozess zu einer zukunftsfähigen Wirtschaft wahrzunehmen.

Nach wie vor weist das heutige Bildungssystem Defizite auf, was die Verwirklichung der Chancengerechtigkeit betrifft. Diese Defizite sollten so schnell und so umfassend wie möglich beseitigt werden. Dem Begriff der Inklusion wird in allen bildungspolitischen Verlautbarungen höchste Priorität eingeräumt – aber auch hier besteht Nachholbedarf, was deren praktische Verwirklichung betrifft.

»Lebenslanges Lernen« ist ein weiteres Schlagwort, das die Bildungspolitik nun schon seit Jahrzehnten kennzeichnet. In Zeiten rascher gesellschaftlicher Veränderungen ist es besonders wichtig, Menschen die Möglichkeiten einzuräumen, sich lebenslang fort- und weiterzubilden. In der hier beschriebenen Arbeitswelt einer Postwachstumsgesellschaft würde durch die erhöhte Vielfalt der Arbeitszeitmodelle und der Formen der Arbeitsorganisation auch ein entsprechender Zugang zu Bildungsangeboten stark erleichtert – aber solche Angebote müssen auch erst einmal geschaffen werden, bevor sie wahrgenommen werden können.

Wir empfehlen hier, die Programme zur Veränderung von Bildungssystemen und -inhalten aufzugreifen, die die Plattform Bildung für nachhaltige Entwicklung gerade erarbeitet; einzelne Punkte zur Reform des Bildungswesens von der Vorschulerziehung über Schul- und Hochschulbildung bis zur Erwachsenenbildung sollen hier im Herbst 2016 vorgestellt werden.

Dass Bildung mit einem ganzheitlichen Anspruch immer auch Bewusstseinsbildung sein wird, ist auf dem Weg in eine Postwachstumsgesellschaft von besonderer Bedeutung – schließlich geht es nicht nur um die Organisation von Arbeit und um deren Inhalte, sondern auch darum, dass sich die Menschen bewusst werden, welches Verhältnis sie zu ihrer Arbeit, zu Arbeit insgesamt und zu den Dingen haben, die mit ihrer Arbeit hergestellt werden. Nur auf dieser Grundlage kann eine Postwachstumsgesellschaft als positives Bild der Zukunft möglich werden.

Literatur

Alle Links wurden am 28. April 2016 noch einmal überprüft.

Kapitel 1: Arbeit in der Postwachstumsgesellschaft

Arendt, Hannah (1958): Vita activa oder Vom tätigen Leben. München: Piper.

Aristoteles: Politik – Schriften zur Staatstheorie. Ausg. v. Franz F. Schwarz, Stuttgart: Philipp Reclam Jr. 1989.

Bibel, zweiter Thessaloniker Brief.

BMAS (Bundesministerium für Arbeit und Soziales) (Hrsg.) (2015): Grünbuch Arbeiten 4.0 – Arbeit weiter denken. Berlin: BMAS.

Camus, Albert (1943): Le mythe de Sisyphe – essai sur l'absurde. Paris: Gallimard.

Chevassus-au-Louis, Nicolas (2006): Les briseurs de machines – de Ned Ludd à José Bové. Paris: Éditions du Seuil.

Diefenbacher, Hans / Held, Benjamin / Rodenhäuser, Dorothee / Zieschank, Roland (2016): Aktualisierung und methodische Überarbeitung des Nationalen Wohlfahrtsindex 2.0 für Deutschland. Dessau: Umweltbundesamt.

Durning, Allan Thein (1992): How much is enough? The Consumer Society and the Future of the Earth. New York: Norton.

Franken, Swetlana (Hrsg.) (2015): Industrie 4.0 und ihre Auswirkungen auf die Arbeitswelt. Aachen: Shaker.

Furniss, Edgar S. (1924): The Position of the Labourer in a System of Nationalism. Boston: Howard Press.

Koepp, Robert / Schunke, Franziska / Köhler, Christoph / Liebig, Steffen / Schröder, Stefan (2015): Arbeit in der Postwachstumsgesellschaft – Diagnosen, Prognosen und Gegenentwürfe. Eine kommentierte Literaturübersicht [Working Papier 6/2015]. Jena: Kolleg Postwachstumsgesellschaften.
Leuchten, Alexius (1978): Der Kampf um den Achtstundentag. Diss. Universität Augsburg.
Locke, John (1690): Zwei Abhandlungen über die Regierung. Ausg. v. H. J. Hoffmann, Frankfurt a. M.: Suhrkamp 1967.
Mumford, Lewis (1967): The Myth of the Machine. New York: Harcourt, Brace, Jovanovich.
o. Verf. (1890): Der Kampf um den Achtstundentag – Festschrift zum 1. Mai 1890. Leipzig: Verlag von Eduard Schultzes Buchhandlung.
Schmidt, Eberhard (1984): »Enteignung und Wiederaneignung von Arbeit«, in: Berger, Johannes / Müller, Joachim / Pfriem, Reinhard (Hrsg.): Kongress Zukunft der Arbeit – Wege aus Massenarbeitslosigkeit und Umweltzerstörung. Hannover: SOAK, 226–236.
Skidelsky, Robert / Skidelsky, Edward (2012): How much is enough? The Love of Money, and the Case for the Good Life. London: Allen Lane.
Spehr, Michael (2000): Maschinensturm – Protest und Widerstand gegen technische Neuerungen am Anfang der Industrialisierung. Münster: Verlag Westfälisches Dampfboot.
Xenophon: Oikonomikos. Ausg. v. Gerd Audring, Berlin: Akademie-Verlag 1992.

Kapitel 2: Zum Begriff der Arbeit

Aristoteles: Politik. Ausg. Hamburg: Felix Meiner Verlag 1989.
Atteslander, Peter (1985): »Geht die Arbeitsgesellschaft ihrem Ende entgegen?«, in: Ropohl, Günter (Hrsg.): Arbeit im Wan-

del – technische Entwicklung, Beschäftigung und Arbeitsorganisation. Berlin: Erich Schmidt, 9–16.

Brockhaus Enzyklopädie, 19., völlig neu bearbeitete Auflage. Mannheim: F.A. Brockhaus 1987.

Engels, Friedrich (1845): Die Lage der arbeitenden Klasse in England. Ausg. Marx-Engels-Werke (MEW), Bd. 2. Berlin: Dietz Verlag 1962, 225–506.

IMK (Institut für Makroökonomie und Konjunkturforschung) (Hrsg.) (2015): IMK-Report Nr. 109. Düsseldorf: Hans-Böckler-Stiftung. URL: www.boeckler.de/pdf/p_imk_report_109_2015.pdf

IW (Institut der deutschen Wirtschaft) (Hrsg.) (2015): Deutschland in Zahlen. Ausg. 2015. Köln: Deutscher Instituts-Verlag.

Lafargue, Paul (1883): Das Recht auf Faulheit. Ausg. Grafenau: Trotzdem-Verlag 2001.

Lavant, Rudolf (1886): Vorwärts. Eine Sammlung von Gedichten für das arbeitende Volk. Zürich: Verlag der Volksbuchhandlung.

Liessmann, Konrad Paul (2000): »Im Schweiße deines Angesichts. Zum Begriff der Arbeit in den anthropologischen Konzepten der Moderne«, in: Beck, Ulrich (Hrsg.): Die Zukunft von Arbeit und Demokratie. Frankfurt a. M.: Suhrkamp, 85–107.

Luther, Martin (1529): Predigt vom 27. Juni 1529. In: D. Martin Luthers Werke. Kritische Gesamtausgabe, Bd. 29. Weimar: Hermann Böhlaus Nachfolger 1904, 436–443.

Marx, Karl (1844): Ökonomisch-philosophische Manuskripte aus dem Jahre 1844. Ausg. Marx-Engels-Werke (MEW), Bd. 40. Berlin: Dietz Verlag 1974.

– (1867): Das Kapital, Bd. 1. Ausg. Marx-Engels-Werke (MEW), Bd. 23. Berlin: Dietz Verlag 1972.

– (1894): Das Kapital, Bd. 3. Ausg. Marx-Engels-Werke (MEW), Bd. 25. Berlin: Dietz Verlag 1968.

Oschmiansky, Frank (2010): Der Arbeitsbegriff im Wandel der Zeiten. Bonn: Bundeszentrale für politische Bildung. URL:

http://www.bpb.de/politik/innenpolitik/arbeitsmarktpolitik/55031/arbeitsbegriff

Ramm, Thilo (1985): »Das Recht auf Arbeit«, in: Ropohl, Günter (Hrsg.): Arbeit im Wandel – technische Entwicklung, Beschäftigung und Arbeitsorganisation. Berlin: Erich Schmidt, 27–35.

Schröder, Christoph (2013): »Lohnstückkosten: Deutschland bleibt teurer Standort«, in: IW-Trends 4/2013. URL: www.iwkoeln.de/infodienste/iwd/archiv/beitrag/lohnstueckkosten-deutschland-bleibt-teurer-standort-139542

Schweitzer, Marcell / Baumeister, Alexander (2015): Allgemeine Betriebswirtschaftslehre – Theorie und Politik des Wirtschaftens in Unternehmen. Berlin: Erich Schmidt.

Smith, Adam (1776): Eine Untersuchung über Wesen und Natur des Volkswohlstandes. Ausg. v. Hartmut Waentig, Jena: Gustav Fischer, 3 Bde., 1923.

Zinn, Karl Georg (1972): Arbeitswerttheorie – zum heutigen Verständnis der positiven Wirtschaftstheorie von Karl Marx. Herne / Berlin: Verlag Neue Wirtschafts-Briefe.

Kapitel 3: Postwachstum

Arnold, Lutz (1997): Wachstumstheorie. München: Vahlen.

Bell, Daniel (1973): The coming of post-industrial society – a venture in social forecasting. New York: Basic Books.

Binswanger, Hans Christoph (2006): Die Wachstumsspirale. Marburg: Metropolis.

BMWi (Bundesministerium für Wirtschaft und Energie) (Hrsg.) (2014): Mehr aus Energie machen – Nationaler Aktionsplan Energieeffizienz. Berlin: BMWi. URL: http://www.bmwi.de/DE/Mediathek/publikationen,did=672756.html

Bodle, Ralph / Donat, Lena / Duwe, Matthias (2016): The Paris Agreement – Analysis, Assessment and Outlook. Background paper for the workshop »Beyond COP21: what does Paris mean for future climate policy?« Dessau / Berlin: Umweltbundesamt.

Bolt, Jutta / van Zanden, Jan Luiten (2014): »The Maddison Project: Collaborative Research on Historical National Accounts«, in: Economic History Review, Vol. 67, 627–651.

Brand, Ulrich / Wissen, Markus (2013): »Crisis and continuity of capitalist society-nature relationships: The imperial mode of living and the limits to environmental governance«, in: Review of International Political Economy, Vol. 20, 687–711.

Brown, Doug (Hrsg.) (1998): Thorstein Veblen in the twenty-first century – a commemoration of the theory of the leisure class (1899–1999). Cheltenham: Elgar.

Boulding, Kenneth E. (1966): »The Economics of the Coming Spaceship Earth«, in: Jarrett, Henry (Hrsg.): Environmental Quality in a Growing Economy, Baltimore, MD: Johns Hopkins University Press, 3–14.

BUND (Bund für Umwelt und Naturschutz Deutschland) (Hrsg.) (2008): Zukunftsfähiges Deutschland in einer globalisierten Welt – ein Anstoß zur gesellschaftlichen Debatte. Eine Studie des Wuppertal Instituts für Klima, Umwelt, Energie. Bonn: Bundeszentrale für politische Bildung.

Commoner, Barry (1971): The closing circle: nature, man and technology. New York: Knopf.

Crédit Suisse Research Institute (Hrsg.) (2015): Global Wealth Report 2015. Zürich: Crédit Suisse.

Daly, Herman E. (1977): Steady-state economics – the economics of biophysical equilibrium and moral growth. San Francisco: Freeman.

Diefenbacher, Hans / Zieschank, Roland (2011): Woran sich Wohlstand wirklich messen lässt – Alternativen zum Bruttoinlandsprodukt. München: oekom.

Easterlin, Richard A. / Angelescu, Laura (2007): Modern Economic Growth and Quality of Life – Cross Sectional and Time

Series Evidence [IZA Discussion Paper No. 2755]. Bonn: Forschungsinstitut zur Zukunft der Arbeit.
Eckstein, Sascha / Hillebrandt, Katharina / Kunz, Claudia (2014): Metaanalyse Entwicklung des Energieverbrauchs in Deutschland – Forschungsradar Energiewende. Berlin: Agentur für Erneuerbare Energien.
Ellis, Erle C. / Klein Goldewijk, Kees / Siebert, Stefan et al. (2010): »Anthropogenic transformation of the biomes, 1700 to 2000«, in: Global Ecology and Biogeography, Vol. 19, 589–606.
Erhard, Ludwig (1957): Wohlstand für alle. Düsseldorf: Econ-Verlag.
Eurostat (Hrsg.) (2016): Healthy life years and life expectancy at birth, by sex. URL: http://ec.europa.eu/eurostat/tgm/refreshTableAction.do?tab=table&plugin=1&pcode=tsdph100&language=en
Fatheuer, Thomas (2011): Buen Vivir: Eine kurze Einführung in Lateinamerikas neue Konzepte zum guten Leben und zu den Rechten der Natur. Berlin: Heinrich-Böll-Stiftung.
Fromm, Erich (1976): Haben oder Sein – die seelischen Grundlagen einer neuen Gesellschaft. Stuttgart: DVA.
Galbraith, John Kenneth (1958): The affluent society. Boston: Mifflins.
Georgescu-Roegen, Nicholas (1971): The entropy law and the economic process. Cambridge, Mass.: Harvard University Press.
Gillingham, Kenneth / Rapson, David / Wagner, Gernot (2016): »The Rebound Effect and Energy Efficiency Policy«, in: Review of Environmental Economics and Policy, Vol. 10, 68–88.
GFN (Global Footprint Network) (Hrsg.) (2010): Ecological Footprint and Biocapacity 2007, Results from National Footprint Accounts 2010 edition. URL: http://www.footprintnetwork.org/de/index.php/GFN/page/footprint_data_and_results/
Goebel, Jan / Grabka, Markus M. / Schäfer, Carsten (2015): »Einkommensungleichheit in Deutschland bleibt weiterhin hoch –

junge Alleinlebende und Berufseinsteiger sind zunehmend von Armut bedroht« [korrigierte Version], in: DIW Wochenbericht Nr. 25.2015, 571–586.

Grabka, Markus M. / Westermeier, Christian (2014): »Anhaltend hohe Vermögensungleichheit in Deutschland«, in: DIW Wochenbericht Nr. 9/2014, 151–164.

Harris, Donald J. (2008): »Classical growth model«, in: Durlauf, Steven N. / Blume, Lawrence E. (Hrsg.): The New Palgrave Dictionary of Economics. Basingstoke u. a.: Palgrave Macmillan.

Heinrich-Böll-Stiftung (Hrsg.) (2014): Seitenwechsel – Die Ökonomien des Gemeinsamen. Berlin: Heinrich-Böll-Stiftung.

Held, Benjamin, (2016, im Erscheinen): »Konsum und Einkommen – welcher Zusammenhang besteht? Eine empirische Analyse«, in: Emunds, Bernhard (Hrsg.): Soziale Ungleichheiten – Herausforderungen für die Umweltpolitik. Marburg: Metropolis.

Hibbard, Kathy / Crutzen, Paul / Lambin, Eric F. et al. (2006): »Group Report: Decadal-scale Interaction of Humans and the Environment«, in: Costanza, Robert / Graumlich, Lisa J. / Steffen, Will (Hrsg.): Sustainability or Collapse? An Integrated History and Future of People on Earth. Cambridge, Mass. / London / Berlin: The MIT Press / Dahlem University Press.

Hirsch, Fred (1976): Social limits to growth. Cambridge, Mass. u. a.: Harvard Univ. Press.

Hopkins, Rob (2008): The Transition Handbook – From Oil Dependency to Local Resilience. Totnes: Green Books.

Hopwood, Bob / Mellor, Mary / O'Brien, Geoff (2005): »Sustainable Development – Mapping Different Approaches«, in: Sustainable Development, Vol. 13, 38–52.

IPCC (Intergovernmental Panel on Climate Change) (Hrsg.) (2014): Climate Change 2014 – Synthesis Report Summary for Policy Makers. Genf: Intergovernmental Panel on Climate Change.

Jackson, Tim (2011): Wohlstand ohne Wachstum – Leben und Wirtschaften in einer endlichen Welt. München: oekom.

Jacobs, Michael (2012): Green Growth – Economic Theory and Political Discourse [Working Paper No. 108]. Leeds: Centre for Climate Change, Economics and Policy.

Jaeggi, Rahel / Kübler, Lukas (2014): »Pathologien der Arbeit – Zur Bedeutung eines gesellschaftlichen Kooperationsverhältnisses«, in: WSI Mitteilungen 7/2014, 521–527.

Jänicke, Martin (1998): Dematerialisierung als Prognose und Programm – die Hypothese vom Ende der »era of materials« [FFU-Report 98–4]. Berlin: Freie Universität.

– (2011): »Radikal schrumpfen / radikal wachsen – Über Wachstumsillusionen und nachhaltiges Wirtschaften«, in: böll Thema, Vol. 2, 30 f.

Jeffery, Louise / Fyson, Claire / Alexander, Ryan et al. (2015): Climate Action Tracker Update: 2.7 °C is not enough – we can get lower. Climate Analytics, Potsdam Institute for Climate Impact Research, New Climate Institute, Ecofys.

Jevons, William Stanley (1865): The coal question. London: Macmillan.

Kahn, Herman / Brown, William / Martel, Leon (1977): The next 200 years – a scenario for America and the world. London: Associated Business Programmes.

Keynes, John Maynard (1930): »Economic Possibilities for our Grandchildren«, in: Nation and Athenaeum, 11. und 18. Oktober 1930, abgedr. in The Collected Writings of John Maynard Keynes, Ausg. Cambridge: University Press 2012, Vol. 9, 321–334.

Koepp, Robert / Schunke, Franziska / Köhler, Christoph et al. (2015): Arbeit in der Postwachstumsgesellschaft – Diagnosen, Prognosen und Gegenentwürfe; eine kommentierte Literaturübersicht [Working Paper der DFG-KollegforscherInnengruppe Postwachstumsgesellschaften 6/2015]. Jena: Kolleg Postwachstumsgesellschaften.

Kohr, Leopold (1962): Die »Überentwickelten« oder die Gefahr der Größe. Düsseldorf: Econ-Verlag.

Krausmann, Fridolin / Gingrich, Simone / Eisenmenger, Nina et al. (2009): »Growth in global materials use, GDP and population during the 20th century«, in: Ecological Economics, Vol. 68, 2696–2705.

Kreiß, Christian (2014): Geplanter Verschleiß – wie die Industrie uns zu immer mehr und immer schnellerem Konsum antreibt und wie wir uns dagegen wehren können. Berlin: Europa-Verlag.

Lewis, Simon L. (2012): »We must set planetary boundaries wisely«, in: Nature, Vol. 485, 417.

Maaz, Hans-Joachim (2015): Die narzisstische Gesellschaft – ein Psychogramm. 3. Aufl., München: Deutscher Taschenbuch Verlag.

Madlener, Reinhard / Alcott, Blake (2011): Herausforderungen für eine technisch-ökonomische Entkopplung von Naturverbrauch und Wirtschaftswachstum unter besonderer Berücksichtigung der Systematisierung von Rebound-Effekten und Problemverschiebungen. Berlin: Enquête-Kommission »Wachstum, Wohlstand, Lebensqualität« des Deutschen Bundestages.

Martínez-Alier, Joan / Pascual, Unai / Vivien, Franck-Dominique et al. (2010) »Sustainable de-growth – Mapping the context, criticisms and future prospects of an emergent paradigm«, in: Ecological Economics, Vol. 69, 1741–1747.

McKenzie, Richard B. / Tullock, Gordon (1984): Homo oeconomicus – ökonomische Dimensionen des Alltags. Frankfurt a. M. / New York: Campus.

Meadows, Dennis L. / Meadows, Donella H. et al. (1972): The limits to growth – a report for The Club of Rome's project on the predicament of mankind. New York: Universe Books.

Miegel, Meinhard (2010): Exit – Wohlstand ohne Wachstum. Berlin: Propyläen Verlag.

Mill, John Stewart (1848): Principles of Political Economy with some of their Applications to Social Philosophy. Ausg. London: Longmans, Green and Co. 1909.

Muraca, Barbara / Egan-Krieger, Tanja von (2011): »Gerechtigkeit und gutes Leben jenseits von Wachstum«, in: Rätz, Werner / Egan-Krieger, Tanja von / Vetter, Andrea / Muraca, Barbara / Passadakis, Alexis / Schmelzer, Matthias (Hrsg.), Ausgewachsen! Ökologische Gerechtigkeit, Soziale Rechte, Gutes Leben. Hamburg: VSA, 43–56.

Neckel, Sighard / Wagner, Greta (2014): »Burnout – Soziales Leiden an Wachstum und Wettbewerb«, in: WSI – Mitteilungen 7/2014, 536–542.

Netzwerk Vorsorgendes Wirtschaften (Hrsg.) (2013): Wege vorsorgenden Wirtschaftens. Marburg: Metropolis.

Noll, Heinz-Herbert / Weick, Stefan (2014): »Lebenszufriedenheit steigt mit der Höhe der Konsumausgaben«, in: Informationsdienst soziale Indikatoren, Nr. 51, 1–6.

OECD (Organisation for Economic Cooperation and Development) (Hrsg.) (2011): Towards Green Growth. Paris: OECD Publishing.

– (Hrsg.) 2014: Green Growth Indicators 2014 [OECD Green Growth Studies]. Paris: OECD Publishing.

– (Hrsg.) 2015: In It Together – Why Less Inequality Benefits All. Paris: OECD Publishing.

– (Hrsg.) (2016): Environment Statistics, Total Carbon Dioxide Emissions excl. LULUCF. Paris: OECD Publishing.

– (Hrsg.) (2016b): OECD Better Life Index. URL: http://www.oecdbetterlifeindex.org

Ott, Konrad (2011): »Vier Pfade ins Postwachstumszeitalter«, in: vorgänge, Nr. 195, 54–69.

– (2012): »Variants of de-growth and deliberative democracy: A Habermasian proposal«, in: Futures, Vol. 44, 571–581.

Paech, Niko (2012): Befreiung vom Überfluss – Auf dem Weg in die Postwachstumsökonomie. München: oekom.

Pearce, David (2002): »An Intellectual History of Environmental Economics«, in: Annual Review of Energy Economics, Vol. 27, 57–81.

Rätz, Werner / Egan-Krieger, Tanja von / Vetter, Andrea et al. (Hrsg.) (2011): Ausgewachsen! Ökologische Gerechtigkeit, Soziale Rechte, Gutes Leben. Hamburg: VSA.

Raworth, Kate (2012): A Safe and Just Space for Humanity – Can we live within the doughnut? Oxford: Oxfam.

Reuter, Norbert (1998): Wachstumseuphorie und Verteilungsrealität – Wirtschaftspolitische Leitbilder zwischen Gestern und Morgen. Marburg: Metropolis.

Rockström, Johan / Steffen, Will / Noone, Kevin et al. (2009): »A safe operating space for humanity«, in: Nature, Vol. 461, 472–475.

Rowlingson, Karen (2011): Does income inequality cause health and social problems? York: Joseph Rowntree Foundation. URL: https://www.jrf.org.uk/report/does-income-inequality-cause-health-and-social-problems

Santarius, Tilman (2012): Der Rebound-Effekt – Über die unerwünschten Folgen der erwünschten Energieeffizienz [Impulse zur Wachstumswende 5]. Wuppertal: Wuppertal Institut für Klima, Umwelt, Energie.

Schäfer, Andreas (o. J.): Stichwort »gleichgewichtiges Wachstum«, in: Gabler Wirtschaftslexikon. Wiesbaden: Springer Gabler Verlag.

Schefold, Bertram / Carstensen, Kristian (2001): »Die klassische Politische Ökonomie«, in: Issing, Otmar (Hrsg.): Geschichte der Nationalökonomie. München: Vahlen, 63–87.

Schellnhuber, Hans Joachim (2015): Selbstverbrennung – Die fatale Dreiecksbeziehung zwischen Klima, Mensch und Kohlenstoff. München: C. Bertelsmann Verlag.

Schmelzer, Matthias (2015): »Spielarten der Wachstumskritik«, in: DFG-Kolleg Postwachstumsgesellschaften (Hrsg.): Atlas der Globalisierung – Weniger wird mehr. Berlin: Le monde diplomatique / taz, 116–121.

Schneidewind, Uwe / Zahrnt, Angelika (2013): Damit gutes Leben einfacher wird – Perspektiven einer Suffizienzpolitik. München: oekom.

Schumacher, Ernst F. (1974): Small is beautiful – a study of economics as if people mattered. London: Abacus.

Seidl, Irmi / Zahrnt, Angelika (Hrsg.) (2010): Postwachstumsgesellschaft – Konzepte für die Zukunft. Marburg: Metropolis.

Smil, Vaclav (2010): Energy transitions – history, requirements, prospects. Santa Barbara u. a.: Praeger.

SOEPGroup (Hrsg.) (2015): SOEP 2013 – SOEPmonitor Individuals 1984–2013 (SOEP v30) [SOEP Survey Papers Series E 284]. Berlin: DIW/SOEP.

Sommer, Bernd / Fischer, Michael (2012): Verbrauchte Zukunft – Mentale und soziale Voraussetzungen verantwortungsvollen Konsums. Bonn: Friedrich-Ebert-Stiftung.

– / Welzer, Harald (2014): Transformationsdesign – Wege in eine zukunftsfähige Moderne. München: oekom.

Sommer, Jörg / Müller, Michael (Hrsg.) (2016): Unter 2 Grad? Was der Weltklimavertrag wirklich bringt. Stuttgart: Hirzel.

Statistisches Bundesamt (Hrsg.) (2015): Volkswirtschaftliche Gesamtrechnung 2014, Inlandsproduktberechnung, Lange Reihen ab 1970. Fachserie 18, Reihe 1.5.

– (Hrsg.) (2016): Fachserie 18, Reihe 1.5, Volkswirtschaftliche Gesamtrechnungen, Bruttoinlandsprodukt, Bruttonationaleinkommen, Volkseinkommen, Lange Reihen ab 1925, Stand Februar 2016.

Steffen, Will / Crutzen, Paul J. / McNeill, John R. (2007): »The Anthropocene – Are Humans Now Overwhelming the Great Forces of Nature«, in: Ambio, Vol. 36, 614–621.

Steffen, Will / Richardson, Katherine / Rockström, Johan et al. (2015): »Planetary boundaries – Guiding human development on a changing planet«, in: Science, Vol. 347, 1–15. URL: http://www-ramanathan.ucsd.edu/files/pr210.pdf

Stern, David I. (2004): »The Rise and Fall of the Environmen-

tal Kuznets Curve«, in: World Development, Vol. 32, 1419–1439.
Stern, Nicholas (2007): The Economics of Climate Change – The Stern Review. Cambridge: Cambridge University Press.
Steurer, Reinhard (2002): Der Wachstumsdiskurs in Wissenschaft und Politik – von der Wachstumseuphorie über »Grenzen des Wachstums« zur Nachhaltigkeit. Berlin: VWF.
Stiglitz, Joseph E. / Sen, Amartya / Fitoussi, Jean-Paul (2009): Report of the Commission on the Measurement of Economic Performance and Social Progress. Paris: Commission on the Measurement of Economic Performance and Social Progress.
UBA (Umweltbundesamt) (Hrsg.) (2014): Treibhausgasneutrales Deutschland im Jahr 2050 [Climate Change 7/2015]. Dessau-Roßlau: Umweltbundesamt.
Ullrich, Wolfgang (2006): Habenwollen – wie funktioniert die Konsumkultur? Frankfurt a. M.: S. Fischer.
UNDP (United Nations Development Programme) (Hrsg.) (2016): Public Data Explorer. URL: http://hdr.undp.org/en/data-explorer
UNEP (United Nations Environment Programme) (Hrsg.) (2011): Towards a Green Economy – Pathways to Sustainable Development and Poverty Eradication. Nairobi: United Nations Environment Programme.
WBGU (Wiss. Beirat d. Bundesregierung Globale Umweltveränderungen) (Hrsg.) (2009): Kassensturz für den Weltklimavertrag – Der Budgetansatz [Sondergutachten]. Berlin: WBGU.
– (Hrsg.) (2011): Welt im Wandel – Gesellschaftsvertrag für eine Große Transformation [Hauptgutachten]. Berlin: WBGU.
– (Hrsg.) (2014): Klimaschutz als Weltbürgerbewegung [Sondergutachten]. Berlin: WBGU.
Welzer, Harald (2011): Mentale Infrastrukturen – Wie das Wachstum in die Welt und in die Seelen kam. Berlin: Heinrich-Böll-Stiftung.

Westermeier, Christian / Grabka, Markus M. (2015): »Große statistische Unsicherheit beim Anteil der Top-Vermögenden in Deutschland«, in: DIW Wochenbericht 7/2015, 123–133.
World Bank (Hrsg.) (2014): 4° Turn the Heat Down: – Confronting the New Climate Normal. Washington: World Bank.
World Wealth and Income Database (2016). URL: http://www.wid.world/#Database

Kapitel 4: Konkrete Erfahrungen mit Arbeit in der Wachstumsgesellschaft

Absenger, Nadine / Ahlers, Elke / Bispinck, Reinhard / Kleinknecht, Alfred / Klenner, Christina / Lott, Yvonne et al. (2014): Arbeitszeiten in Deutschland – Entwicklungstendenzen und Herausforderungen für eine moderne Arbeitszeitpolitik [WSI Report Nr. 19]. Düsseldorf: Wirtschafts- und Sozialwissenschaftliches Institut. URL: http://www.boeckler.de/pdf/p_wsi_report_19_2014.pdf
Arendt, Hannah (1960): Vita activa oder Vom tätigen Leben. Stuttgart: Kohlhammer.
Badura, Bernhard / Ducki, Antje / Schröder, Helmut / Klose, Joachim / Meyer, Markus (2012): Fehlzeiten-Report 2012. Gesundheit in der flexiblen Arbeitswelt: Chancen nutzen – Risiken minimieren. Dordrecht: Springer.
BfA (Bundesagentur für Arbeit) (Hrsg.) (2016a): Arbeitslosigkeit im Zeitverlauf. Entwicklung der Arbeitslosigkeit im Bundesgebiet (West) nach Strukturmerkmalen – Jahreszahlen, Tabelle 1.1 [Arbeitsmarkt in Zahlen, Januar 2016]. Nürnberg: BfA.
– (2016b): Der Arbeitsmarkt in Deutschland – Zeitarbeit – Aktuelle Entwicklungen. Statistik / Arbeitsmarktberichterstattung, Januar 2016. Nürnberg: BfA.
BMAS (Bundesministerium für Arbeit und Soziales) (Hrsg.) (2015): Grünbuch Arbeiten 4.0 – Arbeit weiter denken. Berlin: BMAS.

BMFT (Bundesministerium für Forschung und Technologie) (Hrsg.) (1979): Programm-Forschung zur Humanisierung des Arbeitslebens. Bonn: BMFT.

Brehmer, Wolfram / Seifert, Hartmut (2007): Wie prekär sind atypische Beschäftigungsverhältnisse? Eine empirische Analyse [WSI-Diskussionspapier Nr. 156]. Düsseldorf: WSI. URL: http://hdl.handle.net/10419/38789

Corneo, Giacomo / Schröder, Carsten / König, Johannes (2015): Distributional effects of subsidizing retirement savings accounts – Evidence from Germany. Berlin: Freie Universität.

DGUV (Deutsche Gesetzliche Unfallversicherung e.V.) (Hrsg.) (2010): Tödliche Arbeitsunfälle – Entwicklung 1886 bis heute. Berlin. DGUV. URL: http://www.dguv.de/medien/inhalt/presse/hintergrund/125jahre/dokumente/infografiken/infografik_ueberblick.pdf

Eichhorst, Werner / Kendzia, Michael Jan / Schneider, Hilmar (2013): Neue Anforderungen durch den Wandel der Arbeitswelt – Kurzexpertise für die Enquete-Kommission »Wachstum, Wohlstand, Lebensqualität« des Deutschen Bundestages [IZA research report, 51]. Bonn: IZA.

Eichhorst, Werner / Kuhn, Andrea / Thode, Eric / Zenker, Rosemarie (2010): Traditionelle Beschäftigungsverhältnisse im Wandel. Benchmarking Deutschland / Normalarbeitsverhältnis auf dem Rückzug. Gütersloh: Bertelsmann Stiftung. URL: http://www.gbv.de/dms/zbw/621235350.pdf

Engels, Friedrich (1845): Die Lage der arbeitenden Klasse in England – Nach eigner Anschauung und authentischen Quellen. Leipzig: Wigand, Ausg. Marx-Engels-Werke Bd. 2, 225–506. Berlin: Dietz 1972.

Eurostat (2016a): Armutsgefährdungsquote der Arbeitslosen. Code: [tesem210]. URL: http://ec.europa.eu/eurostat/tgm/table.do?tab=table&init=1&plugin=1&pcode=tesem210&language=de

– (2016b): Armutsgefährdungsquote verankert im Basisjahr

2005 nach Alter und Geschlecht (Quelle: SILC). Code: [: ilc_li22]. URL: http://appsso.eurostat.ec.europa.eu/nui/show.do

Faik, Jürgen / Becker, Jens (2009): Subjektive und objektive Lebenslagen von Arbeitslosen [SOEPpapers on multidisciplinary panel data research No. 255]. Berlin: DIW. URL: https://www.diw.de/documents/publikationen/73/diw_01.c.345751.de/diw_sp0255.pdf

Fourastié, Jean (1954): Die große Hoffnung des zwanzigsten Jahrhunderts, 3. Aufl. Köln-Deutz: Bund-Verlag.

Gual i Sole, Jordi (1998): Job creation. The role of labor market institutions. Cheltenham / Northampton, MA: Edward Elgar.

Hahn, Hans-Werner / Gall, Lothar (2011): Die industrielle Revolution in Deutschland. 3. Aufl. München: Oldenbourg.

Herzberg, Frederick / Mausner, Bernard / Snyderman, Barbara (1959): The Motivation to Work. New York: Wiley.

IAB (Institut für Arbeitsmarkt- und Berufsforschung) (Hrsg.) (2015a): Durchschnittliche Arbeitszeit und ihre Komponenten (Stand 09.12.2015). Tarifl. / betriebsübl. Arbeitszeit / Wochenarbeitszeit Vollzeit. Nürnberg: IAB.

– (2015b): Durchschnittliche Arbeitszeit und ihre Komponenten (Stand 09.12.2015). Tarifl. / betriebsübl. Arbeitszeit / Wochenarbeitszeit (alle Beschäftigten). Nürnberg: IAB.

– (2015c): Durchschnittliche Arbeitszeit und ihre Komponenten (Stand 09.12.2015). Erwerbstätige / Arbeitsvolumen. Nürnberg: IAB.

Jahoda, Marie / Lazarsfeld, Paul F. / Zeisel, Hans (1933): Die Arbeitslosen von Marienthal – Ein soziographischer Versuch über die Wirkungen langandauernder Arbeitslosigkeit. Ausg. Frankfurt a. M.: Suhrkamp 1975.

Kalina, Thorsten / Weinkopf, Claudia (2014): Niedriglohnbeschäftigung 2012 und was ein gesetzlicher Mindestlohn von 8,50 € verändern könnte. Universität Duisburg Essen: Institut Arbeit und Qualifikation [IAQ-Report 2/2014]. URL: http://www.iaq.uni-due.de/iaq-report/2014/report2014-02.pdf

Keynes, John Maynard (1930): »Economic Possibilities for our Grandchildren«, in: Nation and Athenaeum, 11. und 18. Oktober 1930, abgedr. in The Collected Writings of John Maynard Keynes, Ausg. Cambridge: University Press 2012, Vol. 9, 321–334.

Kuhlmann, Martin (2009): »Perspektiven der Arbeitspolitik nach der Krise. Entwicklungslinien und Handlungsbedingungen«, in: WSI-Mitteilungen, 62 Jg., Heft 12, 675–682.

Marcus, Jan (2014): »Arbeitslosigkeit trifft auch den Partner«, in: DIW-Wochenbericht: Wirtschaft, Politik, Wissenschaft 22/2014, 494–499. URL: http://www.diw.de/sixcms/detail.php?id=diw_01.c.465414.de

Marx, Karl (1867): Das Kapital, Bd. 1. Ausg. Marx-Engels-Werke (MEW), Bd. 23. Berlin: Dietz Verlag 1972.

Meyer, Hans-Jürgen (1988): Kapazitätsorientierte variable Arbeitszeit (KAPOVAZ). Neuwied: Luchterhand.

Nietzsche, Friedrich Wilhelm (1886): Menschliches, allzumenschliches – Ein Buch für freie Geister. Neue Ausg., mit einer einführenden Vorrede. Leipzig: E. W. Fritzsch.

Pinchot, Gifford (1985): Intrapreneuring – Why you don't have to leave the corporation to become an entrepreneur. New York: Harper & Row.

Salfer, Peter / Furmaniak, Karl (1981): »Das Programm ›Forschung zur Humanisierung des Arbeitslebens‹ – Stand und Möglichkeiten der Evaluierung eines staatlichen Forschungsprogramms«, in: Mitteilungen aus der Arbeitsmarkt- und Berufsforschung, 14. Jg., Heft 3, 237–245.

Schanz, Günther (2015): Personalwirtschaftslehre. 3. Aufl. München: Franz Vahlen.

Schneider, Michael / Mayr, Hans / Janssen, Hans (Hrsg.) (1984): Streit um Arbeitszeit. Geschichte des Kampfes um Arbeitszeitverkürzung in Deutschland. Köln: Bund-Verlag.

Schopenhauer, Arthur (1851): Parerga und Paralipomena – Kleine philosophische Schriften. Erster Band: Aphorismen zur Lebensweisheit. Berlin: A. W. Hayn. URL: http://reader.digitale

-sammlungen.de/de/fs1/object/display/bsb10927137_00005.html

Schult, Mandy / Tobsch, Verena (2012): Freizeitstress – Wenn die Arbeit ständig ruft [SOEPpapers on multidisciplinary panel data research, Nr. 485]. Berlin: DIW.

Seiler, Alexander Jean / Frisch, Max (1965): Siamo italiani – Die Italiener. Gespräche mit italienischen Arbeitern in der Schweiz. Zürich: EVZ-Verlag.

Smith, Adam (1776): Eine Untersuchung über Wesen und Natur des Volkswohlstandes. Ausg. v. Hartmut Waentig, Jena: Gustav Fischer, 3 Bde., 1923.

Snower, Dennis James (1997): The organisational revolution and its implications for job creation [Discussion paper in economics, 97/17]. London: Birkbeck College.

Statistisches Bundesamt (Hrsg.): GENESIS-Datenbank. VGR des Bundes – Produktivität, Arbeitnehmerentgelt, Bruttolöhne und -gehälter, Lohnstückkosten, Genesis-Code: 81000-0017.

– (2015a): Atypische Beschäftigung. Kernerwerbstätige nach einzelnen Erwerbsformen. Ergebnisse des Mikrozensus, in 1000. URL: https://www.destatis.de/DE/ZahlenFakten/GesamtwirtschaftUmwelt/Arbeitsmarkt/Erwerbstaetigkeit/TabellenArbeitskraefteerhebung/AtypKernerwerbErwerbsformZR.html

– (2015b): Qualität der Arbeit – Geld verdienen und was sonst noch zählt. Wiesbaden: Selbstverlag. URL: https://www.destatis.de/DE/Publikationen/Thematisch/Arbeitsmarkt/Erwerbstaetige/BroschuereQualitaetArbeit0010015159004.pdf?__blob=publicationFile

– (2015c): Arbeitszeit von Frauen: ein Drittel Erwerbsarbeit, zwei Drittel unbezahlte Arbeit. Pressemitteilung Nr. 179 vom 18.5.2015. Wiesbaden: Selbstverlag. URL: https://www.destatis.de/DE/PresseService/Presse/Pressemitteilungen/2015/05/PD15_179_63931.html

– (2016): Arbeitsmarkt. Bevölkerung und Erwerbstätigkeit (Inländer). URL: https://www.destatis.de/DE/ZahlenFakten/Indikatoren/LangeReihen/Arbeitsmarkt/lrerw011.html

Strawe, Christoph (1994): Arbeitszeit, Sozialzeit, Freizeit. Ein Beitrag zur Überwindung der Arbeitslosigkeit. Berlin: Institut für soziale Dreigliederung. URL: http://www.dreigliederung.de/essays/1994-12-001.html

Trist, Eric L./Bamforth, Ken W. (1951): Some social and psychological consequences of the longwall method of coal-getting – An examination of the psychological situation and defenses of a work group in relation to the social structure and technological content of the work system. New York: Plenum Press.

Ulich, Eberhard (2005): Arbeitspsychologie. 6. Aufl. Zürich: vdf Hochschulverlag.

WEF (World Economic Forum) (Hrsg.) (2016): The Future of Jobs – Employment, Skills and Workforce Strategy for the Fourth Industrial Revolution. Genf: WEF. URL: http://www3.weforum.org/docs/WEF_FOJ_Executive_Summary_Jobs.pdf

Wehler, Hans-Ulrich (2008): Deutsche Gesellschaftsgeschichte. München: Beck.

WSI/Hans Böckler Stiftung/Pargema (Hrsg.) (2009): WSI-Betriebsrätebefragung 2008/09 zu Innovationsfähigkeit, Arbeitsbedingungen und Gesundheit im Betrieb. Informationsblatt. Düsseldorf: WSI. URL: http://www.pargema.de/files/faltblatt_ergebnisse_wsi_pargema_stand090609.pdf

Kapitel 5: Konkrete Utopien zur Zukunft der Arbeit – ein Rückblick

Beck, Ulrich (1986): Risikogesellschaft – Auf dem Weg in eine andere Moderne. Frankfurt a. M.: Suhrkamp.

– (2000): Die Zukunft von Arbeit und Demokratie. Frankfurt a. M.: Suhrkamp.

Bell, Daniel (1976): Die nachindustrielle Gesellschaft. Frankfurt a. M./New York: Campus.

Bergmann, Fritjof (1997): »Die Neue Arbeit: Skizze mit Vorschlag«, in: Gewerkschaftliche Monatshefte, Heft 9–10, 524–534.

– (1998a): »New Work. Neue Arbeitszeitmodelle für die Zukunft«, in: Zukünfte, Heft 23, 18 f.
– (1998b): »Raum der Möglichkeiten – Zentren für Neue Arbeit zukunftsfähige Lebensstile ausprobieren«, in: Politische Ökologie, Heft 54, 55–58.
Bohnsack, Fritz (2008): Martin Bubers personale Pädagogik. Bad Heilbrunn: Julius Klinkhardt.
Buber, Martin (1929): Warum muß der Aufbau Palästinas ein sozialistischer sein? Berlin: Liga für das arbeitende Palästina in Deutschland; Abdruck in: ders. (1963): Der Jude und sein Judentum. Köln: Josef Melzer, 376–387.
– (1933): Hundert chassidische Geschichten. Berlin: Schocken-Verlag.
– (1950): Pfade in Utopia – über Gemeinschaft und deren Verwirklichung. Heidelberg: Lambert Schneider, 3. Aufl. 1985.
– (1961): »Kibbuzleben zwischen Nähe und Beziehung«, in: ders.: Pfade in Utopia – über Gemeinschaft und deren Verwirklichung. Heidelberg: Lambert Schneider, 3. Aufl. 1985, 300–312.
Diefenbacher, Hans (1996): »Anarchie ist Ordnung – individualistischer Anarchismus bei William Godwin, Anselme Bellegarrigue und Gustav Landauer«, in: Diefenbacher, Hans (Hrsg.): Anarchismus – Zur Geschichte und Idee der herrschaftsfreien Gesellschaft. Darmstadt: Wissenschaftliche Buchgesellschaft, 34–51.
– / Ratsch, Ulrich (1992): Verelendung und Naturzerstörung. Frankfurt a. M.: S. Fischer.
Etzioni, Amitai (1999): Martin Buber und die kommunitaristische Idee. Wien: Picus.
Fourastié, Jean (1954): Die große Hoffnung des zwanzigsten Jahrhunderts. Köln-Deutz: Bund.
Gershuny, Jonathan (1981): Die Ökonomie der nachindustriellen Gesellschaft – Produktion und Verbrauch von Dienstleistungen. Frankfurt a. M. / New York: Campus.

– (1983): Social Innovation and the Division of Labour. Oxford: Oxford University Press.

Giarini, Orio / Liedtke, Patrick M. (1998): Wie wir arbeiten werden – Der neue Bericht an den Club of Rome. Hamburg: Hoffmann und Campe.

Gorz, Andre (1983): Wege ins Paradies – Thesen zur Krise, Automation und Zukunft der Arbeit. Berlin: Rotbuch Verlag.

– (1989): Kritik der ökonomischen Vernunft – Sinnfragen am Ende der Arbeitsgesellschaft. Berlin: Rotbuch Verlag.

Hartard, Susanne / Schaffer, Axel / Stahmer, Carsten (2006): Die Halbtagsgesellschaft – Konkrete Utopie für eine zukunftsfähige Gesellschaft. Baden-Baden: Nomos.

Haus der Eigenarbeit München (Hrsg.) (2016): Willkommen im HEI – Haus der Eigenarbeit. URL: http://www.hei-muenchen.de

Huber, Joseph (1984): Die zwei Gesichter der Arbeit – Ungenutzte Möglichkeiten der Dualwirtschaft. Frankfurt a. M.: Fischer Taschenbuch.

Landauer, Gustav (1908): »Was will der Sozialistische Bund?«, in: Der Sozialist vom 1.10.1908.

– (1909): »Was ist zu tun?«, in: Der Sozialist, 11.1.1909.

– (1910a): »In Sachen der Konsumgenossenschaften«, in: Der Sozialist, 1.10.1910.

– (1910b): »Sozialismus und Genossenschaft«, in: Der Sozialist, 13.10.1910.

– (1913): »Vom Sozialismus und der Siedlung – Thesen zur Wirklichkeit und Verwirklichung«, in: Aufbruch (Berlin), Heft 4, 1913, 86–93.

Marx, Karl (1894): Das Kapital – Kritik der politischen Ökonomie, Bd. 3: Der Gesamtprozeß der kapitalistischen Produktion. Ausg. Marx-Engels-Werke (MEW), Bd. 25, Berlin: Dietz 1977.

Munz, Eva / Bauer, Frank / Groß, Hermann (2002): »Regelung und Praxis von Arbeitszeitkonten«, in: WSI-Mitteilungen, Heft 66, 334–340.

Mutz, Gerd (1999): »Strukturen einer Neuen Arbeitsgesellschaft – Der Zwang zur Gestaltung der Zeit«, in: Aus Politik und Zeitgeschichte, Bd. 9, 3–11.

Negt, Oskar (2001): Arbeit und menschliche Würde. Göttingen: Steidl Verlag.

Offe, Claus / Heinze, Rolf G. (1986): »Am Arbeitsmarkt vorbei – Überlegungen zur Neubestimmung ›haushaltlicher‹ Wohlfahrtsproduktion in ihrem Verhältnis zu Markt und Staat«, in: Leviathan, Heft 4, 471–495.

Pahl, Raymond E. (1984): Divisions of Labour. Oxford / New York: Basil Blackwell.

Picht, Georg (1967): Prognose, Utopie, Planung. Stuttgart: Klett-Cotta.

Rifkin, Jeremy (1995): Das Ende der Arbeit und ihre Zukunft. Frankfurt a. M. / New York: Campus.

– (2014): Die Null-Grenzkosten-Gesellschaft – Das Internet der Dinge, kollaboratives Gemeingut und der Rückzug des Kapitalismus. Frankfurt a. M. / New York: Campus.

Russel, Raymond / Hanneman, Robert / Getz, Shlomo (2011): »The Transformation of the Kibbutzim«, in: Israel Studies, Vol. 16, No. 2, 109–126.

Russell, Bertrand (1935): Lob des Müßiggangs. Ausg. Zürich: Coron-Verlag, 1970.

Stahmer, Carsten (2006): Halbtagsgesellschaft – Anregungen für ein sozial nachhaltiges Deutschland. Bielefeld: Zentrum für interdisziplinäre Forschung.

– (2007): »Die Halbtagsgesellschaft – Vision eines sozial nachhaltigen Deutschland«, in: Ernährung im Fokus, Heft 7, 366–372.

Toffler, Alvin (1980): Die Zukunftschance – Von der Industriegesellschaft zu einer humaneren Zivilisation. München: Bertelsmann.

Wolf, Siegbert (2011): »›Zion wird mit Gerechtigkeit erlöst‹: Martin Bubers Konzeption der Binationalität zur Lösung des Israel-Palästina-Konflikts – und was davon geblieben ist«, in:

Krone, Wolfgang / Reichert, Thomas / Siegfried, Maike (Hrsg.): Dialog, Frieden, Menschlichkeit – Beiträge zum Denken Martin Bubers. Berlin: Verlag für Berlin-Brandenburg.

Kapitel 6: Von der Theorie der Utopie zur Praxis von Arbeit und alternativen Lebensformen

Auerswald, Mo (2007): »20 Jahre Niederkaufungen«, in: Kommune Niederkaufungen (Hrsg.): 20 Jahre Kommune – Momentaufnahmen aus Niederkaufungen. Niederkaufungen: Selbstverlag, 6–17.

Baumgartner, Judith (2005): »Erbau Dein Haus auf freiem Grund! Bodenreform und Siedlungsidee – Adolf Damaschke und die Siedlungsgenossenschaft Eden-Oranienburg«, in: Hugler, Klaus / Diefenbacher, Hans (Hrsg.): Adolf Damaschke und Henry George – Ansätze zu einer Theorie und Politik der Bodenreform. Marburg: Metropolis, 139–154.

Ben-Rafael, Eliezer (2013): »Organisation und soziale Wertvorstellung im Umbruch: der Fall des Kibbuz«, in: Wilhelm, Karin / Gust, Kerstin (Hrsg.): Neue Städte für einen neuen Staat – die städtebauliche Erfindung des modernen Israel und der Wiederaufbau in der BRD. Eine Annäherung. Bielefeld: Transcript Verlag.

– (1997): Crisis and Transformation. The Kibbutz at Century's End. Albany: State University of New York Press.

Braun, Claude (2009): Interview (Mitglied der Schweizer Kooperative von Longo Maï in Undervelier). URL: https://www.youtube.com/watch?v=XjD2AWWizVc

Connors, Phil / McDonald, Peter (2010): Transitioning communities: community, participation and the Transition Town movement. Oxford University Press and Community Development Journal, Vol. 46, No. 4, 558–562.

Delano, Sterlin F. (2004): Brook farm – the dark side of utopia. Cambridge, Mass.: Belknap Press.

Diefenbacher, Hans (1996): »Anarchie ist Ordnung – Individualistischer Anarchismus bei William Godwin, Anselme Bellegarrigue und Gustav Landauer«, in: ders. (Hrsg.): Anarchismus – Zur Geschichte und Idee der herrschaftsfreien Gesellschaft. Darmstadt: Wiss. Buchgesellschaft, 34–51.

Douthwaite, Richard (1996): Short Circuit – Strenghening Local Economies for Security in an Unstable World. Dublin: Liliput Press.

– / Diefenbacher, Hans (1998): Jenseits der Globalisierung – Handbuch für lokales Wirtschaften. Mainz: Matthias-Grünewald-Verlag.

Eden Gemeinnützige Obstbausiedlung eG (Hrsg.) (2015a): Chronik. URL: http://www.eden-eg.de/seite/121404/chronik.html

– (Hrsg.) (2015b): Grundzüge eines Struktur- und Entwicklungsplanes 2015. URL: https://daten2.verwaltungsportal.de/dateien/seitengenerator/sep_2015.pdf

– (Hrsg.) (2015c): Neufassung der Satzung vom 16. Dezember 2015. URL: http://daten2.verwaltungsportal.de/dateien/seiten generator/201512-16_aktuelle_satzung.pdf

Eden-Stiftung (Hrsg.) (1993): Ökologische Siedlung Eden. Eden-Oranienburg: Eden-Genossenschaft.

Feingold-Studnik, Shoshana (2002): Der Kibbuz im Wandel – wirtschaftliche und politische Grundlagen. Wiesbaden: Deutscher Universitätsverlag.

Gog, Gregor (1929): »Was will die Bruderschaft der Vagabunden?«, in: Der Kunde, 3. Jg., Heft 1/2; Abdruck in: Trappmann, Klaus (1980): Gregor Gogs Liga der Heimatlosen. Berlin: Gerhardt, 86–93.

Graf, Beatriz (2005): Longo Maï – Revolte und Utopie nach '68. Gesellschaftskritik und selbstverwaltetes Leben in den Europäischen Kooperativen. Egg: Thesis Verlag.

Gramatins, Andrejs / Reifsteck, Peter (1981): Annäherung an Etzlers Paradies, Einleitung zur Neuausg. von Etzler, John Adolphus (1844): Das Paradies für jedermann erreichbar, lediglich durch Kräfte der Natur und der einfachsten Maschinen. Reutlingen: Schwarzwurzel-Verlag, 8 f.

Grober, Ulrich (1998): »An den Wurzeln – Obstbausiedlung Eden«, in: ders.: Ausstieg in die Zukunft. Berlin: Links-Verlag.

Halser, Marlene (2010): »Die letzten Sozialisten Israels«, in: Zeit Online. URL: http://www.zeit.de/politik/ausland/2010-10/israel-100-jahre-kibbuz

Hopkins, Rob (2005): Kinsale 2021 – An Energy Descent Action Plan, Version 1.2005. Kinsale: Kinsale Further Education College. URL: http://transitionculture.org/wp-content/uploads/KinsaleEnergyDescentActionPlan.pdf

– (2012): »Resilienz denken«, in: Helfrich, Silke (Hrsg.): Commons – Für eine neue Politik jenseits von Markt und Staat. Bielefeld: transcript Verlag, 45–50.

Hostetler, John A. (2008): Amish Society. 4. Aufl. London: Johns Hopkins.

Kommuja – Netzwerk der politischen Kommunen (Hrsg.) (2014): Berlin / Hamburg: Association A.

Kommune Niederkaufungen (Hrsg.) (2007): Wurzeln. URL: http://www.kommune-niederkaufungen.de/wurzeln-2/

Kunze, Michael (1990): Der Freiheit eine Gasse – Traum und Leben eines deutschen Revolutionärs. München: Kindler.

Marx, Karl (1875): Kritik des Gothaer Programms, Ausg. Marx-Engels-Werke, Bd. 19. Berlin: Dietz-Verlag 1962, 13–32.

Melzer, Wolfgang / Buer, Ferdinand (1991): »Das Gespräch Psychodrama und Kibbuz – zwei Modelle der Verwirklichung gesellschaftlicher Utopien, Gemeinsamkeit und Unterschiede«, in: Buer, Ferdinand (Hrsg.): Jahrbuch für Psychodrama, psychosoziale Praxis und Gesellschaftspolitik. Wiesbaden: VS Verlag für Sozialwissenschaften.

Mühsam, Erich (1905): Ascona. Locarno: Birger Carlson.

Myerson, Joel (1978): Brook farm – an annotated bibliography and resource guide. New York: Garland.

– (1987): Brook farm book – a collection of first hand accounts of the community. New York: Garland.

Nolt, Stephen M. (2015): A History of the Amish. 3. Aufl. New York: Good Books.

o. Verf. (1980): »Wir waren die Sklaven der Schweizer«, in: Der Spiegel 34/1980 vom 18.8.1980. URL: http://www.spiegel.de/spiegel/print/d-14322867.html

Pavin, Avraham (2007): The Kibbutz Movement – Facts and Figures 2007. Jerusalem: Yad Tabenkin.

Petrovich, Christopher G. (2014): »Technology in the service of community«, in: The Mennonite Quarterly Review, Vol. 88, No. 1, 23–44.

Pro Longo Maï (Hrsg.) (2016a): Wer sind wir? URL: http://www.prolongomai.ch/pro-longo-mai/wer-sind-wir/

Pro Longo Maï (Hrsg.) (2016b): Saatgutkampagne. URL: http://www.prolongomai.ch/publikationen/kampagnen/

Russel, Raymond / Hanneman, Robert / Getz, Shlomo (2011): »The Transformation of the Kibbutzim«, in: Israel Studies, Vol. 16, No. 2, 109–126.

Schwendter, Rolf (1984): »Alternativen in der Sozialarbeit«, in: Opielka, Michael / Schmollinger, Martin / Fohmann-Ritter, Angelika (Hrsg.): Die Zukunft des Sozialstaats. Stuttgart: Die Grünen Baden-Württemberg, 217–235.

– (Hrsg.) (1986): Grundlegungen zur alternativen Ökonomie, Bd. 2: Die Mühen der Ebenen. München: AG SPAK.

Sozialreferat der Abendländischen Akademie (Hrsg.) (1954): Eigentum in Arbeiterhand. München: Verlag Neues Abendland.

Teichmann, Torsten (2015): Der neue Trend zur alten Kibbuzidee. Deutschlandfunk. URL: http://www.deutschlandfunk.de/israel-der-neue-trend-zur-alten-kibbuz-idee.1773.de.html?dram:article_id=341031

Transition Netzwerk Deutschland / Österreich / Schweiz (Hrsg.) (2016): Was sind Transition (Town) Initiativen? URL: http://www.transition-initiativen.de/

Transition Town Freiburg e.V. (Hrsg.) (2016): Transition Town Freiburg. URL: http://ttfreiburg.de/

Transition Town Witzenhausen e.V. (Hrsg.) (2016): Transition Town Witzenhausen – Stadt und Menschen im Wandel. URL: http://ttwitzenhausen.de/

Vehreschild, Daniel (2013): Transition Town Witzenhausen – eine Kleinstadt wappnet sich. URL: https://www.youtube.com/watch?v=NaqHSQHzVTU

Walther, Rudolph (2014): »Sachwalter des nie Dagewesenen«, in: taz vom 29.01.2014. URL: http://www.taz.de/1/archiv/digitaz/artikel/?ressort=ku&dig=2014Prozent2F01Prozent2F29Prozent2Fa0111&cHash=cbf0d9346c2a139fcdb41341b3c0ccf8

Wendt, Wolf Rainer (1983): Geschichte der sozialen Arbeit. Stuttgart: Ferdinand Enke.

Kapitel 7: Alles eine Frage des Eigentums?

Brkic, Zeljko (2001): Ökonomische Ursachen des Zerfalls Jugoslawiens 1990–2000. Universität Trier, URL: https://www.uni-trier.de/fileadmin/forschung/ZES/Schriftenreihe/050.pdf

Diefenbacher, Hans / Ratsch, Ulrich (1992): Verelendung und Naturzerstörung – die politischen Grenzen der Wissenschaft. Frankfurt a.M.: S. Fischer.

Douthwaite, Richard / Diefenbacher, Hans (1998): Jenseits der Globalisierung – Handbuch für lokales Wirtschaften. Mainz: Matthias-Grünewald-Verlag.

Fischer, Guido (1954): »Eigentumsformen für die Mitarbeiter der Betriebe«, in: Sozialreferat der Abendländischen Akademie (Hrsg.) (1954): Eigentum in Arbeiterhand. München: Verlag Neues Abendland, 113–133.

Furniss, Edgar (1920): The position of the laborer in a system of nationalism – a study in the labor theories of the later English merkantilists. Boston: Houghton Mifflin.

Gramatzki, Hans-Erich / Lemân, Gudrun (1977): Arbeiterselbstverwaltung und Mitbestimmung in den Staaten Osteuropas. Hannover: Fackelträger.

Horvat, Branko (1972): Die jugoslawische Gesellschaft – ein Essay. Frankfurt a. M.: Suhrkamp.

Huber, Joseph (1978): Wirtschaftsdemokratie in der Diskussion. Frankfurt a. M.: Europäische Verlagsanstalt.

Kratz, Theo (1954): »Die Haltung der Gewerkschaften zur Frage der Eigentumsbildung in Arbeiterhand«, in: Sozialreferat der Abendländischen Akademie (Hrsg.) (1954): Eigentum in Arbeiterhand. München: Verlag Neues Abendland, 217–236.

Lemân, Gudrun (1976): Das jugoslawische Modell – Wege zur Demokratisierung der Wirtschaft. Frankfurt a. M.: Europäische Verlagsanstalt.

Marx, Karl (1867): Das Kapital, Bd. I. Ausg. Marx-Engels-Werke, Bd. 23. Berlin: Dietz 1962.

Polanyi, Karl (1944): The Great Transformation; deutsch ebenfalls unter diesem Titel; Ausg. Frankfurt a. M.: Suhrkamp 1978.

Post, Julius (1889): Patriarchalische Beziehungen in der Großindustrie. Berlin: Oppenheim.

Proudhon, Pierre-Joseph (1840): Qu'est-ce que la propriété? Ou recherches sur le principe du droit et du gouvernement. Paris: Librairie de Prévot, Abdr. in: Œuvres complètes, Paris: Librairie des Sciences Politiques et Sociales, 1938, Vol. 10, 21–157.

– (1841): Avertissement aux Proprietaires. Paris: Librairie de Prévot; Abdr. in: Œuvres complètes, Paris: Librairie des Sciences Politiques et Sociales, 1938, Vol. 10, 167–251.

Siemen, Wilhelm (2005): »Rosenthal, Phillip«, in: Neue Deutsche Biographie, Bd. 22. Berlin: Duncker und Humblot, 80 f.

Šik, Ota (1979): Humane Wirtschaftsdemokratie – ein Dritter Weg. Hamburg: Knaus.

Stearns, Peter N. (1975): Lives of Labour – Work in a Maturing Industrial Society. London: Croom Helm, deutsch: Arbeiterleben. Frankfurt a. M. / New York: Campus 1980.

Townshend, Charles (1751): National Thoughts recommended to the serious attention of the public, London: R. Dodsley.

Kapitel 8: Einkommen, Entlohnung, Anerkennung

Althammer, Jörg / Kühn, Marion / Sommer, Maximilian (2012): Umsetzung neuer Arbeitszeitmodelle vor dem Hintergrund ihrer Finanzierbarkeit [Expertise für die Projektgruppe 5 »Arbeitswelt, Konsumverhalten und Lebensstile« der Enquete-Kommission »Wachstum, Wohlstand, Lebensqualität«]. Eichstätt / Ingolstadt: Zentralinstitut für Ehe und Familie in der Gesellschaft.

Althaus, Dieter (2006): »Für ein solidarisches Bürgergeld«, in: Stimmen der Zeit, Heft 11, 723–728.

– / Binkert, Hermann, Hrsg. (2010): Solidarisches Bürgergeld. Den Menschen trauen – Freiheit nachhaltig und ganzheitlich sichern. Erfurt: Institut für neue soziale Antworten.

Behrend, Olaf / Ludwig-Mayerhofer, Wolfgang / Sondermann, Ariadne (2010): »Kritik der reinen Aktivierung. Analysen zu Praxis und Deutungsmustern professioneller Arbeitsvermittler und Arbeitsloser mitsamt Überlegungen zu sozialpolitischen Folgen eines bedingungslosen Grundeinkommens«, in: Franzmann, Manuel (Hrsg.): Bedingungsloses Grundeinkommen als Antwort auf die Krise der Arbeitsgesellschaft, Weilerswist: Velbrück Wissenschaft, 197–247.

Bielinski, Harald / Bosch, Gerhard / Wagner, Alexandra (2002): Wie die Europäer arbeiten wollen – Erwerbs- und Arbeitszeitwünsche in 16 Ländern. Frankfurt a. M. / New York: Campus.

Blaschke, Ronald (2010a): »Denk' mal Grundeinkommen!«, in: Blaschke, Ronald / Otto, Adeline / Schepers, Norbert (Hrsg.): Grundeinkommen. Geschichte – Modelle – Debatten. Berlin: Karl Dietz Verlag, 9–292.

– (2010b): »Aktuelle Ansätze und Modelle von Grundsicherungen und Grundeinkommen in Deutschland. Vergleichende Darstellung«, in: dies. (Hrsg.): Grundeinkommen. Geschichte – Modelle – Debatten. Berlin: Karl Dietz Verlag, 301–382.

Büchele, Herwig / Wohlgenannt, Lieselotte (1990): Den öko-sozialen Umbau beginnen – Grundeinkommen. Wien: Europaverlag.

Bundesarbeitsgemeinschaft der Senioren-Organisationen (Hrsg.) (1997): Altern verbindet. Bonn: Selbstverlag.

Egger, Andrea et al. (2006): »Gesundheitliche Auswirkungen von Arbeitslosigkeit», in: Arbeitsmedizin. Sozialmedizin. Umweltmedizin. Zeitschrift für medizinische Prävention, Heft 1, 16–20.

Eitenmüller, Stefan: Reformoptionen für die gesetzliche Rentenversicherung: Auswirkungen der Rentenreform 2001 und die Verteilung der Umstiegskosten. Düsseldorf: Hans-Böckler-Stiftung.

Eurostat (Hrsg.) (2015): 2013 machten Umweltsteuern 6,3 % der Steuereinnahmen in der EU aus – Umweltsteuern in der EU. 205/2015. Eurostat Media Support. URL: http://ec.europa.eu/eurostat/documents/2995521/7087187/8-25112015-AP-DE.pdf

Eurostat Pressestelle (Hrsg.) (2014): Die Abgabenquote im Verhältnis zum BIP stieg in der EU28 im Jahr 2012 auf 39,4 % des BIP. Steuern auf Arbeit bleiben die größte Quelle des Steueraufkommens, 16.6.2014. URL: europa.eu/rapid/press-release_STAT-14-92_de.pdf

Forget, Evelyn L. (2011): The Town with No Poverty – Using Health Administration Data to Revisit Outcomes of a Canadian Guaranteed Annual Income Field Experiment. Winnipeg: University of Manitoba. URL: http://public.econ.duke.edu/~erw/197/forget-ceaProzent20(2).pdf

Fourier, Charles (1836): La Fausse Industrie. Ausg. Paris: Anthropos 1967.

Fratzscher, Marcel (2016): Verteilungskampf – Warum Deutschland immer ungleicher wird. München: Hanser.

Friedman, Milton (1962): Capitalism and Freedom. Chicago: University of Chicago Press.

Haffner, Peter (2016): »Geld macht gesund«, in: NZZ Folio, März 2016. URL: http://folio.nzz.ch/2016/maerz/geld-macht-gesund

Heinze, Rolf G. (2015): »Sozialwirtschaft und Wohlfahrtssysteme«, in: Romahn, Hajo / Rehfeld, Dieter (Hrsg.): Lebenslagen – Beiträge zur Gesellschaftspolitik. Marburg: Metropolis, 431–459.

Held, Benjamin (2016): »Konsum und Einkommen – welcher Zusammenhang besteht? Eine empirische Analyse«, in: Emunds, Bernhard (Hrsg.): Die Wirtschaft der Gesellschaft – Soziale Ungleichheiten – Herausforderungen für die Umweltpolitik. Marburg: Metropolis; im Erscheinen

Höttges, Timotheus (2015): »Der Unterschied zwischen Mensch und Computer wird in Kürze aufgehoben sein«, in: Die Zeit, Nr. 1 vom 30. Dezember, 13 ff.

Hohenleitner, Ingrid / Straubhaar, Thomas (2008): »Bedingungsloses Grundeinkommen und Solidarisches Bürgergeld – mehr als sozialutopische Konzepte«, in: Straubhaar, Thomas (Hrsg.): Bedingungsloses Grundeinkommen und Solidarisches Bürgergeld – mehr als sozialutopische Konzepte. Hamburg: Hamburg University Press, 4–90.

Honneth, Axel (2011): Verwilderungen des sozialen Konflikts – Anerkennungskämpfe zu Beginn des 21. Jahrhunderts. Köln: MPIfG.

Iten, Rolf / Banfi, Silvia / van Nieuwkoop, Renger, et al. (1999): Soziale und räumliche Verteilungswirkungen von Energieabgaben. Bern: Infras.

Jahoda, Marie / Lazarsfeld, Paul F. / Zeisel, Hans (1933): Die Arbeitslosen von Marienthal – Ein soziographischer Versuch über die Wirkungen langandauernder Arbeitslosigkeit. Ausg. Frankfurt a. M.: Suhrkamp 1975.

Kirner, Ellen (1988): »Keine Mindestrente für die Armen, weil sie nichts geleistet haben? Zur Forderung nach einer verbesserten Grundsicherung im Alter«, in: Opielka, Michael / Zander, Margherita (Hrsg.): Freiheit von Armut. Das Grüne Grundsicherungsmodell in der Diskussion. Essen: Klartext, 104–115.

Klammer, Ute / Neukirch, Sabine / Weißler-Poßberg, Dagmar (2012): Wenn Mama das Geld verdient – Familienernährerinnen zwischen Prekarität und neuen Rollenbildern. Berlin: edition sigma.

Koppetsch, Cornelia / Speck, Sarah (2015): Wenn der Mann kein Ernährer mehr ist – Geschlechterkonflikte in Krisenzeiten. Berlin: Suhrkamp.

Kress, Ulrike (1996): »Die negative Einkommensteuer: Arbeitsmarktwirkungen und sozialpolitische Bedeutung«, in: Mitteilungen aus der Arbeitsmarkt- und Berufsforschung, Heft 3, 246–254.

Leipert, Christian / Opielka, Michael (1998): Erziehungsgehalt 2000 – Ein Weg zur Aufwertung der Erziehungsarbeit. Freiburg: Deutscher Arbeitskreis für Familienhilfe.

Ludewig, Damian / Held, Benjamin / Küchler, Swantje (2010): Für eine neue ökologische Finanzreform. Berlin: FÖS

Ludewig, Damian / Mahler, Alexander / Meyer, Bettina (2015): Zuordnung der Steuern und Abgaben auf die Faktoren Arbeit, Kapital, Umwelt. Berln: FÖS. URL: http://www.foes.de/pdf/2015-01-Hintergrundpapier-Steuerstruktur.pdf

Mitschke, Joachim (1985): Steuer- und Transferordnung aus einem Guß – Entwurf einer Neugestaltung der direkten Steuern und Sozialtransfers in der Bundesrepublik Deutschland. Baden-Baden: Nomos.

– (1994): »Integration von Steuer- und Sozialleistungssystem – Chancen und Hürden«, in: Steuer und Wirtschaft, Heft 2, 153–162.

– (1995): »Steuer- und Sozialpolitik für mehr reguläre Beschäftigung«, in: Wirtschaftsdienst, Heft 2, 75–83.

– (1999): Grundsicherungsmodelle – Ziele, Gestaltungen und

Wirkungen. Expertise im Auftrag des Bundesministeriums für Arbeit, Gesundheit und Soziales der Republik Österreich und L&R Sozialforschung. Frankfurt a.M./Wien: unveröff. Mskr.

Müller, Kai-Uwe/Neumann, Michael/Wrohlich, Katharina (2013): Familienarbeitszeit – Wirkungen und Kosten einer Lohnersatzleistung bei reduzierter Vollzeitbeschäftigung. Berlin: Friedrich-Ebert-Stiftung.

Muraca, Barbara/Egan-Krieger, Tanja von (2011): »Gerechtigkeit und gutes Leben jenseits von Wachstum«, in: Rätz, Werner/von Egan-Krieger, Tanj/Muraca, Barbara et al. (Hrsg.): Ausgewachsen! Ökologische Gerechtigkeit, soziale Rechte, gutes Leben. Hamburg: VSA

Neumann, Lothar F./Schaper, Klaus (2008): Die Sozialordnung der Bundesrepublik Deutschland. 5. Aufl. Bonn: Bundeszentrale für politische Bildung.

Opielka, Michael (1998): »Bezahlte Elternschaft. Voraussetzungen und Folgen einer monetären Anerkennung der Erziehungsarbeit durch ein Erziehungsgehalt«, in: Netzler, Andreas/Opielka, Michael (Hrsg.): Neubewertung der Familienarbeit in der Sozialpolitik. Opladen: Leske und Budrich, 85–122.

– (2004): »Die Grundrente denken«, in: ders. (Hrsg.): Grundrente in Deutschland: Sozialpolitische Analysen. Wiesbaden: Verlag für Sozialwissenschaften, 7–60.

– /Zander, Margherita, (Hrsg.) (1988): Freiheit von Armut. – Das Grüne Grundsicherungsmodell in der Diskussion. Essen: Klartext.

Paine, Thomas (1796): »Agrarian Justice«, in: ders.: Rights of Man, Common Sense and other Political Writings, Ausg. v. Mark Philip, Oxford University Press 1995.

Paul, Karsten/Hassel, Alice/Moser, Klaus (2006): »Die Auswirkungen von Arbeitslosigkeit auf die psychische Gesundheit – Befunde einer quantitativen Forschungsintegration«, in: Hollederer, Alfons/Brand, Helmut (Hrsg.): Arbeitslosigkeit, Gesundheit und Krankheit. Bern: Hans Huber, 35–51.

Piketty, Thomas (2016): Das Kapital im 21. Jahrhundert. München: Beck.

Pinkwart, Andreas (2005): Das Liberale Bürgergeld – aktivierend, transparent und gerecht. Berlin: Kommission Bürgergeld / Negative Einkommenssteuer. URL: http://andreas-pinkwart.org.liberale.de/sitefiles/downloads/433/Abschlb-Buergergeld.pdf

Presse, André (2009): Grundeinkommen – Idee und Vorschläge zu seiner Realisierung. Karlsruhe: KIT Scientific Publishing.

Rhys-Williams, Lady Juliet E. (1953): Taxation and Incentive. London / Edinburgh / Glasgow: William Hodge.

Rosa, Hartmut (2016): Resonanz – Eine Soziologie der Weltbeziehung. Berlin: Suhrkamp.

Rudzio, Kolja (2016): »Es ist Liebe. Kaum etwas anderes sei ihnen so wichtig wie ihre Arbeit, sagen die Deutschen. Wären sie auch weiterhin fleißig, wenn die Idee des bedingungslosen Grundeinkommens Wirklichkeit würde?«, in: Die Zeit, 25.02.2016 (10/2016), 19 – 20.

Schmid, Kai Daniel / Stein, Ulrike (2013): Explaining Rising Income Inequality in Germany 1991 – 2010. Düsseldorf: IMK. URL: http://www.boeckler.de/pdf/p_imk_study_32_2013.pdf

Schnitzlein, Daniel D. (2013): »Wenig Chancengleichheit in Deutschland. Familienhintergrund prägt eigenen ökonomischen Erfolg«, in: DIW-Wochenbericht 80 (1), 3 – 9.

SOEP Group (Hrsg.) (2015): SOEP 2013 – SOEPmonitor Individuals 1984–2013 (SOEP v30). Berlin: DIW.

Spannagel, Dorothee (2015): Trotz Aufschwung: Einkommensungleichheit geht nicht zurück [WSI-Verteilungsbericht 2015]. Düsseldorf: WSI. URL: http://www.boeckler.de/pdf/p_wsi_report_26_2015.pdf

Schramm, Michael (2010): »Das Solidarische Bürgergeld als Instrument solidarischer Subsidiarität«, in: Althaus, Dieter / Binkert, Hermann (Hrsg.): Solidarisches Bürgergeld – den Menschen trauen, Freiheit nachhaltig und ganzheitlich sichern. Erfurt: Institut für neue soziale Antworten, 88–129.

Spermann, Alexander (1996): »Das ›Einstiegsgeld‹ für Langzeitarbeitslose«, in: Wirtschaftsdienst, Heft 4, 240–246.

Statistisches Bundesamt (Hrsg.) (2015): Öffentliche Sozialleistungen – Statistik zum Elterngeld. Beendete Leistungsbezüge für im Jahr 2013 geborene Kinder. Wiesbaden: Statistisches Bundesamt.

Teichert, Volker (1994): Gutachten »Familienversicherung« für die Arbeitsgruppe »Vereinbarkeit von Familie und Beruf« beim Bundesministerium für Familie und Senioren. Neckargemünd: unveröff. Manuskript.

Vanderborght, Yannick / van Parijs, Philippe (2005): Ein Grundeinkommen für alle? Frankfurt a. M. / New York: Campus.

Voswinkel, Stephan (2013): Was wird aus dem ›Fahrstuhleffekt‹? Postwachstum und Sozialer Aufstieg. Jena: Postwachstumskolleg. URL: http://www.kolleg-postwachstum.de/sozwgmedia/dokumente/WorkingPaper/wp8_2013.pdf

Werner, Götz / Goehler, Adrienne (2010): 1000 € für jeden. Freiheit, Gleichheit, Grundeinkommen. Berlin: Ullstein Verlag.

– / Presse, André (2010): »Revolutionär denken, evolutionär handeln – Methodische Überlegungen zur Einführung eines bedingungslosen Grundeinkommens«, in: Franzmann, Manuel (Hrsg.): Bedingungsloses Grundeinkommen als Antwort auf die Krise der Arbeitsgesellschaft. Weilerswist: Velbrück Wissenschaft, 309–316.

Wilkinson, Richard G. / Pickett, Kate (2009): Gleichheit ist Glück. Berlin: Tolkemitt.

Willers, Anke (2016): »Die Zukunft der Familie«, in: Eltern, Heft 2, 63–67.

Wünstel, Michael (2005): Adressen zum Thema Tauschringe. URL: http://www.tauschring.de/adressen.php#70000

Kapitel 9: Arbeitsteilung

AFL-CIO (American Federation of Labor and Congress of Industrial Organizations) (Hrsg.) (2013): CEO-to-worker pay ratios around the world. URL: http://www.aflcio.org/Corporate-Watch/Paywatch-Archive/CEO-Pay-and-You/CEO-to-Worker-Pay-Gap-in-the-United-States/Pay-Gaps-in-the-World

Bundesverband Verbraucherinitiative e.V. (Hrsg.) (2016): Das Portal mit Informationen und Bewertungen zu Labeln in Deutschland. URL: http://label-online.de/

Durkheim, Emile / Luhmann, Niklas (1992): Über soziale Arbeitsteilung – Studie über die Organisation höherer Gesellschaften. Frankfurt a. M.: Suhrkamp.

Fourastié, Jean (1954): Die große Hoffnung des zwanzigsten Jahrhunderts. 3. Aufl. Köln-Deutz: Bund-Verlag.

Fücks, Ralf (2013): Intelligent wachsen – Die grüne Revolution. München: Carl Hanser. URL: http://www.hanser-elibrary.com/action/showBook?doi=10.3139/9783446434981

Galeano, Eduardo (1976): Die offenen Adern Lateinamerikas. Wuppertal: Hammer.

Hackman, J. Richard / Oldham, Greg R. (1980): Work redesign. Reading, Mass.: Addison-Wesley.

Heidl, Christian M. / Landenberger, Margarete / Jahn, Patrick (2012): Lebenszufriedenheit in Westdeutschland – Eine Querschnittsanalyse mit den Daten des Sozio-oekonomischen Panels [SOEPpapers on multidisciplinary panel data research, No. 521]. Berlin: DIW.

ILO (International Labour Office) (Hrsg.) (1998): Erklärung der ILO über grundlegende Prinzipien und Recht bei der Arbeit angenommen von der Internationalen Arbeitskonferenz auf ihrer 86. Tagung, Genf, 18. Juni 1998. URL: http://www.ilo.org/wcmsp5/groups/public/---europe/---ro-geneva/--ilo-berlin/documents/normativeinstrument/wcms_193727.pdf

ILO (International Labour Office) (Hrsg.) (2013): Marking

progress against child labour – Global estimates and trends 2000–2012. Geneva: ILO.

Judge, Timothy A. et al. (2001): »Job satisfaction: A cross-cultural review«, in: Anderson, Neil et al. (Hrsg.): Handbook of industrial, work and organizational psychology, London / New York: Sage, 25–52.

Kiatpongsan, Sorapop / Norton, Michael I. (2014): »How Much (More) Should CEOs Make? A Universal Desire for More Equal Pay«, in: Perspectives on Psychological Science, Vol. 9, No. 6, 587–593.

Mertel, Barbara (2006): Arbeitszufriedenheit – Eine empirische Studie zu Diagnose, Erfassung und Modifikation in einem führenden Unternehmen des Automotives. Diss. Universität Bamberg.

Muraca, Barbara / Egan-Krieger, Tanja von (2011): »Gerechtigkeit und gutes Leben jenseits von Wachstum«, in: Rätz, Werner / Egan-Krieger, Tanja von et al. (Hrsg.): Ausgewachsen! Ökologische Gerechtigkeit, soziale Rechte, gutes Leben. Hamburg: VSA-Verlag, 43–56.

Nerdinger, Friedemann W. / Blickle, Gerhard / Schaper, Niclas (2011): Arbeits- und Organisationspsychologie. 2. Aufl. Berlin: Springer.

Oekom research (Hrsg.) (2011): Arbeitsbedingungen in der Lieferkette [oekom Position Paper, Dezember 2011]. München: oekom. URL: https://www.hs-pforzheim.de/De-de/Wirtschaft-und-Recht/Fakultaet/PRME/Documents/oekom_PositionPaper_Arbeitsrechte.pdf

Opielka, Michael (1985): »Einleitung: Warum ›ökosoziale‹ Frage?«, in: Opielka, Michael (Hrsg.): Die ökosoziale Frage – Entwürfe zum Sozialstaat, Frankfurt a. M.: S. Fischer.

Paech, Nico (2011): Vom vermeintlich nachhaltigen Wachstum zur Postwachstumsökonomie«, in: Rätz, Werner / Egan-Krieger, Tanja von et al. (Hrsg.): Ausgewachsen! Ökologische Gerechtigkeit, soziale Rechte, gutes Leben. Hamburg: VSA-Verlag, 31–42.

Platon: Der Staat. (Politeia), ergänzte Ausg. von Karl Vretska, Stuttgart: Philipp Reclam jun. 2000.

Reuter, Norbert (2010): »Der Arbeitsmarkt im Spannungsfeld von Wachstum, Ökologie und Verteilung«, in: Seidl, Irmi / Zahrnt, Angelika (Hrsg.): Postwachstumsgesellschaft – Konzepte für die Zukunft. Marburg: Metropolis, 85–102.

Smith, Adam (1776): Eine Untersuchung über Wesen und Natur des Volkswohlstandes. Ausg. v. Hartmut Waentig. Jena: Gustav Fischer, 3 Bde., 1923.

Statistisches Bundesamt (Hrsg.) (2015a): Arbeitszeit von Frauen: ein Drittel Erwerbsarbeit, zwei Drittel unbezahlte Arbeit. Pressemitteilung Nr. 179. Wiesbaden: Statistisches Bundesaamt. URL: https://www.destatis.de/DE/PresseService/Presse/Pressemitteilungen/2015/05/PD15_179_63931.html

Statistisches Bundesamt (Hrsg.) (2015b): Qualität der Arbeit. Geld verdienen und was sonst noch zählt. Wiesbaden: Statistisches Bundesamt. URL: https://www.destatis.de/DE/Publikationen/Thematisch/Arbeitsmarkt/Erwerbstaetige/BroschuereQualitaetArbeit0010015159004.pdf?__blob=publicationFile

WWF (World Wide Fund For Nature) (Hrsg.) (2014): Living Planet Report 2014. Berlin: Umweltstiftung WWF Deutschland.

Kapitel 10: Bildung und Qualifikation

Anbuhl, Matthias (2015): Die Zwei-Klassen-Gesellschaft – DGB-Analyse zur sozialen Spaltung in der Weiterbildung 2015. Berlin: DGB-Bundesvorstand.

Ax, Christine (2009): Die Könnensgesellschaft – mit guter Arbeit aus der Krise. Berlin: Rhombos.

Baethge, Martin / Wieck, Markus (2015): Ländermonitor berufliche Bildung 2015. Gütersloh: Bertelsmann Stiftung.

Buber, Martin (1999): Das dialogische Prinzip – Ich und Du. Zwiesprache. Die Frage an den Einzelnen. Elemente des Zwischenmenschlichen. 7. Aufl. Gerlingen: Lambert Schneider.

FES (Friedrich Ebert-Stiftung) (Hrsg.) (2003): Gering Qualifizierte – Verlierer am Arbeitsmarkt?! Konzepte und Erfahrungen aus der Praxis. Bonn: Wirtschafts- und sozialpolitisches Forschungs- und Beratungszentrum der Friedrich-Ebert-Stiftung.

Gebauer, Jana / Mewes, Heike / Dietsche, Christian (2015): Wir sind so frei – Elf Unternehmen lösen sich vom Wachstumspfad. Berlin: Institut für ökologische Wirtschaftsforschung.

Hartmann, Ulrike (2016): Bioingenieurwesen. München: xStudy SE. URL: https://studieren.de/bioingenieurwesen.0.html

Holderberg, Per (2014): »Schulische Ausbildungen im Bereich der erneuerbaren Energien«, in: Erneuerbare Energien – Das Magazin für Wind-, Solar und Bioenergie, 23.5.2014. URL: http://www.erneuerbareenergien.de/schulische-ausbildungsn-im-bereich-der-erneuerbaren-energien/150/3882/79047

Illich, Ivan (1971): Entschulung der Gesellschaft – eine Streitschrift. 6. Aufl. München: Beck.

ILO (International Labour Office) (Hrsg.) (2016): Key Indicators of the Labour Market – 9. Aufl. Geneva: ILO.

László, Alex (1991): »Beschreibung und Erfassung von Qualifikationen – zum Qualifikationsbegriff«, in: Berufsbildung, Heft 2/1991, 23–27.

Lessenich, Stephan (2012): Von der Krise zur Transformation des Wohlfahrtsstaates? Ein Diskussionsanreiz in dreizehn Zehnzeilern [Beitrag zur Tagung »Von Krise zu Krise – Transformation ohne Ende« des Kollegs Postwachstumsgesellschaften, Jena, 14./15.6.2012]. URL: http://www.kolleg-postwachstum.de/sozwgmedia/dokumente/Thesenpapiere+und+Materialien/Thesenpapier+Krise+_+Lessenich.pdf

Nida-Rümelin, Julian (2014): Der Akademisierungswahn – zur Krise beruflicher und akademischer Bildung. Hamburg: Edition Körberstiftung.

o. Verf. (2000): »›Kinder statt Inder‹ – Indische Software-Industrie kritisiert Rüttgers«, in: Der Spiegel vom 22.3.2000, URL: http://www.spiegel.de/netzwelt/web/kinder-statt-inder-indische-software-industrie-kritisiert-ruettgers-a-70172.html

Paech, Niko (2012): Befreiung vom Überfluss – auf dem Weg in die Postwachstumsökonomie. München: oekom.

Schmillen, Achim / Stüber, Heiko (2014): »Bildung lohnt sich ein Leben lang«, in: IAB Kurzbericht 01/2014.

Stengel, Oliver (2011): »Weniger ist schwer. Barrieren in der Umsetzung suffizienter Lebensstile – und wie wir sie überwinden können«, in: GAIA, 20. Jg., 614–624.

Stichting Repair Café (Hrsg.) (2016): Ein großartiges Repair-Café-Jahr. URL: http://repaircafe.org/de/ein-grossartiges-repair-cafe-jahr/

Verbund Offener Werkstätten (Hrsg.) (2016): Werkstatt-Suche. URL: http://www.offene-werkstaetten.org/werkstatt-suche

VNB (Verein Niedersächsischer Bildungsinitiativen) (Hrsg.) (2014): Postwachstum und politische Erwachsenenbildung – Fachtag 24.9.2014. URL: http://www.vnb.de/media/5a887300d42e806aa057e36dddec540c.pdf

Kapitel 11: Formelle und informelle Arbeit – Aufhebung der Trennung?

BAT Stiftung für Zukunftsfragen (Hrsg.) (2008): Freizeitmonitor 2007/08. Hamburg: Stiftung für Zukunftsfragen.

Boockmann, Bernhard / Döhrn, Roland / Groneck, Max / Verbeek, Hans (2010): Abschätzung des Ausmaßes der Schwarzarbeit – Eine Untersuchung im Auftrag des Bundesministeriums für Arbeit und Soziales. Tübingen / Essen: Institut für Angewandte Wirtschaftsforschung / Rheinisch-Westfälisches Institut für Wirtschaftsforschung.

Breitkopf, Helmut (1983): »Voraussetzungen und Motive der Bevölkerung für die Beteiligung an Gesundheitsselbsthilfegruppen«,in:Grunow,Dieter / Breitkopf,Helmut / Dahme,Heinz-Jürgen / Engfer, Renate / Grunow-Lutter, Vera / Paulus, Wolfgang: Gesundheitsselbsthilfe im Alltag – Ergebnisse einer repräsentativen Haushaltsbefragung über gesundheitsbezogene Selbsthilfeerfahrungen und -potentiale. Stuttgart: Enke, 119–148.

Brückl, Bianca (2005): Ehrenamtliches Engagement im Non-Profit-Bereich – Bestandsanalyse und Perspektiven des Einsatzes ehrenamtlicher MitarbeiterInnen in der Caritas. Hamburg: Grin Verlag.

Dettling, Warnfried (1988): »Jenseits von Markt und Macht«, in: Fink, Ulf (Hrsg.): Der neue Generationenvertrag. München: Piper, 65–69.

Diewald, Martin (1989): Der Wandel von Lebensformen und seine Folgen für die soziale Integration [Discussion Paper P 89–104]. Berlin: Wissenschaftszentrum Berlin.

Erlinghagen, Marcel / Wagner, Gert (1998): Klassifikation der Arbeit. Berlin: unveröffentl. Manuskript.

Handelsverband Heimwerken, Bauen und Garten e.V. (Hrsg.) (2014): BHB Almanach 01. Köln: Selbstverlag. URL: http://www.bhb.org/fileadmin/website/Presse/BHB_Almanach_01/BHBAlmanach-01.pdf

Hawrylyshyn, Oli (1977): »Towards a Definition of Non-Market Activities«, in: The Review of Income and Wealth, No. 1, 79–96.

Hegner, Friedhart / Kramer, Ulrich / Lakemann, Ulrich (1988): Erwerbsgebundene und erwerbsfreie Zeit – Entwicklungen in der Bundesrepublik Deutschland nach 1950 und Zukunftsszenarios mit Anhang über Schweden und Großbritannien [ILS-Schriften 18]. Dortmund: Institut für Landes- und Stadtentwicklungsforschung.

Hundertmark-Mayser, Jutta / Möller, Bettina (2004): Selbsthilfe im Gesundheitsbereich [Gesundheitsberichterstattung des Bundes, Heft 23]. Berlin: Robert Koch-Institut.

Jakubowski, Anita M. (1987): Selbsthilfegruppen und Selbsthilfeunterstützung in Nordrhein-Westfalen. Bottrop: Gesellschaft zur Information und Beratung örtlicher Beschäftigungsinitiativen und Selbsthilfegruppen.

Kahle, Irene / Schäfer, Dieter (2005): »Ehrenamt und bürgerschaftliches Engagement – Ergebnisse der Zeitbudgeterhebung 2001/2002«, in: Wirtschaft und Statistik, Heft 4, 311–317.

Krüsselberg, Hans-Günter / Auge, Michael / Hilzenbecher, Manfred (1986): Verhaltenshypothesen und Familienzeitbudgets – Die Ansatzpunkte der »Neuen Haushaltsökonomik« für Familienpolitik. Stuttgart / Berlin / Köln / Mainz: Kohlhammer.

Opaschowski, Horst W. (2008): Deutschland 2030 – Wie wir in Zukunft leben. Gütersloh: Gütersloher Verlagshaus.

Runge, Brigitte / Vilmar, Fritz (1988): Handbuch Selbsthilfe. Frankfurt a. M.: Zweitausendeins.

Saur-Jaumann, Eleonore (1956): Zeitaufwand der Haushaltsführung. München: o. Verl.

Schneider, Friedrich / Boockmann, Bernhard (2015): Die Größe der Schattenwirtschaft – Methodik und Berechnungen für das Jahr 2015. Linz / Tübingen: Universität Linz / Institut für Angewandte Wirtschaftsforschung.

Schroth-Pritzel, Ursula (1958): »Der Arbeitszeitaufwand im städtischen Haushalt«, in: Hauswirtschaft und Wissenschaft, Heft 1, 7–22.

Schwarz, Norbert (1996a): »Zeit für Kinder«, in: Blanke, Karen / Ehling, Manfred / Schwarz, Norbert (Hrsg.): Zeit im Blickfeld – Ergebnisse einer repräsentativen Zeitbudgeterhebung. Stuttgart / Berlin / Köln: Kohlhammer, 92–128.

– (1996b): »Zeit für unbezahlte Arbeit«, in: Blanke, Karen / Ehling, Manfred / Schwarz, Norbert (Hrsg.): Zeit im Blickfeld. Ergebnisse einer repräsentativen Zeitbudgeterhebung. Stuttgart / Berlin / Köln: Kohlhammer, 70–91.

– / Wirth, Norbert (1996): »Netzwerkhilfe als Teil der Haushaltsproduktion«, in: Blanke, Karen / Ehling, Manfred / Schwarz,

Norbert: Zeit im Blickfeld. Ergebnisse einer repräsentativen Zeitbudgeterhebung. Stuttgart / Berlin / Köln: Kohlhammer, 141–167.

Statistisches Bundesamt (Hrsg.) (1995): Die Zeitverwendung der Bevölkerung – Ergebnisse der Zeitbudgeterhebung 1991/92, Allgemeiner Überblick. Tabellenband II. Wiesbaden: unveröffentl. Manuskript.

– (Hrsg.) (2015a): Zeitverwendungserhebung – Aktivitäten in Stunden und Minuten für ausgewählte Personengruppen. Wiesbaden: Statistisches Bundesamt.

– (Hrsg.) (2015b): Wie die Zeit vergeht – Ergebnisse zur Zeitverwendung in Deutschland 2012/2013. Wiesbaden: Statistisches Bundsamt.

Thiel, Wolfgang (2010): »Die soziale Selbsthilfe und das Soziale der Selbsthilfe in Deutschland«, in: Selbsthilfegruppenjahrbuch 2010. Gießen: Deutsche Arbeitsgemeinschaft Selbsthilfegruppen.

Trojan, Alf (1986): »Jenseits der Grenzen des Sozialstaats – Selbsthilfegruppen aus dem Blickwinkel der Sozialpolitik«, in: ders. (Hrsg.): Wissen ist Macht – Eigenständig durch Selbsthilfe in Gruppen. Frankfurt a. M.: Fischer Taschenbuch Verlag, 284–312.

Weber, Max (1922): Wirtschaft und Gesellschaft. 5. Aufl. Tübingen: Mohr Siebeck 1972.

Zander, Ernst (1972): »Arbeitszeitaufwand in privaten Haushalten«, in: Hauswirtschaft und Wissenschaft, Heft 2, 60–67.

Kapitel 12: Arbeitszeit

Absenger, Nadine / Ahlers, Elke / Bispinck, Reinhard / Kleinknecht, Alfred / Klenner, Christina / Lott, Yvonne / Pusch, Toralf / Seifert, Hartmut (2014): Arbeitszeiten in Deutschland – Entwicklungstendenzen und Herausforderungen für eine moderne Arbeitszeitpolitik [WSI-Report 19]. Düsseldorf: WSI.

Bartscher, Thomas (o.J.): Stichwort Sabbatical, in: Gabler Wirtschaftslexikon. Wiesbaden: Springer-Gabler. URL: http://wirtschaftslexikon.gabler.de/Archiv/85593/sabbatical-v8.html

Beck, Ulrich (1999): Schöne neue Arbeitswelt – Vision: Weltbürgergesellschaft. Frankfurt a.M./New York: Campus.

Brenke, Karl (2011): »Anhaltender Strukturwandel zur Teilzeitbeschäftigung«, in: DIW-Wochenbericht Nr. 42, 3–12.

– (2014): »Heimarbeit – Immer weniger Menschen in Deutschland gehen ihrem Beruf von zu Hause aus nach«, in: DIW-Wochenbericht Nr. 8, 131–139.

Büchtemann, Christoph F./Schupp, Jürgen (1986): Zur Sozio-Ökonomie der Teilzeitbeschäftigung in der Bundesrepublik Deutschland [Discussion Paper HM/LMP 86–15]. Berlin: Wissenschaftszentrum Berlin.

Bundesanstalt für Arbeitsschutz und Arbeitsmedizin (Hrsg.) (2013): Im Takt? Risiken, Chancen und Gestaltung von flexiblen Arbeitszeitmodellen. 4. Aufl. Dortmund: Selbtverlag. URL: www.baua.de/de/Publikationen/Broschueren/A49.pdf?__blob=publicationFile&v=15

Bundesministerium für Familie, Senioren, Frauen und Jugend (Hrsg.) (2015): Memorandum Familie und Arbeitswelt – Die neue Vereinbarkeit. Berlin: Selbstverlag. URL: www.bmfsfj.de/RedaktionBMFSFJ/Abteilung2/Pdf-Anlagen/memorandum-neue-vereinbarkeit,property=pdf,bereich=bmfsfj,sprache=de,rwb=true.pdf

Deutscher Gewerkschaftsbund (Hrsg.) (2015): Memorandum »neue Vereinbarkeit«. Berlin: DGB. URL: www.dgb.de/themen/++co++e1a5a658-604b-11e5-b5e3-52540023ef1a

Eichhorst, Werner/Tobsch, Verena (2014): Flexible Arbeitswelten – Bericht an die Expertenkommission »Arbeits- und Lebensperspektiven in Deutschland«. Gütersloh: Bertelsmann Stiftung.

Gerlach, Irene/Heddendorp, Henning/Laß, Inga (2014): Vater sein in Nordrhein-Westfalen. Düsseldorf: Ministerium für

Familie, Kinder, Jugend, Kultur und Sport des Landes Nordrhein-Westfalen.

Hamburger Weltwirtschaftsinstitut (Hrsg.) (2014): »Pendeln in Deutschland«, in: Update, Wissens-Service des HWWI, Nr. 1, 1 f.

Hengsbach, Friedhelm (2014): Die Zeit gehört uns – Widerstand gegen das Regime der Beschleunigung. Freiburg: Herder.

Henry-Huthmacher, Christine / Schmitz, Marcus (2010): Väter zwischen Karriere und Familie. St. Augustin / Berlin: Konrad-Adenauer-Stiftung.

Hoff, Andreas (2015): Gestaltung betrieblicher Arbeitszeitsysteme – Ein Überblick für die Praxis. Wiesbaden: Springer Gabler

Institut der deutschen Wirtschaft (Hrsg.) (2002): Deutschland in Zahlen. Ausgabe 2002. Köln: Deutscher Instituts-Verlag.

– (Hrsg.) (2009): Deutschland in Zahlen. Ausgabe 2009. Köln: Deutscher Instituts-Verlag.

– (Hrsg.) (2015): Deutschland in Zahlen. Ausgabe 2015. Köln: Deutscher Instituts-Verlag

– (Hrsg.) (2016): Deutschland in Zahlen – Renteneintrittsalter in Altersjahren. Köln: Deutscher Institutsverlag. URL: www.deutschlandinzahlen.de/tab/deutschland/soziales/gesetzliche-rentenversicherung/renteneintrittsalter

Janßen, Daniela / Nachreiner, Friedhelm (2004): Flexible Arbeitszeiten. Schriftenreihe der Bundesanstalt für Arbeitsschutz und Arbeitsmedizin, Fb 1025. Bremerhaven: Wirtschaftsverlag NW Verlag für neue Wissenschaft. URL: www.baua.de/de/Publikationen/Forschungsberichte/2004/Fb1025.pdf?__blob=publicationFile&v=9

Kompetenzzentrum Fachkräftesicherung (Hrsg.) (2013): Fachkräfte sichern – Flexible Arbeitszeitmodelle. Berlin: Bundesministerium für Wirtschaft und Energie. URL: www.bmwi.de/BMWi/Redaktion/PDF/Publikationen/fachkraefte/fachkraefte-sichern-flexible-arbeitszeitmodelle,property=pdf,bereich=bmwi2012,sprache=de,rwb=true.pdf

Nübling, Matthias / Lincke, Hans-Joachim / Schröder, Helmut / Knerr, Petra / Gerlach, Irene / Laß, Inga (2015): Gewünschte und erlebte Arbeitsqualität [Forschungsbericht 456]. Freiburg / Bonn / Münster: Bundesministerium für Arbeit und Soziales.

o.Verf. (1890): Der Kampf um den Achtstundentag – Festschrift zum 1. Mai 1890, Leipzig: Verlag von Eduard Schulzes Buchhandlung. URL: http://library.fes.de/library/netzquelle/indust/anfaenge/pdf/achtstundentag.pdf

Osterhammel, Jürgen (2012), Das 19. Jahrhundert – 1880 bis 1914, Bonn: Bundeszentrale für politische Bildung. URL: http://www.bpb.de/izpb/142137/1880-bis-1914?p=all

Reisch, Lucia A. / Bietz, Sabine (2014): Zeit für Nachhaltigkeit – Zeiten der Transformation. Mit Zeitpolitik gesellschaftliche Veränderungsprozesse steuern. München: oekom.

Rüling, Anneli (2001): Arbeitszeit und Reproduktionsarbeit. Zusammenhänge und Wechselwirkungen am Beispiel der Teilzeitarbeit [Discussion Paper P01–505]. Berlin: Wissenschaftszentrum Berlin.

Schier, Michaela (2014): »Gute Arbeit, gutes (Familien-)Leben? Folgen der Entgrenzung von Erwerbsarbeit für Geschlechterarrangements«, in: Jurczyk, Karin / Lange, Andreas / Thiessen, Barbara (Hrsg.): Doing Family – Warum Familienleben heute nicht mehr selbstverständlich ist. Weinheim: Beltz Juventa, 252–264.

Schneider, Michael (1984): Streit um Arbeitszeit – Geschichte des Kampfes um Arbeitszeitverkürzung in Deutschland. Köln: Bund-Verlag.

Schnitzlein, Daniel (2011): »Umfang und Folgen der Nichtinanspruchnahme von Urlaub in Deutschland«, in: DIW-Wochenbericht, Nr. 51/52, 14–20.

Seifert, Hartmut (1995): »Arbeitnehmerorientierte Arbeitszeitgestaltung – Mehr Beschäftigung, mehr Sozialverträglichkeit und mehr Zeitautonomie«, in: Wagner, Dieter (Hrsg.): Arbeitszeitmodell –: Flexibilisierung und Individualisierung. Göttingen / Bern/ Toronto / Seattle: Hogrefe, 61–71.

Statistisches Bundesamt (Hrsg.) (2014a): »Berufspendler: Infrastruktur wichtiger als Benzinpreis«, in: STATmagazin v. 6.5.2014.

– (Hrsg.) (2014b): Auf dem Weg zur Gleichstellung? Bildung, Arbeit und Soziales – Unterschiede zwischen Frauen und Männern. Wiesbaden: Statistisches Bundesamt.

– (Hrsg.) (2015): Zeitverwendungserhebung – Aktivitäten in Stunden und Minuten für ausgewählte Personengruppen. Wiesbaden: Statistisches Bundesamt.

Thoben, Cornelia (1988): »Erwerbs- und hausarbeitsgebundene Zeiten«, in: Die Mitbestimmung, Heft 7/8, 395–398.

ver.di (Vereinte Dienstleistungsgewerkschaft) (o.J.): Arbeitszeit. URL: www.verdi-gute-arbeit.de/--/E72A

Westdörp, Uwe (2014): »Neue Tarifverträge gefordert – DGB-Chef Hoffmann drängt auf flexiblere Arbeitszeiten«, in: Neue Osnabrücker Zeitung v. 19.7.2014. URL: www.noz.de/deutschland-welt/politik/artikel/491664/dgb-chef-hoffmann-drangt-auf-flexiblere-arbeitszeiten

Wingen, Sascha / Hohmann, Tanja / Bensch, Uwe / Plum, Wilfried (2004): Vertrauensarbeitszeit – Neue Entwicklung gesellschaftlicher Arbeitszeitstrukturen [Schriftenreihe der Bundesanstalt für Arbeitsschutz und Arbeitsmedizin, Forschungsbericht, Fb 1027]. Bremerhaven: Wirtschaftsverlag NW Verlag für neue Wissenschaft. URL: www.baua.de/de/Publikationen/Forschungsberichte/2004/Fb1027.pdf;jsessionid=530AFC7E92A5E56B9D187A3D3DDEFC38.1_cid343?__blob=publicationFile&v=10

Wingerter, Christian (2011): »Der Eintritt junger Menschen in das Erwerbsleben – Ergebnisse der Arbeitskräfteerhebung 2009«, in: Wirtschaft und Statistik, Heft 2, 98–117.

Kapitel 13: Arbeitsproduktivität und Strukturwandel

AFL-CIO (Hrsg.) (2013): CEO-to-worker pay ratios around the world. URL: http://www.aflcio.org/Corporate-Watch/Paywatch-Archive/CEO-Pay-and-You/CEO-to-Worker-Pay-Gap-in-the-United-States/Pay-Gaps-in-the-World

Autor, David H./Dorn, David (2013): »The growth of low-skill service jobs and the polarization of the US labor market«, in: American Economic Review, Vol. 103, No. 5, 1553–1597.

BMAS (Bundesministerium für Arbeit und Soziales) (Hrsg.) (2015): Grünbuch Arbeiten 4.0 – Arbeit weiter denken. Berlin: BMAS. URL: http://www.bmas.de/SharedDocs/Downloads/DE/PDF-Publikationen-DinA4/gruenbuch-arbeiten-vier-null.pdf?__blob=publicationFile

BMWi (Bundesministerium für Wirtschaft (Hrsg.) (2014): Monitoring-Report Digitale Wirtschaft 2014 – Innovationstreiber IKT. Berlin: BMWi. URL: https://www.bmwi.de/BMWi/Redaktion/PDF/Publikationen/monitoringreport-digitale-wirtschaft-2014-langfassung

Dengler, Katharina/Matthes, Britta (2015): In kaum einem Beruf ist der Mensch vollständig ersetzbar – Folgen der Digitalisierung für die Arbeitswelt [IAB-Kurzbericht, 24/2015]. Nürnberg: Institut für Arbeitsmarkt- und Berufsforschung. URL: http://doku.iab.de/kurzber/2015/kb2415.pdf

Fourastié, Jean (1954): Die grosse Hoffnung des zwanzigsten Jahrhunderts. 3. Aufl. Köln-Deutz: Bund-Verlag.

Frey, Carl Benedikt/Osborne, Michael A. (2013): The future of employment. How susceptible are jobs to computerisation? Oxford: Oxford Martin School. URL: http://www.oxfordmartin.ox.ac.uk/downloads/academic/The_Future_of_Employment.pdf

Fücks, Ralf (2013): Intelligent wachsen – Die grüne Revolution. München: Carl Hanser.

Kiatpongsan, Sorapop/Norton, Michael I. (2014): »How Much

(More) Should CEOs Make? A Universal Desire for More Equal Pay«, in: Perspectives on Psychological Science, Vol. 9, No. 6, 587–593.
Reuter, Norbert (2010): »Der Arbeitsmarkt im Spannungsfeld von Wachstum, Ökologie und Verteilung«, in: Seidl, Irmi / Zahrnt, Angelika (Hrsg.): Postwachstumsgesellschaft – Konzepte für die Zukunft. Marburg: Metropolis, 85–102.

Kapitel 14: Empfehlungen

Gebauer, Jana / Sagebiel, Julian (2015): Wie wichtig ist Wachstum für KMU? Berlin: IÖW.
Hipp, Lena / Stuth, Stefan (2013): »Management und Teilzeit? Eine empirische Analyse zur Verbreitung von Teilzeitarbeit unter Managerinnen und Managern in Europa«, in: Kölner Zeitschrift für Soziologie und Sozialpsychologie, Heft 1, 101–128.
Kansaneläkelaitos [Finnische Sozialversicherung] (Hrsg.) (2016): Experimental study on a universal basic income. URL: http://www.kela.fi/web/en/experimental-study-on-a-universal-basic-income
Presse- und Informationsamt der Bundesregierung (Hrsg.) (2016): Deutschland im Dialog. URL: https://www.gut-leben-in-deutschland.de/DE/Home/home_node
Statistisches Bundesamt (Hrsg.) (2016): Arbeitsmarkt auf einen Blick. Deutschland und Europa. Wiesbaden: Statistisches Bundesamt.